DISC

SERIE INFINITA

M

JUSTIN SOMPER

VAMPIRATAS

CORAZÓN NEGRO

montena

Este libro es una obra de ficción. Los nombres, lugares e incidentes son producto de la imaginación del autor o se utilizan de manera ficticia. Cualquier parecido con personas vivas o muertas, acontecimientos o lugares de la vida real es pura coincidencia.

Título original: *Vampirates:Black Heart*
Publicado por acuerdo con Simon & Schuster Ltd., Londres
Adaptación del diseño de la cubierta: Random House Mondadori / Judith Sendra

Primera edición: junio de 2008

Printed in Spain – Impreso en España

ISBN: 978-84-8441-534-3
Depósito legal: B-21.281-2009

Compuesto en Fotocomposición 2000, S. A.
Impreso en Limpergraf
Mogoda, 29. Barberà del Vallès (Barcelona)

Encuadernado en Imbedding

GT 1 5 3 4 3

Para Peejay,
por demasiadas razones para enumerarlas aquí

La historia hasta el momento...

La historia comienza en el año 2505. Los niveles de los mares han aumentado. Quien domine los océanos, dominará el mundo. Los mares están plagados de barcos pirata y otros navíos más misteriosos...

Los gemelos Connor y Grace Tempest se han criado con su padre, Dexter Tempest, en Crescent Moon Bay, donde su padre trabaja como farero. Ni Connor ni Grace han conocido a su madre y apenas saben nada de ella.

Cuando Dexter muere repentinamente, los gemelos deciden empezar una nueva vida y se hacen a la mar en el viejo velero de su padre. Pero no llegan muy lejos antes de que una tempestad los sorprenda en mar abierto, dejándolos a merced de las frías aguas.

Pero tanto Connor como Grace salen con vida, rescatados por barcos distintos, con tripulaciones muy distintas...

Connor es rescatado por Cheng Li, la segunda de a bordo del *Diablo,* uno de los barcos pirata de peor fama. Su capitán es el legendario Molucco Wrathe, el mayor de tres hermanos que forman una carismática dinastía pirata, poderosa pero también rebelde. Connor se une a la tripulación de Molucco y se hace pirata, destacando por su fuerza y audacia casi prodigiosas y sus excepcionales dotes como espadachín. Intima, sobre todo, con dos compañeros, Bart Pearce y Jez Stukeley, formando un trío conocido cariñosamente como «los Tres Bucaneros».

Grace recobra el conocimiento a bordo del *Nocturno*, un barco de piratas vampiro (o vampiratas) que surca los mares desde hace una eternidad, pasando en gran parte inadvertido. Durante la primera parte de su estancia a bordo, Grace no está segura de si es una invitada, una prisionera o una oportuna proveedora de sangre para la tripulación.

El padre de Grace solía cantarle una canción marinera sobre los vampiratas, describiéndolos como «los demonios del océano». No obstante, en contra de sus expectativas, la mayor parte de la tripulación se muestra bien dispuesta hacia ella. Concretamente, traba amistad con el alférez Lorcan Furey, el guapo irlandés que la ha rescatado, Darcy Pecios, el mascarón de proa del barco durante el día, que revive durante la noche, y el misterioso capitán, que siempre lleva el rostro oculto por una máscara de cuero y habla en extraños susurros.

Los vampiratas que tripulan el *Nocturno* no atacan a sus víctimas de forma descontrolada, sino que celebran un Festín semanal, durante el cual cada vampiro se alimenta de la sangre de su pareja o «donante». No obstante, entre las filas de vampiratas reina un creciente descontento con este sistema y el teniente Sidorio es el primero en rebelarse, lo cual acarrea su expulsión del *Nocturno*.

Grace y Connor se reúnen brevemente, pero, aunque se alegran mucho de saber que su hermano gemelo está bien, sus nuevas amistades y lealtades los conducen en direcciones distintas. La vida de Connor a bordo del *Diablo* empeora cuando Jez es abatido en un duelo, lo cual lo induce a cuestionarse el criterio del capitán Wrathe y su juramento de serle leal durante el resto de su vida. Entretanto, Grace siente la necesidad de regresar con los vampiratas y descubre, para su horror, que Lorcan se ha quedado ciego, y que la culpa puede ser suya.

Sidorio está ocupado forjando alianzas y tentando a los vampiratas para que abandonen el *Nocturno*. El primer miembro de su tripulación es Jez Stukeley, a quien él transforma en vampiro para convertirlo en su alférez vampirata. Otros rebeldes se unen a su reducido pero despiadado grupo y juntos masacran brutalmente a Porfirio Wrathe (el hermano menor de Molucco) y su tripulación pirata. Este acto despreciable provoca la venganza de los piratas, en un ataque encabezado por Molucco y Connor. Ellos consiguen destruir a varios de los vampiratas, pero tanto Sidorio como Stukeley logran salir con vida.

El capitán Barbarro Wrathe llega para zanjar una larga disputa con Molucco y vengar el asesinato de Porfirio. Barbarro, capitán del *Tifón,* viene acompañado de su esposa (y segunda de a bordo) Trofie, quien tiene una mano hecha enteramente de oro, y su hijo adolescente, Moonshine, que está resentido con Connor después de un altercado anterior.

Grace viaja a Santuario, un centro de sanación para los vampiratas con problemas, acompañada de Lorcan, su donante Shanti y el capitán vampirata. Todos esperan que el gurú de los vampiratas, Mosh Zu Kamal, pueda curar la ceguera de Lorcan y aconsejar al capitán acerca de las divisiones que están surgiendo en el mundo vampirata. Mientras Lorcan se cura, Grace traba amistad con Johnny Desperado, un vaquero vampirata que también está recibiendo tratamiento en Santuario.

Molucco planea con Barbarro el más grande de todos los saqueos piratas, pero su sobrino Moonshine pone en peligro el éxito de la operación y obliga a Connor a matar por primera vez para salvarle la vida. Matar a un hombre afecta hondamente a Connor, que comienza a cuestionarse su lealtad a Molucco y su idoneidad como pirata. Abandona el barco y zarpa con rumbo a lo desconocido, yendo finalmente en busca de su antigua camarada Cheng Li, que ahora imparte clases en la Academia de Piratas. Cheng Li se está preparando para capitanear su propio barco y Connor decide alistarse en su tripulación, si Molucco consiente. Para su sorpresa, Molucco accede, quemando su juramento de lealtad y dejando marchar al muchacho al que había llegado a considerar como a un hijo.

Las ambiciones de Sidorio aumentan, y más vampiratas, tanto del *Nocturno* como de Santuario, se suman a sus filas, incluyendo a Johnny, el amigo de Grace. Conforme más vampiratas del *Nocturno* abandonan el barco para unirse a la rebelión de Sidorio, el capitán vampirata antes invencible se desmorona.

Grace y Connor ayudan a Mosh Zu en una ceremonia de sanación en la cual por fin despojan al capitán de su máscara. Durante el proceso curativo, una serie de almas emergen del cuerpo del capitán. Una de ellas es extrañamente familiar. Es la madre de los gemelos, Sally, a quienes ellos nunca han visto … hasta ahora.

MAR ABIERTO
AÑO 2,512

1
Intrusos en la fortaleza

Era una noche despejada y serena. El *Tifón* trazaba su curso por el mar, ágil y seguro como una orca. En cubierta, los piratas del turno de noche realizaban sus tareas con inmemorial precisión. Bajo cubierta, sus compañeros descansaban, comían, se relajaban o se preparaban para sus ocupaciones del día siguiente. El *Tifón* era una máquina bien engrasada: desde la cofa hasta la cocina; desde el aprendiz de pirata más humilde hasta el capitán y su segunda de a bordo.

Dos pisos por debajo de la cubierta, en una de las salas más pequeñas pero no por ello menos suntuosas, cuatro personas estaban sentadas alrededor de una mesa redonda. La mesa tenía un mantel rojo de seda sobre el cual se erigía una estructura parecida a las cuatro murallas de una fortaleza. Cada muralla estaba hecha de pequeñas fichas —mitad de madera, mitad de hueso—, colocadas una junto a la otra. Pero, evidentemente, aquella fortaleza en miniatura no era inexpugnable. Había brechas en las murallas. Algunas de las fichas habían sido trasladadas a regletas colocadas delante de cada muralla mientras que otras estaban en la mesa, con la cara de hueso vuelta hacia arriba, revelando una serie de intrincados símbolos de colores.

—Bueno… —dijo Trofie Wrathe, dando un golpecito en la regleta que tenía delante con uno de sus dedos de oro—. Es divertido, ¿no?

Enfrente de ella, su marido, el capitán Barbarro Wrathe, permaneció callado.

—¡Oh, sí, divertidísimo! —gruñó Moonshine, su hijo, sentado a la derecha de Trofie.

—Yo creo que es un juego maravilloso —dijo el hombre mayor sentado a su izquierda.

Trofie asintió alentadoramente.

—Gracias, Transom. Creo que te toca a ti.

—Ah, ¿sí? —El fiel mayordomo de los Wrathe pareció momentáneamente desconcertado. Luego alargó la mano y, con los dedos trémulos, cogió una ficha de la muralla. Dándole la vuelta para ver la cara de hueso, se la acercó a los ojos y examinó el símbolo con más detenimiento.

Moonshine suspiró ruidosamente.

—¡Date prisa, «abuelo»! —bufó.

Su padre lo miró con severidad.

—¡Va en serio! —insistió el muchacho.

—Moonshine... —le advirtió Barbarro Wrathe con su resonante voz.

Transom colocó la ficha en su regleta y, con una súbita explosión de energía, empezó a cambiar las otras fichas de sitio, como si estuviera realizando un complicado juego de manos.

—Recordádmelo —dijo Moonshine con voz de pito—. ¿Por qué motivo exactamente nos estamos torturando de esta forma tan deprimente?

Barbarro suspiró, negó con la cabeza y dio un sorbo a un vaso lleno de líquido color miel.

Trofie sonrió amablemente.

—La noche de los martes es para pasarla en familia, *min elskling*. Fue idea mía, como bien sabes. Creo que no hemos estado pasando suficiente tiempo juntos. —Cuando continuó, lo hizo con determinación—. Todo eso va a cambiar a partir de ahora.

En respuesta, Moonshine puso los ojos en blanco en un gesto histriónico.

Trofie miró ferozmente a su hijo y luego a su marido.

—¿Quieres hacer el favor de decirle algo a tu hijo?

Barbarro se encogió de hombros.

—A lo mejor tiene razón. Él no se está divirtiendo, yo tampoco, desde luego, y no me puedo creer que tú…

—Yo me lo estoy pasando en grande —dijo Trofie, sonriendo de inmediato—. Y Transom también…

El mayordomo seguía recolocando las fichas en su regleta. Mientras lo hacía, su cara sufrió una serie de contorsiones. De pronto, sus dedos interrumpieron su danza en miniatura. Alzó la vista y sonrió tímidamente.

—¡Mahjong! —exclamó, dando la vuelta a su regleta para enseñar pulcras series de fichas agrupadas por palos.

—¡Bravo! —gritó Trofie, aplaudiendo. No hizo mucho ruido, porque una de sus manos era de oro y la otra de carne y hueso, pero su regocijo fue evidente—. ¡Bien jugado, Transom! —dijo—. Creo que le estás cogiendo el tranquillo. —Miró a su alrededor—. Bueno, ¿jugamos otra partida?

—¡No! —rugieron al unísono Barbarro y Moonshine. Por una vez, habían encontrado algo en lo que ponerse de acuerdo.

—Está bien —dijo Trofie, claramente desanimada—. ¿Qué hacemos ahora?

—Dínoslo tú, mamá —respondió Moonshine—. La noche en familia es cosa tuya.

—Si no es mucho atrevimiento —sugirió Transom—, podría pedir a la cocinera que les prepare un refrigerio.

—Sí —dijo Trofie, asintiendo—. Eso estaría bien. Tal vez un poco de salmón noruego ahumado, seguido de moras de los pantanos con nata.

—Muy bien, señora —dijo el viejo sirviente, levantándose y dirigiéndose a la puerta.

Cuando Transom se hubo marchado, Barbarro se levantó y cogió una licorera, rellenando primero el vaso de Trofie y luego el suyo.

—Comparte el botín, ¿eh, papi? —dijo Moonshine, sonriendo y alzando su vaso.

Barbarro negó con la cabeza y volvió a poner el tapón de cristal tallado a la licorera.

—¡Pero es nuestra noche en familia! —insistió Moonshine—. La noche de la semana en que lo compartimos todo.

—No tientes a la suerte más de lo que ya has hecho, hijo —le aconsejó su padre, volviendo a sentarse. Cogió la mano a su esposa y, con vacilación, le acarició los dedos de oro con uñas de rubíes—. Lo hemos intentado, Trofie, pero ¿para qué engañarnos? No me vendría nada mal echar otro vistazo a la carta marítima. ¿Te importa si...?

—Sí —dijo Trofie, retirando bruscamente la mano—. Sí, *min elskling,* me importa mucho. De esta habitación no sale nadie. Vamos a pasar tiempo en familia aunque sea lo último que hagamos. —Se cruzó de brazos en actitud desafiante.

Barbarro gruñó. Moonshine fingió que se daba una puñalada en el corazón y se desplomó en la silla, haciéndose el muerto. Y así se quedaron, sumidos en un silencio asfixiante, hasta que llamaron a la puerta.

El alivio fue audible en la habitación.

—Adelante, Transom —dijo Trofie.

La puerta se abrió y apareció una enorme bandeja de plata.

—Creía que habías dicho un «refrigerio». —Trofie se rió. Pero la sonrisa se le quedó congelada en los labios al ver que no era Transom quien había traído la bandeja. La llevaba una espigada figura, envuelta en una capa negra con capucha.

—¿Quién es usted? ¿Qué pasa? —exclamó Barbarro cuando la figura dejó la bandeja en la mesa. Otras dos figuras envueltas en capas entraron en el camarote. Cerraron la puerta y se quedaron flanqueándola como centinelas.

—Le he hecho una pregunta —bramó Barbarro—. ¿Quién es usted?

En respuesta, la primera figura se quitó la capucha, agitó sus largos cabellos oscuros y sonrió a los tres Wrathe. Era una mujer de asombrosa belleza con grandes ojos castaños y los pómulos muy marcados. A un centímetro de la comisura de sus carnosos labios, tenía un lunar. En torno al ojo izquierdo, llevaba un corazón negro, dibujado o tatuado.

—¿Es necesario que se lo pregunte por tercera vez...? —comenzó a decir Barbarro.

Por fin, la desconocida habló.

—Somos de la Liga Oceánica para la Defensa de los Criados Mayores —dijo, con un entrecortado acento inglés—. Ya va siendo hora de que contraten sirvientes más jóvenes, ¿no es cierto, chicas?

Sus dos acompañantes sonrieron enigmáticamente mientras se quitaban la capucha. Eran dos mujeres más jóvenes, pero de la misma extraordinaria belleza que su señora. Al igual que ella, tenían un corazón negro dibujado alrededor de un ojo, aunque en su caso era el derecho.

—En serio, ¿quiénes son? —insistió Barbarro—. Nadie sube a bordo del *Tifón* sin ser invitado.

—Ah, ¿no? —dijo la desconocida—. Bueno, nunca he sido la clase de chica que espera a que la inviten. La clase de chica que se queda en casa suspirando por que suene el teléfono. —Se rió—. No es mi estilo. Yo salgo cuando me apetece, por así decirlo.

Moonshine sonrió. Definitivamente, aquella mujer tenía algo que molaba. Y, aunque decía ser una chica, a él le parecía toda una mujer. Sus dos acompañantes eran igual de despampanantes. Fuera cual fuera su identidad o intención, habían sin duda impedido que aquella noche en familia fuera un verdadero muermo.

—Bueno —dijo la desconocida—, es todo un honor conocer por fin a la gran familia Barbarro.

—Estamos en desventaja —dijo Trofie, educadamente pero en un tono glacial—. Ustedes saben quiénes somos, pero nosotros seguimos sin tener ninguna pista de su identidad.

La mujer se quitó los guantes, revelando unos dedos largos y delicados con todas sus afiladas uñas pintadas de negro.

—Me llamo —dijo, su acento entrecortado recordando, de algún modo, al cristal tallado— lady Lola Lockwood. Y estas son Marianne y Angelika, dos miembros de mi tripulación.

—¿Tripulación? —preguntó Trofie—. ¿Vienen de otro barco?

—Sí —dijo lady Lockwood—. Soy la primera en admitir que no es tan suntuoso como el *Tifón,* pero es nuestro hogar, ¿verdad, chicas?

Marianne y Angelika asintieron. Sus sonrisas apenas dejaron translucir nada.

Trofie cruzó el camarote para acercarse a lady Lockwood, sin despegar los ojos de ella ni un momento.

—Creo que no he oído hablar de ustedes —dijo en un tono bastante terminante.

—Eso no me sorprende —dijo lady Lockwood—. Soy una vagabunda, ¿sabe? De noble cuna, dirían algunos. Oh, sí, nací envuelta en pañales de seda... Pero de eso hace ya muchísimo tiempo y apenas guarda relación con lo que ahora soy y con cómo decido pasar mi tiempo.

—¿Que es...? —replicó Trofie. Ahora, las dos mujeres estaban frente a frente, como si se estuvieran mirando en un espejo, si bien uno que distorsionaba completamente su reflejo. Ambas tenían una estatura similar y eran hermosas, cada una a su manera. Pero lady Lockwood era tan morena como rubia era la glacial Trofie Wrathe.

—Soy coleccionista —dijo lady Lockwood, clavando sus ojos oscuros en Trofie—. Me gusta adquirir cosas bonitas: joyas, *objects d'art,* cosas insólitas y valiosas.

—Entonces, ¿es usted pirata? —insistió Trofie—. ¿Cómo nosotros?

Lady Lockwood intercambió una divertida mirada con sus dos acompañantes.

—Pirata —repitió—. Bueno, sí. En parte.

—Vaya al grano —dijo Barbarro, impacientándose—. La noche ya ha sido larga y no estoy de humor para más jueguecitos.

Lady Lockwood se rió con desdén.

—No sea aguafiestas —dijo—. A mí siempre me han gustado los juegos. Es lo que sucede cuando eres hija única de padres aristócratas y te pasas días seguidos encerrada en un castillo húmedo y ruinoso, sin que te gusten los tapices...

—Hablo en serio —la interrumpió Barbarro—. Vaya al grano o lo haré yo. —Dicho aquello, desenvainó su estoque y la apuntó amenazadoramente con él.

—Vaya por Dios —dijo lady Lockwood, con cierta tristeza—. Y yo que esperaba que pudiéramos ser amigos.

Volvió a reírse, lanzando una mirada a Marianne y Angelika. Sus dos acompañantes se unieron a ella, como si las tres estuvieran compartiendo un chiste privado. Sus risas se tornaron cada vez más graves, dejando de ser una expresión de placer para convertirse en un sonido más siniestro y voraz. Fue entonces cuando Moonshine Wrathe reparó en los colmillos curiosamente largos y peligrosamente afilados que asomaban por cada una de sus hermosas bocas.

—¿Son…? —preguntó roncamente, quedándose sin voz antes de terminar la pregunta—. ¿Son…? —Una vez más, le falló la voz.

—¿Somos chicas muertas de sed? —preguntó lady Lockwood, sonriéndole afablemente—. Sí, querido muchacho, estamos muertas de sed. Veamos, ¿qué podéis ofrecernos para saciarla?

2

De carne y hueso

—¿Cuánto crees que van a tenernos esperando?

Grace sonrió a su hermano.

—Mi respuesta no ha cambiado desde la última vez que me lo has preguntado hace tres minutos. No lo sé.

Connor encontraba la antesala profundamente claustrofóbica. No estaba acostumbrado a las habitaciones sin ventanas. Hasta los camarotes más pequeños del *Diablo* habían tenido una o dos portillas, permitiendo ver algo del mundo exterior. Lo mejor que aquella habitación podía ofrecerle era una pintura: el gran lienzo cuadrado colocado para simular el marco de una ventana.

Todo el recinto de Santuario le producía claustrofobia. Pensó en la sucesión de tortuosos pasillos que señalaba el inicio del viaje a las entrañas de la montaña. Primero el Pasillo de las Luces, impregnado del olor dulzón que desprendían las lámparas de mantequilla de yak. Luego, el Pasillo de los Despojos o, como Connor lo había renombrado, de los Cachivaches. Las paredes de aquel pasillo estaban repletas de estantes, apenas visibles bajo sus montones de trastos. Olían a viejo y a moho. Grace le había explicado que aquellos artefactos pertenecían a los vampiratas que acudían a Santuario para curarse. Aquella idea no tenía ninguna lógica para él. O eras un vampiro o no lo eras, ¿no? Y, si eras un vampiro, no había forma de curarte.

El tercer pasillo era el Pasillo de las Cintas y, al recorrerlo, las cintas multicolores que pendían del techo le rozaban a uno el pelo y los ojos. Grace le explicó, con considerable entusiasmo, que las cintas eran increíblemente poderosas, que contenían todas las emociones de los pacientes de Santuario. Pero, para Connor, no eran más que trozos de tela viejos y descoloridos que, colgando tan cerca de las lámparas, tenían bastantes probabilidades de provocar un incendio.

Era extraño, pensó, cómo él y su hermana gemela entendían el mundo de un modo tan distinto últimamente. Se volvió para mirarla. Estaba absorta en sus pensamientos, sentada en la única silla de la antesala. En otro tiempo, se habría ovillado en ella como un lirón, pasando las piernas por encima de uno de los brazos. Ahora, estaba sentada con la espalda recta, los pies en el suelo y las manos apoyadas en las rodillas. Connor reparó en que se había marchado de la Academia de Piratas dejando a una niña y se había encontrado con una muchacha a su llegada a Santuario. No hacía tanto que él y Grace no se veían, pero la experiencia la había cambiado, como lo había cambiado a él. Los dos estaban madurando. Pero ¿se estaban también separando?

Connor sabía que, mientras que él se sentía casi físicamente enfermo en aquel lugar y se moría por regresar a mar abierto y respirar aire puro, Grace parecía sentirse como en casa, entre los vampiratas, sus donantes (a Connor le entraban náuseas de solo imaginárselo) y sus consejeros.

De pronto, Grace alzó la vista, dándose claramente cuenta de que su hermano la había estado observando.

Lo miró con curiosidad.

—¿Qué estás pensando? —preguntó.

Decidiendo no hacerla partícipe de todos sus pensamientos, Connor le preguntó, en cambio:

—¿Cómo puedes estar tan calmada, tener tanta paciencia?

Grace se encogió de hombros, arrellanándose en la silla.

—A lo mejor solo estoy disfrutando el hecho de volver a tenerte conmigo. Ha pasado bastante tiempo.

Connor se sentó en el brazo de la silla y le cogió la mano.

—Yo también me alegro de verte, Grace. No solo me alegro…
Bueno, no hace falta que lo diga, ¿no?

—No. —Grace sonrió, apretándole la mano—. No hace falta
que digas nada.

—Esto me trae recuerdos —dijo Connor—. De cuando estábamos en el faro.

—No hace tanto tiempo de eso —dijo Grace—. Pero parece que
haga una eternidad, ¿verdad?

Connor asintió.

—A veces… me pregunto… ¿Alguna vez tienes ganas de volver? ¿A casa?

—Sí que pienso en volver —respondió ella—. Al menos, pienso en la vida que teníamos allí. Tú, yo y papá. Pero, aunque no
haga tanto tiempo de eso, ahora me parece un sueño. Si volviéra-
mos hoy, no sería lo mismo. Papá no estaría. El faro pertenecería a
otra persona. —Se estremeció—. A Lachlan Busby, o a quienquiera que haya decidido vendérselo. Hasta podría estar habitado por
un nuevo farero y su familia. Creo que no podría soportar ver eso.
¿Y tú? Sería como si fuéramos fantasmas.

Connor entornó los ojos con dolor.

—No, supongo que no. Y sé a qué te refieres. La vida que teníamos antes de naufragar parece ahora un sueño, ¿verdad? Pero no
lo fue. Fue real. Aquel era nuestro hogar. Últimamente, no sé dónde está mi casa. —Negó con la cabeza—. Creí que el *Diablo* podría
ser mi nuevo hogar. Supongo que deseaba que lo fuera, y que Molucco Wrathe fuera una especie de figura paterna. Pero me estaba
engañando.

—Pero allí tienes buenos amigos —dijo Grace—. Bart y Cate.
Y otras personas. Sé que estás enfadado con Molucco por cómo te
ha tratado, pero puede que ese sea tu sitio.

—¡No esperaba oírte decir eso! Molucco Wrathe nunca ha sido
santo de tu devoción.

—No —admitió Grace. El fanfarrón capitán pirata siempre había sido demasiado engreído y petulante para su gusto—. Pero lo

que es apropiado para ti no tiene por qué serlo para mí —reconoció—. Somos gemelos, pero somos personas distintas.

—Entonces, ¿no podremos estar nunca juntos? ¿Es eso lo que estás diciendo?

Grace negó con la cabeza.

—No lo sé. Ojalá lo supiera. No hay nadie a quien me sienta más unida que a ti, Connor. Pero nunca he estado cómoda en el *Diablo*. Y sé que tú nunca podrías sentirte en casa a bordo del *Nocturno*... ni aquí en Santuario.

—Pero ¿tú sí te sientes en casa? ¿En ese barco de vampiratas y aquí?

Grace se encogió de hombros.

—No exactamente en casa, pero como si mi destino fuera estar aquí. Mi destino es estar con ellos.

Connor abrió los ojos como platos al oír aquello.

—Lo sé —dijo ella, dándole otro apretón en la mano—. Es difícil de entender.

Connor se encogió de hombros.

—No veo por qué habría de serlo. Al fin y al cabo, nuestra madre está aquí, ¿no? Iba en ese barco y luego ha venido aquí, viajando dentro del cuerpo del capitán, no sé cómo. Parece extraño cuando intentas expresarlo en palabras, pero yo lo he visto... la he visto... con mis propios ojos.

—Sí —dijo Grace. Los ojos se le humedecieron al recordar la imagen de su madre, incorporándose y sonriéndole. Su hermosa madre, con aquellos ojos de color verde esmeralda y sus largos cabellos caoba, abriendo los brazos y estrechando a sus hijos en ellos—. Es justo como siempre he sabido que sería —añadió—. Igual que en mis sueños.

Connor se inclinó para apoyar la cabeza en la de Grace.

—A lo mejor solo es eso. Todo lo que hemos pasado tú y yo desde el naufragio. Un sueño, que estamos soñando los dos.

Grace sonrió y se arrimó más a su hermano. Cerrando los ojos, se permitió refugiarse en sus recuerdos de momentos felices en el faro. Pero su inquieta mente no tardó en gestar un nuevo pensamiento.

—¿Cómo encontraste anoche el camino para subir la montaña?

—¿Qué? Oh, eso. Fue pan comido —respondió Connor—. Es una buena caminata, pero ya me conoces. Estoy hecho un toro. Además, había luna llena. Casi parecía que fuera de día. —La miró—. ¿Por qué me lo preguntas?

—A nosotros nos costó muchísimo subir —comentó Grace—. Al capitán, a Lorcan, a Shanti y a mí. Estaba oscurísimo, y además tuvimos que guiar a Lorcan, porque entonces no veía. Shanti resbaló y estuvo a punto de despeñarse. Y, justo cuando pensábamos que ya nada podía ir peor, se puso a nevar. El sendero es empinadísimo. ¿No te lo ha parecido?

Connor negó con la cabeza.

—Es como un camino vecinal. A lo mejor cogisteis otra ruta. Aunque es curioso. Al pie del despeñadero solo vi un camino.

—Sí —asintió Grace—. Sí, pero debe de ser como Olivier me dijo una vez. Que la montaña cambia. Que todo el mundo llega aquí por un camino distinto.

—¿Quién es Olivier? —preguntó Connor.

Grace se quedó callada, recordando al antiguo ayudante de Mosh Zu. Se había mostrado indulgente e irritado con ella según el momento, su humor tan variable como el tiempo. Y había traicionado a su maestro, creyendo que Sidorio lo ascendería, solo para verse a su vez traicionado y rechazado por el vampirata renegado.

—No era nadie de quien necesites saber nada —dijo, por fin—. Ya no está.

Connor se bajó del brazo de la silla y se puso a andar.

—¿Cuánto más crees que vamos a tener que esperar? Justo le habíamos dicho «Hola» cuando se la llevaron.

—Deben proceder con cautela —respondió Grace—. Ella era una de las almas extraviadas que portaba el capitán. Ya has visto lo frágiles que eran, lo desconcertadas que estaban de volver a ser libres.

—¿Es nuestra madre, Grace, o es alguna clase de fantasma? —Connor miró a su hermana esperanzado, pero ella no tenía ninguna respuesta para él.

—Nos abrazó. Nos besó. No me lo imaginé, ¿verdad? Era tan de carne y hueso como tú o yo.

Grace se levantó y se acercó a él.

—No tengo respuestas para ti, Connor. Ojalá las tuviera. Lo único que sé es que Mosh Zu hará lo que sea más conveniente. Hasta entonces, tenemos que esperar.

—Esperar no se me da bien —dijo Connor, empezando otra vez a pasearse de arriba abajo.

—Llevamos catorce años esperándola —dijo Grace—. ¿Qué son unas cuantas horas más?

Connor sonrió.

—Supongo que, si lo planteas así…

Mientras hablaba, llamaron a la puerta. Esta se abrió y la ayudante de Mosh Zu, Dani, asomó la cabeza. Como de costumbre, su expresión era impenetrable.

—Mosh Zu os pide que vayáis a su sala de meditación —dijo.

—¿Está nuestra madre con él? —preguntó Connor—. ¿Se encuentra bien?

Dani quizá no oyó su pregunta. Ya estaba alejándose por el pasillo con paso enérgico.

—Nos lo diría, ¿verdad? —Connor miró a Grace—. Si algo fuera mal, nos lo dirían, ¿no?

Grace percibió pánico en la voz de su hermano.

—Vamos —dijo, tendiéndole la mano.

Notó que el corazón comenzaba a acelerársele. Estaba igual de nerviosa que Connor ante la perspectiva que les aguardaba.

3

La dama de corazones

—¿Qué hay que hacer aquí para que te sirvan una copa? —preguntó lady Lockwood, mirando sucesivamente a Moonshine, Barbarro y Trofie con sus ojos oscuros.

La escena que tenían ante ellos había dejado mudos a los tres Wrathe. Lady Lockwood y sus dos acompañantes, Marianne y Angelika, estaban sonriendo, enseñando tres pares de colmillos extremadamente largos, que solo parecían crecer y afilarse cuanto más los miraran.

Moonshine, que al principio se había quedado impresionado por la belleza del trío, descubrió que sus sentimientos hacia las tres mujeres estaban cambiando rápidamente.

—Tenemos sed —dijo Marianne, dando un paso hacia él.

—Hum… ¿qué… les… parece… un whisky? —farfulló, yendo a coger la licorera. Pero Marianne lo agarró por el brazo y negó con la cabeza.

—No puedo beber whisky. No me sienta bien. —Dicho aquello, lo rodeó con el otro brazo y lo arrimó mucho a ella, acercándole peligrosamente la boca a la oreja.

—¡Suéltelo! —ordenó Barbarro. Pero Marianne pareció no haberlo oído. El capitán se dirigió a lady Lockwood—. Usted, señora. Usted es la jefa. Dígale que suelte a mi hijo.

Lady Lockwood sonrió y negó con la cabeza.

—Solo tiene sed. Y creo que lo menos que se puede pedir en una noche tan fría como esta es que la reciban a una con una copa de bienvenida.

—¿Una copa de bienvenida? —gruñó Barbarro—. ¿O una copa de sangre?

—¡Ahora nos entendemos! —dijo Angelika, adelantándose y colocándose detrás del capitán. Él alzó los brazos para defenderse con su estoque, pero la fuerza de la vampira lo sorprendió. Se quedó paralizado en sus garras, aunque costaba saber si era por miedo o por obra de la magia. Trofie vio con asombro que Angelika le quitaba el estoque del puño tan fácilmente como si fuera una astilla y lo arrojaba al suelo lejos de él.

Miró a su hijo y a su marido, indefensos en las garras de aquellas mujeres, aquellos demonios. ¿Qué debía hacer? Todas las reglas convencionales de ataque y defensa parecían haberse quedado obsoletas. ¿O no?

Se dirigió a lady Lockwood.

—Tal vez podríamos hacer un trato —dijo.

Al principio, creyó que lady Lockwood tal vez estaba demasiado ávida de sangre para responder, pero entonces habló.

—¿Un trato? ¿Qué clase de trato?

—El que haga falta —respondió Trofie—. Si es sangre lo que buscan, puedo fácilmente ofrecerles algunos de mis piratas como alternativa.

Lady Lockwood sonrió al oír aquello.

—Es todo un detalle por su parte, querida, pero la sangre es bastante parecida al vino. Cuando has probado una buena cosecha, el vino peleón deja de gustarte.

—Entonces —dijo Trofie—, ¿es a esto a lo que han venido aquí esta noche? ¿A beberse la sangre del capitán y su familia?

—Caramba, estoy impresionada —dijo lady Lockwood—. No hay muchas personas capaces de expresar una idea así sin ponerse histéricas, pero usted sigue tan fría como un glaciar. Es fácil ver quién lleva los pantalones en este barco.

—Gracias por el cumplido —dijo Trofie—, pero, si ha venido con la única intención de lacerarnos, no alarguemos más esto.

A cada lado de ella, Marianne y Angelika asintieron ante la perspectiva, agarrando a sus cautivos con más fuerza. El miedo que estaban experimentado Barbarro y Moonshine era demasiado evidente en los rostros de padre e hijo.

—¡Esperad! —ordenó lady Lockwood. Como perros bien adiestrados, las dos mujeres volvieron la cabeza al oír la voz de su jefa. Ella las miró fijamente antes de concentrarse de nuevo en Trofie—. Es usted tan hermosa como dicen —dijo, pasándole un dedo por el pómulo. Trofie se quedó tan quieta como una estatua de cera ante su amenazador roce—. Haré un trato con usted —anunció lady Lockwood—. Antes le he dicho que me gusta adquirir cosas bonitas. Cosas insólitas y valiosas.

Mientras hablaba, no despegó los ojos de Trofie ni por un momento.

—Pese a la sed que tengo, pese a la sed que tenemos todas, estoy segura de que un tesorillo podría distraernos. ¿Qué me puede ofrecer? —Le brillaron los ojos.

—Lo que haga falta —respondió Trofie, sin inmutarse—. Lo que haga falta para que dejen con vida a mi hijo y a mi marido.

—Bien. —Lady Lockwood enarcó una ceja—. Es usted una defensora de los valores familiares, ¿no?

—Por encima de cualquier otra cosa —dijo Trofie.

Lady Lockwood volvió a alargar la mano hacia ella, pero esta vez sus dedos acariciaron la gargantilla de rubíes, que deslumbraba como el fuego en su blanco cuello de cisne.

—Qué gargantilla tan bonita —dijo lady Lockwood. Estoy segura de que es única.

—Sí —corroboró Trofie—. Única. Sin imperfecciones. Y vale un dineral. Si la quiere, es suya.

Lady Lockwood se encogió de hombros.

—¿Por qué no? Es un poco llamativa para mi gusto, pero conozco a una persona de mi tripulación a la que le encantará.

—Si se la doy, ¿se marcharán? —preguntó Trofie.

Lady Lockwood se cruzó de brazos.

—Me temo que va a ser necesario algo más que eso. Pero la gargantilla será un buen punto de partida. ¿Necesita ayuda para quitársela?

—No —dijo Trofie, perdiendo parte de su frialdad—. No, puedo hacerlo sola. —Se llevó las manos a la nuca. Al hacerlo, sus dedos de oro y sus uñas de rubíes refulgieron a la luz de las velas.

—¡Ah! —suspiró lady Lockwood—. ¡Aquí está! ¡La legendaria mano de Trofie Wrathe!

Al oír aquello, Trofie se quedó momentáneamente paralizada.

—¿La veis, chicas? —preguntó lady Lockwood—. Es preciosa, ¿verdad? Un oro tan puro. Unas gemas tan perfectas. Es una auténtica maravilla. ¡Más fabulosa incluso de lo que nos han hecho creer! Única.

Trofie se quitó la gargantilla y se la ofreció en su mano de oro. Pero, en vez de coger la gargantilla, lady Lockwood la agarró por la muñeca, en el sitio donde la carne daba paso al oro.

—Démela —dijo, los ojos brillándole de la emoción.

—¿Quiere mi mano? —preguntó Trofie con incredulidad.

—Sí, querida. —Lady Lockwood asintió, como si Trofie fuera una niña tonta—. Me llevaré la gargantilla, es una bonita baratija, pero su mano es el auténtico tesoro.

—Pero ¿para qué la quiere? —dijo Trofie, desconcertada—. No le sirve a nadie salvo a mí.

Lady Lockwood seguía teniéndola agarrada por la muñeca. En aquel momento, la soltó.

—Ya se lo he dicho —explicó—. Colecciono cosas. Cosas bonitas. Cosas insólitas. A veces, se las regalo a mis amigas. Y a veces me las quedo. Y esto… —acarició los dedos de oro—, esto seguro que me lo voy a quedar.

—Tenemos otros tesoros —dijo Trofie—. Permítame que se los muestre. Venga a nuestro almacén y elija lo que quiera…

—No, gracias —dijo lady Lockwood—. No soy tan codiciosa. Esta noche me iré a casa con la gargantilla y la mano de oro, y me consideraré una chica muy afortunada.

—¡Pero es la mano de mi madre! —protestó Moonshine. Angelika se rió infantilmente y le pasó la mano por el pelo.

Trofie mantuvo la calma, sus ojos clavados en los de lady Lockwood.

—Si se la doy —le preguntó—, ¿se marchará? ¿Me da su palabra?

—Le doy mi palabra —dijo lady Lockwood.

—Mamá, no puedes darle tu...

—Cállate, Moonshine. Ya has visto lo que es lady Lockwood... de lo que es capaz. Es poco sacrificio a cambio de que podamos salir con vida.

—¡Es tu mano! —gritó Moonshine.

Pero Trofie estaba decidida. Con su otra mano, abrió los cierres que le sujetaban la mano de oro a la muñeca y se la quitó. Asintió.

—Es suya. Cójala.

Sonriendo, lady Lockwood cogió la mano de oro, sacándola de la manga de Trofie. Se la llevó a los labios y la besó. Luego, la guardó entre los pliegues de su capa. Aplaudió, complacida.

—Chicas, soltad a los prisioneros. Ya tenemos lo que hemos venido a buscar.

Mientras Marianne y Angelika soltaban de mala gana a Moonshine y Barbarro, Trofie se quedó mirando a lady Lockwood.

—Quería mi mano desde el principio, ¿no?

—Tal vez —respondió ella, sonriendo—. Bueno, hasta otra. Disfruten de su banquete—. Dio un golpecito a la bandeja tapada que había traído.

Dicho aquello, se dio la vuelta y abrió la puerta. Marianne y Angelika salieron al pasillo detrás de su jefa. La puerta se cerró y los tres miembros de la familia Wrathe se quedaron solos. Se miraron, desconcertados.

—Voy a ir tras ella —dijo Moonshine.

—¡No! —gritaron al unísono Trofie y Barbarro.

Moonshine se paró en seco.

—Pero, mamá, tu mano...

—¡Conseguiremos otra! —exclamó Barbarro.

—Oh, sí —dijo Moonshine—. ¡Solo tenemos que pasarnos por el bazar donde las fabrican!

—Es... es una vampira, ¿verdad? —Por fin, la voz de Trofie Wrathe dejó traslucir parte de la consternación que tan bien había logrado disimular.

—Sí, querida —dijo Barbarro, asintiendo y abrazando a su esposa—. Es una vampira. O una vampirata. Comoquiera que se hagan llamar. Los mismos monstruos que mataron a mi querido hermano Porfirio.

—Más razón para vengarnos rápidamente —insistió Moonshine.

—Esto no es una cosa que podamos abordar solos ni a la ligera —dijo su padre—. Tenemos suerte de seguir con vida.

—Está bien —admitió Moonshine—. Pero ¿qué vamos a hacer al respecto?

—En primer lugar, hablaré con Molucco. Él tiene experiencia con estas criaturas. Me convenció para que no las persiguiera ni me vengara de ellas, pero ahora todo ha cambiado. ¡Estos monstruos no pueden atacarnos en nuestros propios barcos! Así que hablaremos con Molucco. Luego, expondré el caso en la Federación de Piratas. Colaboraremos para limpiar los mares de esta amenaza. —Se enfureció—. ¡Esta noche han cometido un error atacando este barco! ¡Que a nadie le quepa ninguna duda!

Moonshine no pudo evitar pensar que, por muy inspiradoras que fueran las palabras de su padre, el capitán había sido bastante menos combativo durante su encuentro con las tres vampiratas.

Barbarro abrazó más estrechamente a su esposa y segunda de a bordo y bajó la voz.

—Pero, ahora mismo, voy a llevarme a tu madre a nuestro camarote —dijo a su hijo—. Si quieres hacer algo útil, convoca a toda la tripulación para que se reúna conmigo en la cubierta principal dentro de diez minutos. Quiero saber cómo han subido al *Tifón* esos demonios. —Dadas sus órdenes, Barbarro se llevó a su esposa de la sala.

Moonshine fue tras ellos, pero se detuvo, viendo la bandeja tapada que lady Lockwood había traído consigo. El susto le había dado hambre. ¿Era demasiado esperar que bajo la tapa hubiera algún manjar exquisito?

Pero, al levantarla, se decepcionó. La bandeja estaba vacía, salvo por un objeto. Un naipe.

Moonshine lo cogió y le dio la vuelta. Era parecido a un naipe normal, pero tenía algo extraño. Era la dama de corazones… pero los corazones siempre eran rojos.

Y aquella carta era negra.

4

Reencuentro incompleto

—No hay necesidad de que os quedéis entre las sombras —dijo Mosh Zu cuando Grace y Connor entraron en la sala de meditación. Estaba de pie en el centro de la habitación, mirándolos. Delante de él había una silla de mimbre cuyas varas trenzadas despedían un pálido resplandor dorado a la luz de las velas. La silla estaba de espaldas a ellos. A su lado, hecha también de mimbre, había una mesa redonda, con una jarra de agua y tres vasos. Mientras Grace miraba, una pálida manita asomó por un costado de la silla y cogió un vaso. Le dio un vuelco el corazón. La mano pertenecía a Sally, su madre. Dentro de un momento, ella y Connor se sentarían a tener su primera conversación con ella. De pronto, la enormidad de aquel encuentro la abrumó. Cogió a Connor de la mano. Notó que también él estaba temblando.

Mosh Zu, sin abandonar su calma habitual, pidió a Connor que le ayudara a llevar otras dos sillas al centro de la sala. Grace se encontró sola, a pocos pasos de su madre. Respirando hondo, se acercó a ella. Los ojos de Sally se encontraron con los de Grace, el intenso verde de sus iris era un reflejo exacto de los de su hija.

—¡Hola otra vez! —dijo Sally, sonriéndole. Parecía débil, pero era, tal como recordaba, de carne y hueso. Grace se inclinó hacia delante y la besó en la mejilla. La notó tan lisa y fresca como el mármol, pero, para ella, lo importante fue poder notarla. Recordó las visitas de Darcy, en las cuales, pese a parecer que estaba en la misma habitación que ella, su amiga solo había sido una proyección astral y sus manos habían pasado a su través. Aquello era distinto, muy distinto.

Sally le cogió las manos y sus ojos se encontraron, verde sobre verde esmeralda. En ese instante, Grace tuvo una sensación extrañísima. Comenzó como el principio de un fuerte dolor de cabeza, un dolor punzante que le atravesó el cráneo. Pero el dolor solo fue momentáneo y, conforme remitía, vio mentalmente una rápida sucesión de imágenes. La primera fue de su padre, pero era más joven de como ella lo había visto nunca. Era de noche y estaba al aire libre, riéndose. Grace notó que Sally le apretaba las manos. La imagen cambió. Esta vez, fue a Sidorio a quien vio. Estaba exactamente igual a cómo ella lo recordaba. Se disponía a entrar en el largo camarote que ocupaba la parte inferior del *Nocturno,* el camarote donde se celebraba el Festín semanal. Sally le dio otro apretón y la imagen volvió a cambiar. Esta vez, fue a Lorcan a quien Grace vio. La estaba mirando, con lágrimas en los ojos. Entonces, Sally la soltó y las visiones desaparecieron al instante.

Grace se quedó clavada al suelo, aturdida, cuando Sally se volvió hacia Connor. Mientras veía abrazarse a madre e hijo, se preguntó si Sally tenía alguna idea del efecto que tocarla había surtido en ella. ¿Y qué significaba aquella extraña secuencia de imágenes? ¿Le había mostrado parte de su pasado?

—Dejad que os mire —dijo Sally—. Dejad que os mire bien.

Grace se volvió y vio que Connor estaba junto a ella. En ese momento, la rodeó con el brazo, aunque no estuvo segura de si lo había hecho para reconfortarla a ella o para calmar sus propios nervios.

—Grace y Connor —dijo dulcemente Sally—. Mis gemelos. ¡Mis ángeles! —Era evidente, por la aspereza de su voz, que le había costado esfuerzo pronunciar aquellas pocas palabras.

—¿Por qué no os sentáis? —sugirió Mosh Zu, señalando las dos sillas vacías. Al hacerlo, Grace se preguntó por qué no había traído una para él.

—Seguro que tenéis muchas preguntas para vuestra madre —dijo el gurú. Miró a Sally, sonriéndole con dulzura—. Y sé que ella

36

está impaciente por saber más cosas de vosotros. Os dejaré durante un rato. Es apropiado que estéis solos como una familia. Habéis, cada uno a su manera, esperado mucho para este reencuentro.

Mientras Mosh Zu se dirigía a la puerta, Grace notó que el pulso se le aceleraba. Se le ocurrieron un montón de preguntas. ¿Cuánto tiempo tenemos? ¿Cuán frágil es el estado de Sally? ¿Qué pasa si se altera? Agradecía el ofrecimiento de Mosh Zu de darles espacio para conocerse, pero le habría gustado que la hubiera preparado mejor, por el bien de todos.

Lo vio cerrar la puerta al salir. Justo después, oyó mentalmente su voz, serena y diáfana. «No dejes que estas preocupaciones nublen la alegría de vuestro reencuentro. La respuesta a cada una de tus preguntas es sencilla. Yo no sé más de lo que sabes tú. Pero ten por seguro que estaré cerca si me necesitas.»

Grace asintió y se volvió hacia su madre y hermano, preguntándose si habían advertido su gesto y les había extrañado. Ninguno de los dos parecía haberse dado cuenta. Connor estaba mirándose las manos, que tenía apoyadas en las rodillas. Sally lo estaba observando. Tenía, pensó Grace, un aire infantil. Era difícil juzgar su edad, dada su actual palidez. Aunque solo hubiera tenido dieciséis años cuando los alumbró, ahora debía de tener como mínimo treinta. Pero parecía más joven. De no haber sabido que no era así, le habría echado unos veinticinco años, o incluso menos. Pero eso era imposible. Las cifras no cuadraban.

—Bueno —dijo Sally—, con lo mucho que llevamos esperando este momento, esto es, de hecho, un poco embarazoso, ¿no? —Al oír aquello, Connor alzó la vista, mirándola a través de su flequillo. Sally le sonrió. Luego, miró a Grace—. Como ha dicho el gurú, estoy segura de que tenéis montones de preguntas que hacerme. ¿Por dónde os parece que empecemos?

Grace vaciló. No quería empezar preguntando nada que fuera demasiado difícil o perturbador. Asimismo, era consciente de que, dado el estado de Sally, su tiempo podía ser limitado y no quería perder aquella oportunidad de abordar los asuntos importantes. Al final, optó por un camino intermedio.

—Me preguntaba —dijo—, ¿cuánto tiempo hace que no nos ves? Aparte de la última vez en la cámara de sanación. Antes de eso, ¿cuánto hace que no estamos juntos? —Se quedó callada—. No pretendo parecer maleducada ni ofensiva, pero no tengo ningún recuerdo de ti en Crescent Moon Bay.

Sally empezó a hablar, pero tenía la voz ronca, quizá por la falta de uso, y tosió.

—Connor, cielo, ¿serías tan amable de llenarme el vaso de agua?

Connor se inclinó sobre la mesa y le llenó el vaso, poniéndoselo en la mano.

—Gracias —dijo ella, sonriéndole. Por primera vez, él le devolvió la sonrisa. Sally tomó un sorbo de agua y continuó—: Bueno, Grace, respondiendo a tu pregunta, lo cierto es que no he estado nunca en Crescent Moon Bay.

—¿Nunca? —exclamó Grace. Vio que también Connor estaba sorprendido.

Sally negó con la cabeza.

—Me gustaría ir allí algún día. —Sus ojos perdieron parte de su luz—. Supongo que, ahora, tendría que ser muy pronto.

—Pero nosotros siempre hemos vivido en Crescent Moon Bay —dijo Grace—. Hasta el día en que papá murió y nos sorprendió la tempestad. Habíamos pasado toda nuestra vida allí.

—Sí. —Sally asintió—. Toda vuestra vida salvo una pizca del principio. —Alzó una mano menuda y juntó los dedos índice y pulgar—. Una pizca así antes de iros a Crescent Moon Bay. Esa fue, hijos míos, la última vez que os vi.

—¿Cuando éramos bebés?

Sally asintió.

—Pero ¿por qué? —preguntó Grace.

—Es una larga historia —dijo Sally—. Una historia larga y a veces difícil. —La voz se le había vuelto a debilitar y tomó otro sorbo de agua, haciendo una pausa antes de continuar—. Pero es vuestra historia y debéis conocerla.

Grace lanzó una mirada a Connor antes de volver a concentrarse en su madre.

Su temor había dado paso a la excitación. Era como si fueran niños otra vez, acurrucados en sus literas en la habitación del faro que habían compartido de pequeños. Calentitos y listos para escuchar un cuento antes de dormirse. Solo que ahora sabían a ciencia cierta que Sally nunca había estado en el faro. Era su padre, Dexter Tempest, quien siempre les había contado cuentos antes dormir. Les había contado cuentos y cantado aquella extraña canción marinera...

Esta es la historia de los vampiratas,
así que estate atento...

Le entristeció que su padre no estuviera allí para compartir aquel reencuentro. Eso lo convertía en un reencuentro incompleto.

—Vuestra historia comienza a bordo del *Nocturno* —dijo Sally.

—¡El *Nocturno*! —exclamó Grace—. Es el barco de los vampiratas —recordó a Connor.

—Sí —dijo él, ligeramente irritado—. Ya lo sé.

—¡Tú navegaste en el *Nocturno*! —dijo Grace, moviendo la cabeza con emoción. Ahora tenía una respuesta a una de sus mayores preguntas: de qué se conocían Sally y Lorcan. Sintió una afinidad más honda con su madre. Como si hubieran hecho el mismo camino en la vida sin darse cuenta—. ¿Qué hacías a bordo del *Nocturno*? —preguntó.

—Estaba a punto de contárnoslo —dijo Connor, con cierto ímpetu—. Grace, por favor, déjale contar la historia sin interrumpirla cada cinco segundos.

—Está bien —dijo Grace, mirando de nuevo a Sally—. Lo siento —añadió.

—Tranquila —dijo Sally, bebiendo un poco más de agua—. Yo era como tú. Estaba ávida de información. Me moría de ganas de saberlo todo. De verlo todo. De hacerlo todo. —Sonrió y volvió a dejar el vaso en la mesa—. ¿Qué hacía en el *Nocturno*? Muy sencillo. Era una donante.

5

Maniobras nocturnas

Stukeley cabalgó expertamente la ola hasta la orilla; luego, se bajó de la tabla y se la puso al hombro.

Observó a Johnny, que venía detrás de él. Su equilibrio era soberbio. Hacía poco que había aprendido a hacer surf, bajo la tutela del propio Stukeley, pero ya era tan bueno como su maestro. Toda su experiencia con caballos lo había dotado de un gran sentido para equilibrar y guiar la tabla por las olas más fuertes.

Johnny estaba gritando de euforia cuando recogió su tabla y salió corriendo del agua para reunirse con su amigo.

—¿Cómo lo he hecho? —preguntó.

Stukeley sonrió y le dio un apretón en el hombro.

—Lo has hecho bien, socio —dijo—. Lo llevas en la sangre.

—Gracias, hermano. —Johnny sonrió alegremente. Era cierto que, con el poco tiempo que hacía que se conocían, eran como hermanos. Stukeley ya había tenido buenos amigos. Recordó fugazmente una imagen de él a bordo del *Diablo,* haciendo payasadas con Connor y Bart. Ahora, cada vez le costaba más evocar imágenes como aquella, como si fueran un sueño que había tenido una vez pero al cual ya no podía regresar. Ahora, su vida era esta, este mundo de oscuridad.

—Pareces ausente. ¿En qué estás pensando?

Stukeley negó con la cabeza.

—Acabo de tener un recuerdo de cuando era mortal.

—Sigues teniéndolos, ¿eh? —Johnny le sonrió con ironía y se caló su sombrero vaquero.

—Sí, estaba pensando en…

—No sigas por ese camino —dijo Johnny, negando con la cabeza—. Eso solo te hará sufrir. —Arrojó su tabla a la arena—. Créeme, yo mismo he cometido ese error demasiadas veces.

Stukeley observó las olas bañadas de luz lunar que se reflejaban en los oscuros ojos de Johnny.

—¿Y qué quieres que haga? ¿Que lo olvide todo? ¿Que olvide todo lo que fui?

Johnny asintió.

—Sí. No intentes retenerlo. Vive el presente.

Stukeley miró a su amigo.

—¿Es lo que haces tú?

—Lo intento, tío. No siempre es fácil, pero es mejor que llenarte la cabeza de dolor, remordimiento y nostalgia.

Stukeley estuvo de acuerdo.

—Hay personas que quería y que me querían. No siempre me porté bien con ellas…

—Créeme —dijo Johnny—, solo podrás ser libre si vives en el presente. En esta playa. Es todo lo que tenemos.

Aunque Johnny parecía unos años menor que él, debido a la edad que tenía cuando fue transformado en vampiro, llevaba mucho más tiempo en aquel mundo. Por lo poco que le había contado, Stukeley sabía que su viaje había sido largo y a menudo duro. Cuando se trataba de dar consejos sobre cómo empezar de nuevo, el antiguo vaquero sabía de lo que hablaba.

—Mira. —Johnny lo hizo volverse y juntos observaron al resto de surfistas. Unos ojos mortales no habrían podido ver sus apretadas filas, incluso si algún mortal hubiera sido tan audaz para estar en la playa aquella noche y no a cubierto, con la casa cerrada a cal y canto. El agua estaba plagada de ellos. Se respiraba un ambiente de excitación, no solo por la euforia del surf, sino también en anticipación de lo que vendría.

—¿Dónde está el capitán? —preguntó Stukeley—. No lo veo.

—Justo allí. —Johnny señaló—. Justo donde esperarías encontrarlo: en el meollo.

Y allí estaba Sidorio, descollando sobre los que le rodeaban, con un dominio total de la enorme ola que lo estaba llevando a la orilla. Cuando vio a sus dos alféreces aguardándolo, rugió y propulsó su musculoso cuerpo hacia arriba, dando un salto mortal en el aire con la tabla de surf enganchada aún a los pies. Cayendo de pie en las aguas embravecidas, aprovechó otra ola para completar su viaje hasta la orilla.

—¡Impresionante, capitán! —Stukeley movió la cabeza con admiración mientras Sidorio se acercaba a grandes zancadas.

Sidorio sonrió.

—A veces, hasta me sorprendo a mí mismo —dijo.

—¿Ha visto hacer surf a Johnny? —preguntó Stukeley—. Está mejorando. Está mejorando mucho.

—Lo he visto —dijo Sidorio, mirando a Johnny—. Bien hecho, vaquero.

Johnny se deleitó con el elogio del capitán, quien rara vez hacía halagos.

La playa se estaba llenando del resto de vampiratas, una apretada fila de oscuras figuras, saliendo del agua y secándose nada más pisar tierra.

—¡Miren eso! —exclamó Stukeley.

Los tres se volvieron para contemplar la hilera de tablas clavadas en la arena. Aquella era la tripulación de Sidorio, la creciente hueste de vampiratas formada por los tripulantes descontentos del *Nocturno* y los vampiros que languidecían en Santuario, así como por algunos reclusos de un barco prisión. Nuevos prosélitos, pensó Stukeley. Y cuán dispuestos habían estado a cruzar al otro lado; más dispuestos, en muchos aspectos, de lo que había estado él. ¿Cómo era posible? ¿Cómo era posible que hubieran cruzado con tanta facilidad, mientras que él seguía teniendo dificultades? Miró la hilera de rostros expectantes.

—Te están esperando —le susurró Johnny al oído.

Stukeley oyó aquellas palabras y fue como si alguien hubiera pulsado un interruptor dentro de su cerebro. De pronto, sabía qué tenía que hacer, qué tenía que decir. De pronto, sabía quién era.

—Muy bien. —Dio una palmada, arrogándose autoridad y, con ello, una aparente seguridad—. Bienvenidos a Santa Demónica, chicos. Es un pueblecito muy agradable, según dicen. Pero no puedo prometeros que sus habitantes os vayan a recibir con los brazos abiertos a estas horas de la noche. O, a decir verdad, a cualquier otra hora. —Esperó a que las risas que había suscitado cesaran antes de continuar—. Ya sabéis cómo es esto, chicos. Haced lo que os apetezca. Coged lo que necesitéis. —Se dirigió a varias caras escogidas entre la multitud—. Pero intentad portaros bien. ¡No os peleéis entre vosotros! —Volvió a dirigirse a todos—. Y, lo más importante, estad de vuelta, listos para zarpar, dentro de tres horas.

Se retiró. La fila de vampiratas seguía aguardando en la playa. Miró a Sidorio.

—Si me hace el favor de dar la orden, capitán… —dijo.

Sidorio se adelantó sin vacilar.

—¡¿A qué estáis esperando?! —gritó—. ¡Es hora de cazar!

Al oír su orden, los vampiratas echaron a correr como lobos hambrientos soltados en mitad del bosque. Algunos corrieron juntos, en jaurías. Otros se separaron, prefiriendo rastrear y cazar sus presas en solitario.

Stukeley oyó cómo echaban abajo la primera puerta, cómo reventaban la primera ventana. El primer grito. Aquellos sonidos se repitieron de inmediato, antes de que la familiar música discordante aumentara de volumen, convirtiéndose en una violenta rapsodia ininterrumpida.

Se estremeció brevemente. Luego, se dio la vuelta y vio a Johnny junto a él.

—¿Dónde está el capitán? —preguntó.

—Ya se ha ido —respondió Johnny—. A cazar con los demás.

Otro estruendo de cristales rotos. Otro coro de gritos.

—Nosotros deberíamos ir también —dijo Johnny—. Lo necesitamos tanto como ellos. Somos todos iguales.

—Sí —admitió Stukeley—. Sí, somos todos iguales. —Juntos, él y Johnny se alejaron de la orilla.

No habían ido muy lejos cuando Johnny dio un codazo a Stukeley.

—Mira —dijo, señalándole las dunas con la cabeza—. Parece que esta noche vamos a poder cazar más cerca de casa.

Stukeley miró en la dirección de Johnny. Había dos figuras en las dunas: dos mujeres, vestidas elegantemente con ceñidos vestidos largos y unos zapatos de tacón bastante poco prácticos, dadas las circunstancias. Una de ellas lucía un sombrero de ala ancha y una extravagante gargantilla de rubíes cuya forma recordaba a una telaraña. Curiosamente, las dos cubrían sus ojos con grandes gafas oscuras.

—¡Hola! ¡Buenas noches, lindas damiselas! —gritó Johnny, alzando una mano—. Parece que vayáis vestidas para una fiesta.

La mujer que llevaba el sombrero se volvió hacia él.

—Una fiesta —dijo—. Sí, claro. ¿Sabéis dónde hay una?

—¡Aquí mismo! —dijo resueltamente Johnny—. ¡Justo aquí!

La mujer sonrió. Johnny vio su propia cara sonriente reflejada en sus gafas oscuras.

—¿Por qué llevas esas gafas por la noche? —preguntó.

Las mujeres se rieron al oír aquello. Luego, hablaron las dos al mismo tiempo.

—¡Está de moda, cariño!

Su modo de decir «cariño» hizo que Stukeley se estremeciera de la cabeza a los pies. Aquello iba a ser fácil. A menudo lo era. Pocas mujeres eran capaces de resistirse a los encantos de los dos carismáticos alféreces de Sidorio.

—Entonces —dijo Stukeley, decidiendo acelerar un poco las cosas—, ¿os apetece pasear un rato con nosotros? Yo soy Stukeley, por cierto, y este tipo tan guapo es Johnny. —Johnny se quitó el sombrero y les hizo una pomposa reverencia.

Las mujeres volvieron a sonreír.

—Yo soy Jessamy —dijo la que llevaba el sombrero.

—Y yo Camille.

44

—Dos lindos nombres para dos lindas damiselas —dijo Stukeley—. Venga, ¿por qué no os quitáis las gafas y nos enseñáis vuestros lindos ojos?

Las mujeres se miraron. Luego, en perfecta sincronía, se quitaron las gafas. Cuando se volvieron hacia ellos, Stukeley y Johnny vieron unos rostros mucho más hermosos de lo que jamás habrían podido imaginar. Los ojos les brillaban como rubíes y en torno al izquierdo llevaban tatuado un corazón negro.

Stukeley sofocó un grito de sorpresa. Aquello era demasiado perfecto. Ahora tenía muchísima hambre. Y sabía que a Johnny le ocurría lo mismo. Veía el fuego ardiendo en las simas de sus ojos. Cuando se volvió para mirar a las mujeres, contuvo el aliento. Porque ese mismo fuego ardía también en sus ojos.

Viendo su confusión, Jessamy sonrió, abriendo la boca un poco más que antes y enseñando un par de colmillos extremadamente largos y afilados. Luego, los blancos colmillos de Camille brillaron también a la luz de la luna.

—Habéis mencionado una fiesta —dijo Jessamy—. Creo que estamos buscando la misma clase de diversión, ¿no os parece? —Tendió la mano a Stukeley. Como un reflejo, Camille también se la tendió a Johnny.

—Venga —dijo, ávidamente—. Vayamos a darnos un banquete.

Stukeley se despertó en la arena, sintiendo una honda sensación de paz y relajamiento, acompañada de una sensación de desconcierto. Tardó unos momentos en reconocer dónde estaba. Se volvió y vio a Johnny, durmiendo, el sombrero vaquero subiéndole y bajándole en el pecho. Tenía una amplia sonrisa. Y unas cuantas manchas de sangre entre los labios y el mentón.

Sangre. Aquello le trajo un recuerdo fragmentado. Habían estado cazando. Por alguna razón, no pudo evocar la totalidad del recuerdo. Pero aquello no era infrecuente. Cuando se despertaba, casi siempre estaba confuso. A veces, tardaba un buen rato en recordar los detalles de la cacería.

Stukeley vio que Johnny abría por fin los ojos. Frunció el entrecejo.

—¿Dónde estoy?

Stukeley se rió entre dientes.

—Estás en una playa, socio.

—Eso ya lo veo —dijo su amigo—. Pero ¿dónde? ¿Y por qué?

—Bueno —respondió Stukeley—. A juzgar por ese pequeño rastro de sangre que tienes en el mentón, me atrevería a decir que hemos estado de cacería.

Johnny parpadeó al oír la palabra.

—Que raro. No me acuerdo… —Se sentó en la arena con dificultad—. Estoy un poco mareado —dijo.

—Yo también —dijo Stukeley—. Pero es un mareo agradable. —Se levantó con esfuerzo. Se notaba el cuerpo como si fuera de gelatina. Las piernas se le desparramaron y se desplomó en la arena, riéndose.

Johnny también se rió.

—¡Es lo más divertido que he visto en siglos!

—Muy bien, listillo —dijo Stukeley—. A ver cómo lo haces tú.

Johnny aceptó el reto y se puso torpemente en pie.

—¡Mira! —anunció, manteniéndose un momento derecho—. ¡Está chupado! —Cuando terminó de hablar, las piernas le flaquearon y también se desplomó en la arena.

—¡Me dejas impresionado! —gritó Stukeley, partiéndose de risa.

—¡Tío! —exclamó Johnny—. Debimos de tomar mucha sangre anoche, ¿no crees?

—Oh, sí. —Stukeley asintió—. Creo que nos corrimos una buena juerga. Es una lástima que no nos acordemos de nada.

Lady Lockwood estaba aguardando en su camarote a que Jessamy y Camille regresaran. Jugaba al solitario con una baraja de naipes poco comunes: eran de un único palo, corazones, y todos eran negros.

En cuanto llamaron a su puerta, la capitana gritó:

—¡Adelante!

Jessamy y Camille, vestidas con sus mejores galas, entraron en el camarote. Las dos sonreían.

—¿Y bien? —preguntó la capitana—. ¡Parece que os habéis divertido!

—Oh, sí —dijo Jessamy, quitándose el sombrero y agitando su larga cabellera pelirroja. Contrastaba magníficamente con la gargantilla de rubíes.

—¡Nos lo hemos pasado realmente en grande, capitana! —exclamó Camille.

—¿Y ha ido todo según el plan? —preguntó lady Lockwood.

—Por supuesto —ronroneó Jessamy—. ¡Los hemos manejado a nuestro antojo!

Lady Lockwood asintió con gesto de aprobación.

—Esto exige un brindis —dijo. Junto a ella tenía una botella de vino y varias copas. La suya ya estaba medio llena, pero cogió la botella para llenar las de sus dos acompañantes.

—¿Qué nos estamos bebiendo? —preguntó Jessamy.

Lady Lockwood sonrió.

—Un frescales italiano. —Hizo una pausa—. Creo que se llamaba Vicente. No, Vincenzo, ¡eso es! Un cantante de ópera, aunque, a decir verdad, como cantante dejaba bastante que desear.

Camille tomó un sorbo, saboreando la exquisita bebida durante un buen rato antes de tragársela.

—¿Te gusta, querida? —preguntó lady Lockwood—. ¿O querrías algo con más cuerpo?

Camille negó con la cabeza.

—Está delicioso, capitana.

Jessamy asintió, igual de satisfecha.

—Una valiosa adición a la bodega Corazón Negro —afirmó.

—Estoy encantada —dijo lady Lockwood—. Hay unas cuantas botellas más. Compartidlas si os apetece. Consideradlo una humilde forma de agradeceros el éxito en vuestra misión.

La capitana sonrió, volvió a llevarse su copa a los labios y bebió. Le había colado el primer gol a Sidorio.

6

Otras realidades

—¡Una donante! —Grace no pudo contenerse.

Sally asintió, cogiéndole la mano y apretándosela. Pero, una vez más, aunque aquel gesto lo único que pretendía era tranquilizarla, le provocó un caos mental. En rápida sucesión, las tres imágenes que ya había visto volvieron a aparecérsele —primero Dexter, luego Sidorio, luego Lorcan—. Y, en esta ocasión, hubo una imagen nueva, del mismísimo capitán vampirata, sentado a la mesa en su camarote.

Cuando Sally retiró la mano, la visión cesó al instante. Una vez más, sin darse aparentemente cuenta del efecto que tocarla surtía en su hija, continuó hablando.

—Deduzco por vuestras reacciones que los dos sabéis qué es un donante.

Connor se quedó callado. Grace, afectada aún por las visiones, asintió. Intentó concentrarse en lo que Sally decía. El hecho de que hubiera sido donante explicaba la extraña anomalía en su edad. El pacto entre vampirata y donante impedía que el donante envejeciera. Pero Sally habría tenido que dejar de ser donante para alumbrar a sus gemelos. A menos que…

Tenía el inconsciente disparado. Sentía que estaba cerca de hacer un descubrimiento, pero había algo que se le escapaba. Quizá hubiera una pista en la extraña secuencia de imágenes que había

visto cuando Sally la había tocado: Dexter, Sidorio, Lorcan y el capitán vampirata.

—Grace, ¿estás bien? —La voz de Sally interrumpió sus enfebrecidos pensamientos. Grace advirtió que había cerrado los ojos.
Volvió a abrirlos.

—Lo siento —dijo—. No hago más que ver un revoltijo de imágenes mentales. —Se dirigió a Sally—. Me pasa cada vez que me tocas. —Al oír aquello, Connor la miró con curiosidad. Grace preguntó a su madre—: ¿Lo estás haciendo a propósito?

Sally negó con la cabeza.

—No, Grace, no. Pero dime, ¿qué imágenes ves?

—Son de personas que conozco. De papá y Sidorio; luego de
Lorcan y el capitán vampirata. Pero son muy fugaces. No estoy segura de qué significan, pero creo que no son recuerdos míos. Papá
está mucho más joven de como yo lo vi nunca.

Sally sonrió.

—¡Es asombroso! —dijo—. ¿Quieres volver a intentarlo?

Grace asintió. Sally alargó la mano y Grace se la cogió. Solo que,
esta vez, sintió menos dolor al principio y la visión fue más clara. Era
de su padre. La misma visión de antes. De noche, al aire libre. Se
estaba riendo. En esta ocasión, la visión no se desvaneció. Grace vio
que su padre estaba en la cubierta de un barco. Luego, se dio cuenta, sobresaltándose, de que reconocía el barco. Se le escapó un grito.
Sally le soltó la mano y la visión desapareció tan rápidamente como
antes.

—¿Qué has visto esta vez? —le preguntó con curiosidad.

Grace abrió los ojos, pero seguía concentrada en la visión. Aún
estaba afectada por lo que podía significar y no sabía si expresar sus
pensamientos en voz alta o no.

—¿Qué has visto? —preguntó Connor, con una nota de irrita-
ción en la voz.

—Tranquila, Grace —dijo dulcemente Sally—. Sea lo que sea,
debes contárnoslo. Ya os he dicho que es una historia difícil, pero lo
conseguiremos, entre los tres, os lo prometo. —Miró a Connor—.
Os lo prometo a los dos.

Grace respiró hondo.

—Era papá —dijo—. Estaba jovencísimo, y muy feliz. —Hizo una pausa—. Estaba en la cubierta de un barco. Era el *Nocturno*. He visto los destellos de luz de las velas detrás de él.

—¡Eso es imposible! —exclamó Connor—. Papá no estuvo nunca en el *Nocturno*.

Grace negó con la cabeza.

—No, estoy segura de que era él. —Miró a Sally—. Creo que ya la sé —dijo—. Nuestra historia. Tú eras una donante. Y nuestro padre, Dexter, era tu pareja. —Lanzó una mirada a Connor, lo vio fruncir el entrecejo y volvió a mirar a Sally mientras reunía las palabras que sabía que podían cambiar para siempre su vida y la de su hermano—. Nuestro padre era un vampirata.

Sally le mantuvo la mirada, pero, antes de que pudiera responder, Connor se levantó bruscamente y gritó:

—¡No! ¡No quiero oír esto! No quiero, ni lo necesito. Nuestro padre era un buen hombre. No, Grace, no un «buen hombre» como Lorcan o el capitán vampirata. Un buen hombre de verdad. Nos crió solo. Lo sacrificó todo por nosotros durante catorce años y murió demasiado joven. —Connor se calló y fulminó a su madre con la mirada—. ¡Cómo te atreves a decir esas cosas de él!

—Yo no he dicho… —comenzó a decir Sally, pero la voz se le había vuelto a debilitar y, además, Connor ya se estaba dirigiendo a la puerta.

Sally tosió y fue a beber más agua.

—Ve tras él —dijo roncamente a Grace.

Grace no sabía qué hacer.

—¿Y tú?

—Ve —dijo Sally, sacando fuerzas de flaqueza—. Tráelo. Necesita oír esto tanto como tú.

Su voz bien podía ser débil, pero sus palabras fueron contundentes. Grace corrió al pasillo y fue tras su hermano. Connor no había ido muy lejos. Estaba apoyado en la pared, con la cabeza entre las manos.

—Connor, tienes que regresar conmigo.

Él volvió bruscamente la cabeza y la fulminó con la mirada.

—Yo no tengo que ir a ningún sitio, Grace.

Grace insistió.

—Necesitas oír lo que nuestra madre tiene que decir. Los dos lo necesitamos.

Connor negó con la cabeza.

—Son mentiras, Grace. Un cuento de hadas. —Negó con la cabeza—. No, un cuento de hadas no, sino de terror.

—Puede que no te guste, Connor, pero eso no significa que no sea cierto. —Le puso una mano en el hombro, pero él se apartó, enfadado.

—¿Me estás pidiendo que crea que nuestro padre era un vampiro? —Volvió a negar con la cabeza, incrédulo.

—Tal vez —dijo Grace—. Y, si es así, deberíamos saberlo. —Se quedó callada, atrapada en la espiral de sus pensamientos—. Me pregunto… ¿nos convertiría eso también en vampiratas?

Connor la miró boquiabierto.

—¡Óyete! —exclamó—. Grace, has perdido por completo la noción de la realidad. Vale que los vampiratas te rescataron del mar. Eso estuvo bien, desde luego. Pero eso no te basta, ¿verdad? No, ¡has tenido que hacerte amiga suya! ¿Y ahora también quieres ser de la familia? No es normal, Grace. Es raro. Rarísimo.

—Yo me hago amiga de quien me da la gana —replicó Grace, igual de furiosa.

—Muy bien —dijo Connor—. Allá tú. —A continuación, habló muy despacio—. Nuestro padre no fue un vampirata. Dexter Tempest fue un buen hombre normal y corriente que tuvo dos hijos y trabajó como farero. Que se deslomó por un salario ridículo.

—Puedes seguir contándote eso —dijo Grace, sorprendida de su calma—, pero decirlo no lo hace cierto. —Se quedó callada—. Yo no he perdido la noción de la realidad, Connor. Solo estoy abierta a otras realidades. Mientras tú has estado dedicándote a la piratería, a mí me han abierto los ojos a las posibilidades más increíbles, a cosas que jamás habría imaginado que pudieran ser ciertas. —Se le iluminó la mirada cuando prosiguió—. ¡Hasta tú has visto algunas con tus propios ojos! Tú estabas presente cuando Mosh Zu curó al capitán.

Connor se tensó.

—No veo qué tiene que ver eso con papá.

—¡Connor, viste a mamá y a las otras almas salir del cuerpo del capitán! ¿No cambió eso tu noción de lo que es normal y de lo que es posible?

—Tal vez —admitió Connor—. Tal vez hasta estoy dispuesto a admitir que ella es nuestra madre, o el fantasma de nuestra madre, aunque me cuesta muchísimo entender cómo ha podido viajar en el estómago del capitán durante tantos años. —Suspiró—. Me cuesta mucho comprender estas cosas y, francamente, ni siquiera quiero hacerlo. Pero conocí a papá. Viví con él durante catorce años, día y noche. Era un tipo normal y corriente. Dexter Tempest no era un vampirata.

Cuanto más intentaba acallarla Connor, más se exaltaba Grace.

—Necesitas redefinir tu concepto de vampiro —dijo—. Los vampiratas también pueden ser tipos normales y corrientes. Mira a Lorcan...

Connor asintió.

—Ya imaginaba que terminaríamos hablando de él. Mira, Grace. Sé cuánto te gusta Lorcan. Es el primer chico que te interesa de verdad, pero, aun así, tienes que afrontar los hechos. Él no es un tipo normal y corriente...

—Es bueno —arguyó Grace—. Y también es considerado. Y divertido...

—Oh, sí —dijo Connor—. Muy divertido, sin duda. Pero estás olvidando algunas cosas cruciales sobre él, Grace. Como, por ejemplo, que le gusta chupar sangre.

—¡No es que le guste! —dijo Grace, con vehemencia—. Lorcan necesita sangre para recuperar la energía. Tiene sed de ella, pero ha aprendido a controlarla.

—Bien —dijo Connor, asintiendo—. Tienes razón. Eso es la mar de normal.

Grace le cogió la mano, resuelta a volver a intentarlo.

—Connor, por favor, volvamos a terminar esta conversación con Sally ahora que aún podemos. Está muy frágil. No sabemos cuánto tiempo nos queda.

Connor la miró fijamente, sin dejar traslucir sus pensamientos. Luego, negó con la cabeza.

Grace suspiró y se alejó de él. Abrazándose el cuerpo, regresó rápidamente a la sala de meditación.

—¡Grace, por favor, espera! —gritó Connor—. ¡Tenemos que hablar! A solas.

Pero no había nada que pudiera detenerla. Siguió resueltamente su camino y entró en la sala de meditación. Cuando fue hasta la silla de su madre, se sobresaltó. Sally estaba desplomada en el suelo, con los ojos cerrados y el cuerpo inerte.

—¡No! —gritó. No podía terminarse, no allí, no entonces. Quedaban demasiadas cosas por decir, por saber, entre madre e hija. Tenía que hacerle recobrar el conocimiento.

La acunó en sus brazos. Al hacerlo, la cabeza volvió a llenársele de imágenes. Dexter. Sidorio. Lorcan. El capitán vampirata. Y ahora Mosh Zu, y también Shanti. La visión pasaba de un rostro a otro. Era como si alguien estuviera barajando cartas a toda velocidad.

¡Ahora no! Suplicó Grace. Tenía que salvar a Sally... pero la visión no le dio tregua. Los rostros le pasaron velozmente por la cabeza, deteniéndose por fin en la imagen de Dexter, como si alguien hubiera escogido su carta de la baraja. Se encontraba en la cubierta del barco, como antes. Y, aunque Connor dijera lo contrario, a sus espaldas estaban el palo mayor y las inmensas velas parecidas a alas del *Nocturno*, lanzando destellos de luz.

Dexter estaba riéndose y tendiéndole la mano. Grace advirtió que lo veía todo desde el punto de vista de su madre. En su visión, Sally también estaba en cubierta, cogiendo la mano a Dexter y echando a andar. Justo entonces, volvía la cabeza. Allí, en la cubierta, estaban Lorcan y Shanti, su donante. Ellos les sonreían y les decían adiós con la mano mientras se alejaban. A continuación, Sally y Dexter estaban bajo cubierta. Grace vio el conocido pasillo, flanqueado de camarotes. La mano de su madre abría una puerta. ¿Estaba a punto de verla compartir su sangre con su padre? Aquello sería la confirmación de que, en efecto, había sido su donante: la verdad irrefutable de que Dexter Tempest era un vampirata.

—¡Grace! —El grito de Connor se abrió paso a través de su conciencia, pero ella se aferró a la visión, deseando vehementemente que no cesara en aquel punto. Entonces sintió que su hermano la agarraba por el brazo. La estaba separando de Sally—. ¡Suéltala! —dijo—. La estás cogiendo con demasiada fuerza. Grace, le estás haciendo daño.

Grace recobró el conocimiento en el suelo, a cierta distancia de Connor, que estaba acunando a Sally en actitud protectora.

—¿Qué le has hecho, Grace? —preguntó.

—¿Yo? ¡Yo no he hecho nada! ¿Cómo puedes pensar...?

—Estabas agarrada a ella con todas tus fuerzas.

—Ya estaba así cuando he vuelto. La he cogido, como has hecho tú, pero, nada más tocarla, he tenido otra visión.

Connor frunció el entrecejo.

—No quiero oírlo —dijo, malhumorado—. Y, Grace, tienes que dejar de tocarla. No entiendo qué está pasando, pero evidentemente no le hace bien.

Le buscó el pulso. Luego, miró a Grace, con el pánico grabado en la cara.

—Necesitamos ayuda, Grace. Ve a buscar a Mosh Zu o a alguien... a quien sea. ¡Ya!

7

Amigos y secretos

Más tarde ese mismo día, varias horas después del desmayo de su madre, Grace se sentó en uno de los bancos que bordeaban la fuentecilla del huerto, intentando no impacientarse mientras Mosh Zu y sus ayudantes atendían a Sally.

La fuente se había convertido en uno de sus lugares de Santuario preferidos, el sitio al que acudía siempre que necesitaba calmar los nervios. La combinación del aire fresco, el fragante aroma de las hierbas aromáticas que crecían cerca y el sonido del agua corriendo tenía algo mágico para ella.

En aquel momento, su cabeza era un revoltillo de pensamientos y su estómago una maraña de nudos. Pensó en lo que Sally le había dicho, y en lo que había estado a punto de decirle. Que fue donante. Que quizá fue la donante de Dexter Tempest. Que el padre de los gemelos fue un vampirata y que, por tanto, también ellos eran vamp… Pero no, no debía adelantarse. Hasta el momento, lo único que Sally había dicho con claridad era que había sido donante en el *Nocturno*. El resto, aunque parecía lógico, estaba sin confirmar.

Grace pensó en las visiones que había tenido cuando Sally y ella se habían tocado. Había sido asombroso ver la vida a bordo del *Nocturno* a través de los ojos de su madre, ver a su padre tan joven, guapo y feliz, y también a Lorcan, aunque, por supuesto, él no había cambiado nada físicamente. Grace recordó la forma en que Lorcan y Sally se habían mirado en la cámara de sanación, cuando su madre había reaparecido. Estaba claro que habían sido buenos amigos y la visión lo confirmaba. Le alegraba ver que dos personas que le importaban tanto estuvieran tan unidas.

Ver a Shanti también había sido interesante. Aunque tenía sentimientos encontrados hacia la anterior donante de Lorcan, aún sentía una honda tristeza por su brutal asesinato a manos de un vampirata renegado.

Se estremeció. Volvió a pensar en su madre. ¿Eran justas las acusaciones de Connor? ¿La estaba ella lastimando intentando acceder a sus recuerdos? Era evidente que Sally se encontraba en un estado de extrema fragilidad. Lo último que Grace quería era debilitarla todavía más. Y, no obstante, por el modo como había tenido las visiones nada más tocarse con ella, parecía que Sally debía de querer transmitírselas, aunque solo fuera en un plano inconsciente. Daba la impresión de que estaba intentando contarle toda la historia.

Grace miró el agua que manaba de la fuente. Deseó no estar sola, tener a alguien cerca con quien hablar. Pero ¿quién?

Connor, aunque se había calmado considerablemente, había dicho que necesitaba estar solo y se había ido a descansar a su habitación.

El capitán habría sabido escucharla y la habría tranquilizado, pero no había dado señales de vida desde su curación.

Grace había ido en busca de Lorcan, pero, según le habían dicho, estaba en el bloque de los donantes y tardaría en volver.

Recordó otras noches en Santuario durante las que, en sus momentos de soledad, había buscado la compañía de Johnny Desperado. Ahora, él se había ido, atraído por la siniestra tentación de Sidorio. Aunque Johnny había resultado tener una personalidad discutible, le había hecho compañía y había sabido escucharla. Ahora, sentada delante de la fuentecilla, notó la ausencia de las personas a las que se había habituado a recurrir para obtener apoyo. De pronto, se sintió terriblemente sola.

—¡Grace!

Al principio, creyó que se había imaginado la voz: no habría sido la primera vez.

—¡Grace!

Al alzar la vista, vio a Darcy Pecios rodeando la fuente. Su cálida sonrisa fue como la respuesta a una plegaria.

Grace se levantó y abrazó a su amiga.

—¡Darcy! ¡Cómo me alegro de verte!

Darcy la abrazó y se rió.

—Yo también me alegro de verte a ti.

—¿Qué haces aquí fuera? —preguntó Grace, su alegría borrando la ligera culpa que sentía por no haber pensado en Darcy, su querida Darcy, mientras lo hacía en el resto.

—Imagino que lo mismo que tú —respondió Darcy—. Tomando el aire. Después del *Nocturno,* uno se agobia entre cuatro paredes, ¿no te parece?

—¡Oh, Darcy! —dijo Grace, radiante—. Qué alegría verte. Llevo un buen rato sentada aquí, preocupándome por mi madre. Y luego me he puesto a pensar en cosas que Connor me ha dicho, y en mi padre y el capitán… Y he empezado a sentirme tremendamente sola. —Las lágrimas le habían empañado los ojos.

—Chist —dijo Darcy, su voz tan calmante como el agua de la fuente—. Estoy aquí, Grace. No estás sola. —Le puso una mano en el hombro—. Venga, demos un paseo.

Grace se cogió a su brazo y, mientras caminaban en amigable silencio, pensó en lo madura que de pronto parecía su amiga.

Las dos muchachas salieron del huerto y cruzaron el patio. Delante de ellas se erigía el muro donde Grace se había sentado con Johnny Desperado en otras noches como aquella. Volvió a pensar en Johnny, el apuesto Johnny, rebelde y encantador. Sus palabras de despedida le resonaron en la cabeza. «No es que no pueda portarme bien. Es solo que portarme mal se me da mucho mejor.»

Se estremeció al recordar lo que había dicho. ¿Seguía con Sidorio en aquel momento? En ese caso, no le faltarían oportunidades para cultivar su faceta malvada. Johnny había sido un alma perdida desde el mismo principio, una fruta demasiado madura, lista para que Sidorio la arrancara con su mano cruel.

—¿En qué estás pensando? —preguntó Darcy cuando llegaron al muro que rodeaba el patio.

—En una persona que conocí aquí —respondió Grace—. Uno de los vampiratas rebeldes que se fueron con Sidorio.

Darcy sonrió con ironía.

—Es curioso —dijo—. Si quieres que te diga la verdad, no he salido únicamente a airearme. Yo también estaba pensando en una persona que se fue con Sidorio. Intento no hacerlo, por supuesto, pero, cuanto más me empeño, menos capaz soy.

—Te refieres a Jez, ¿verdad? —dijo Grace, sentándose en el muro e indicando a Darcy que hiciera lo mismo—. Te ha hecho mucho daño, ¿no?

—Sí, mucho —respondió Darcy mientras se sentaba—. Pensé que era el hombre de mi vida, Grace. Creí que era mi señor Naufragio. —Grace advirtió que su amiga tenía una sola lágrima, engastada como una perla, en la comisura de sus bonitos ojazos—. ¿Cómo puede alguien ser así? ¿Tan bueno, y luego tan malo? ¿Fue todo mentira?

Grace negó con la cabeza.

—No —respondió, volviendo a pensar en Johnny además de en Jez—. No, no creo que Jez te mintiera. Creo que te quería de verdad. Quería que te fueras con él y los rebeldes, ¿no?

—Sí —dijo Darcy, abriendo mucho los ojos—. ¡Pero yo no pude! ¡No pude!

—No, por supuesto que no —convino Grace—. Porque, para ti, eso habría sido traicionar al capitán. Y tú te tomas muy en serio tus lealtades, Darcy. Jez es distinto. Es más débil que tú. Mordió el anzuelo de Sidorio. Pero, aun así, seguía queriendo que te marcharas con él.

—Sí —dijo Darcy—. Él quería, ¿verdad? —Se le iluminó la cara—. De hecho, fui yo quien lo dejó.

—Exactamente —dijo Grace—. Porque no era lo bastante bueno para ser tu señor Naufragio. Jez te amaba, Darcy, pero no era lo

58

bastante bueno para ti. Pero, un día, aparecerá otra persona que será tu verdadero señor Naufragio. Estoy segura.

Darcy sonrió y le apretó la mano.

—Gracias —dijo—. Me siento mucho mejor oyendo eso. La próxima vez, en lugar de ponerme a dar vueltas con este frío y esta humedad, iré directamente a buscarte.

—Sí —dijo Grace—. ¡Debes hacerlo! Somos amigas, ¿no?

—Por supuesto —respondió Darcy—. ¡Y esa pregunta sobra! Anda, dime, ¿qué te ronda por la cabeza a ti?

A Grace se le ensombreció el rostro.

—Oh, no sé, Darcy. Connor y yo hemos tenido una conversación importante hace un rato; bueno, una discusión, para serte franca. Él no cree que deba relacionarme contigo, con Lorcan ni con ninguno de los vampiratas. Piensa que está mal y que es… bueno, siento utilizar esta palabra, pero… «raro».

Darcy no se inmutó.

—¿Cómo puede estar mal y ser raro tener buenos amigos?

Grace pensó que a lo mejor no la había entendido bien.

—Es porque tú eres una vampirata —dijo—. Y yo no. —Nada más decirlo, oyó su propia voz interior. «¿O posiblemente lo soy?» ¿Debía confiarle sus pensamientos, sus visiones? No, era demasiado pronto. Sus visiones estaban tan fragmentadas que por el momento no podía fiarse de ellas. Era mejor esperar. Todo aquello era demasiado grande.

—Te he entendido —aclaró Darcy—. No salirse del rebaño. No mezclarse. —Frunció el entrecejo y sorbió por la nariz—. A mí me parece una definición de amistad muy excluyente, si quieres mi opinión.

—Estoy de acuerdo —dijo Grace, asintiendo vigorosamente.

—Dime —continuó Darcy—. ¿Es nuestra amistad muy distinta a la que has tenido con otras chicas? Me refiero a chicas… «normales»…

—¡No digas «normales»! —la interrumpió Grace.

—Bueno, vale. Pues con chicas «mortales», en esa bahía donde te criaste.

—Para serte franca —respondió Grace—, en mi pueblo no hice ninguna buena amiga. En esa época, Connor fue siempre mi mejor amigo. Nunca tuve una amiga de verdad hasta que te conocí —añadió, y sonrió—. Es una de las razones por la que eres tan especial para mí.

—Bueno —dijo Darcy—. Dicho así, no parece que tenga nada de malo. Y no eres solamente amiga mía. Está el capitán. Y Mosh Zu. Y Lorcan.

Grace negó lentamente con la cabeza.

—No quieras saber lo que Connor ha dicho sobre el tema de Lorcan y yo.

Darcy enarcó una ceja.

Grace vaciló.

—¿Puedo contarte un secreto? —preguntó.

Darcy sonrió.

—Por supuesto, Grace. ¿Acaso no estamos los amigos para eso?

—Bien —dijo Grace—. Ya te he dicho que hasta ahora nunca había tenido una amiga especial como tú. Bueno, pues tampoco había tenido un amigo especial. —Miró a Darcy de soslayo, bastante azorada—. ¿Sabes a qué me refiero?

Darcy asintió.

—Sé a qué te refieres, Grace. Y ahora estás hablando de Lorcan, ¿no?

—Sí —respondió Grace, aliviada de haberlo sacado a la luz—. Ojalá supiera qué siente él por mí. ¿Habla alguna vez contigo de estas cosas?

Darcy se quedó callada antes de responder, pensando en lo que iba a decir.

—Lorcan es una persona muy reservada, Grace. No comparte fácilmente sus sentimientos.

—No —admitió Grace—. Eso es cierto, desde luego. Ha sido siempre tan bueno conmigo, Darcy, tan protector... Y sé que le importo.

—Desde luego que le importas —dijo Darcy, con la voz cargada de pasión—. De eso no cabe ninguna duda. —Se interrumpió antes de continuar en un tono más bajo—. Pero a lo mejor no le importas de la forma que tú querrías.

Grace frunció el entrecejo.

—¿Quieres decir que solo quiere ser amigo mío?

—Algo así —respondió Darcy—. Grace, no tengo ninguna respuesta clara para ti sobre ese punto. Pero creo que debes ser muy cauta. Lo has dicho tú misma. Nunca has tenido un amigo especial y ahora te has fijado en un… —Se interrumpió a media frase. Grace la miró a los ojos.

—Dilo, anda —dijo—. «Vampirata.» Ibas a decir que me he fijado en un vampirata. —Frunció el entrecejo—. ¿Así que una cosa es que sea amiga tuya y otra muy distinta que sienta algo por Lorcan?

«Cuéntaselo —le instó su voz interior—. Cuéntale que tú también podrías ser un vampiro. ¿No lo cambiaría eso todo?» Pero, por alguna razón, no pudo hacerlo.

Darcy negó con la cabeza.

—Grace —dijo con calma—. Iba a decir que te has fijado en un «enigma». —Vaciló—. Lorcan Furey es… complicado. Creo que, por ahora, tal vez debieras limitarte a conocerlo mejor. Al fin y al cabo, en este momento están pasando muchas cosas. El capitán se ha curado, Sally ha vuelto…

Grace no dejó escapar la oportunidad.

—¿Qué tiene que ver con Lorcan la vuelta de Sally?

Darcy apartó la mirada. Fue solo un instante, pero Grace conocía los gestos de su amiga lo bastante bien como para darse cuenta de que le estaba ocultando algo.

—Darcy, ¿qué tiene que ver con Lorcan la vuelta de Sally?

Grace recordó la mirada que se habían lanzado Lorcan y Sally al reencontrarse en la cámara de sanación. Luego, recordó una segunda imagen: Lorcan a bordo del barco, sonriendo y diciendo adiós con la mano a su madre.

Darcy volvió a mirarla a los ojos.

—Me refería a todos vosotros, a todos nosotros. Sally es tu madre, Grace. Y es importante que dediques tiempo a conocerla, mientras puedas. No estoy intentando alarmarte. Como ya he dicho, soy tu amiga y, como tal, te digo que, en este momento, deberías centrarte en Sally, no en Lorcan.

Grace asintió. Lo que Darcy había dicho era razonable. Aun así, no pudo evitar tener la sensación de que su buena amiga le estaba ocultando algo. Decidió no insistir, por el momento.

—Voy a buscar a Mosh Zu —dijo, sintiéndose, de pronto, resoluta—. Y a preguntarle cómo está mi madre. —Sonrió a Darcy—. Me vendría bien un poco de apoyo moral. ¿Vienes conmigo?

Darcy le devolvió la sonrisa.

—Pues claro. —Se bajó del muro. Juntas, atravesaron el patio y cruzaron las pesadas puertas del edificio para entrar en el Pasillo de las Luces.

Ya habían dejado atrás los pasillos de las Luces y los Despojos y se encontraban en el Pasillo de las Cintas cuando oyeron una voz más adelante.

—¡Grace!

—Connor. —Grace corrió a su encuentro.

—¿Dónde te has metido? —preguntó él—. ¡Te he buscado por todas partes!

Sus palabras, y su tono de urgencia, alarmaron a Grace de inmediato.

—¿Qué pasa? ¿Sabes algo de nuestra madre?

Connor negó con la cabeza. Fue entonces cuando Grace advirtió que llevaba su macuto. Y estaba lleno. Él apenas tuvo que hablar. Ella sabía exactamente qué iba a decirle.

—Me marcho —dijo él—. He estado reflexionando mucho en estas últimas horas y tengo que hacerlo, por el bien de todos. Te estaba buscando para despedirme.

8

Viajes

—¿Te marchas? —Grace no se podía creer el gran golpe que Connor le había asestado. O, mejor dicho, se lo creía perfectamente y eso, de algún modo, lo agravaba. Reparó en que ya no era ninguna sorpresa cuando su hermano la defraudaba, sino, más bien, el cumplimiento de una expectativa. Evocó, melancólicamente, la noche en que naufragaron. Una vez más, tuvo la sensación de que un inmenso mar embravecido los estaba separando. Era como si el mismo proceso se fuera repitiendo una vez tras otra.

Mientras aquella tempestad la devoraba por dentro, Connor estaba mirándola con calma. Asintiendo. Y sonriendo. ¡Estaba sonriendo!

Grace intentó mantener la compostura. Notó una mano en el hombro.

—Voy a dejaros solos para que habléis —dijo Darcy—. Estaré en mi camarote si me necesitas. —Miró a Connor—. Me ha gustado volver a verte, Connor —añadió—, pese a la brevedad. —Comenzó a alejarse, pero se dio la vuelta—. Ah, y haz el favor de no preocuparte por tu hermana. Sus amigos raros cuidaremos de ella. —Dicho aquello, les dio la espalda y se alejó con paso airado, sus tacones resonando en el suelo de piedra.

Connor se quedó mirándola con la boca abierta. Se volvió hacia su hermana.

—¡Se lo has contado! ¿Le has contado lo que he dicho? ¿Estás loca?

—No, Connor. No estoy loca. Pero puede que tú sí. ¡Por fin conoces a nuestra madre, ella se desmaya y está en estado crítico, y tú te limitas a echarte una siesta, y luego haces el equipaje y decides que es el momento ideal para largarte!

Connor suspiró.

—No puedo con esto —dijo.

—¿Con qué? ¿Conmigo?

Él asintió.

—Contigo. Tal como estás. Sí, en parte es eso.

—Sigue —dijo ella—. ¿Qué hay del resto?

—Las cosas que dices. Las cosas que quieres que crea. Que Sally es nuestra madre…

—Es nuestra madre. Es un hecho.

—Es un fantasma, quizá…

—Es nuestra madre, Connor —dijo Grace con firmeza—. Tienes que dejar de querer entenderlo todo y aprender a aceptar las cosas sin más.

—No —dijo él, su expresión era un reflejo de la terquedad de Grace—. ¡Tú tienes que dejar de aceptar con tanta facilidad las cosas increíbles, o las que son claramente un disparate!

—Deja de estar tan cerrado —dijo Grace. Ahora, la calmada era ella.

—¿Cerrado? —Connor se rió, sin ganas—. ¿Crees que estoy cerrado? ¿A qué? ¿A la idea de que mi madre es un fantasma que ha viajado de gorra por los mares en el estómago del capitán? ¿O a la idea de que nuestro padre fue un vampirata y tú, yo y mamá podríamos ser una familia feliz de vampiros? —La fulminó con la mirada—. Eso es lo que te gustaría que creyera, ¿no?

—Me gustaría que aceptaras que es una posibilidad —dijo Grace.

—¡No puede ser una posibilidad! —gritó Connor.

—¿Por qué no? ¿Porque te asusta demasiado?

—No —dijo Connor—. Porque no es lógico. Piénsalo, Grace. Si estás tan segura de que papá era un vampirata, ¿cómo es que está muerto? ¿No es ese el quid de la cuestión? ¡Los vampiratas no mueren nunca!

Aquellas palabras le hicieron más mella que ninguna otra. Porque no había pensado en aquello hasta ese momento. ¿Cómo se le podía haber pasado por alto? Si Dexter Tempest hubiera sido un vampirata, sería inmortal, como los demás. Entonces, ¿cómo podía haber muerto? Le daba vueltas la cabeza. ¿Podían morir los vampiratas? Desde luego, el capitán había estado a punto. Quizá fuera demasiado pronto para descartar la idea.

¿Y si... y si Dexter no había muerto? Su muerte quizá no hubiera sido exactamente lo que parecía. Era una posibilidad descabellada, pero tenía que seguir abierta a ella. Quizá hubiera un secreto que Sally iba a contarle, cuando se recuperara.

«¿O —pensó entristecida— Connor tiene razón? ¿Estoy desvariando porque me niego a aceptar la verdad? Que mi padre está muerto. Que murió demasiado joven de un infarto de miocardio. Que yo solo soy una chica normal y corriente a quien resulta que le gusta relacionarse con vampiratas.»

Cuando miró de nuevo a Connor, vio que la furia había abandonado su rostro. De golpe, también ella se sentía distinta. Su venenosa ira se había extinguido por completo. Connor volvía a ser su hermano, su querido hermano. Y lo único que sentía era tristeza por el hecho de que fuera a dejarla, aunque ahora aceptaba que tuviera que marcharse.

Suspiró.

—¿No hay nada que pueda decir para que te quedes? ¿Solo esta noche? ¿Y si te dijera que te necesito aquí conmigo?

Connor consideró sus palabras antes de negar con la cabeza.

—Si creyera realmente que necesitas que me quede, lo haría. Esa sería la única razón. Pero tú no me necesitas aquí contigo, Grace. Una y otra vez, me has demostrado lo fuerte que eres. Y no estás sola. Siento lo que he dicho antes. Aquí tienes buenos amigos: Darcy, Lorcan, el capitán...

—Ni siquiera he visto al capitán desde que Mosh Zu lo curó —protestó Grace—. ¡No sé dónde está!

Connor dejó el macuto en el suelo y le puso las manos en los hombros.

—Necesito que sepas esto, Gracie. No estoy haciendo esto para hacerte daño. Me importas más de lo que sé expresar en palabras. Cuando estoy separado de ti, no pasa un día en que no piense en ti, me preocupe por ti y desee que seas feliz...

Sus palabras la sorprendieron. Connor jamás se había sincerado tanto hasta entonces. Si necesitaba más pruebas de que su hermano estaba cambiando, allí las tenía. Notó lágrimas en los ojos cuando Connor continuó.

—Pero no puedo quedarme contigo. Tengo que volver al mundo real. Al mundo que conozco. Un mundo lleno de vida, luz, aventuras y...

—Peligros —lo interrumpió Grace.

—Sí —admitió Connor—, también lleno de peligros. Pero alguien me dijo una vez que los únicos viajes que merecía la pena emprender en la vida son los que nos llevan al límite. —Los ojos le brillaron al recordar las palabras exactas—. Los viajes que nos arrancan la ropa, nos cambian el pensamiento y nos sacuden el espíritu.

Grace frunció el entrecejo.

—Parece algo que diría Cheng Li. Vas a verla para alistarte en su tripulación, ¿verdad?

—Si me acepta —dijo él—. ¡Imagino que le vendrá bien un pirata prodigio como yo!

—¿Eso es lo que eres? —preguntó Grace, sintiéndose triste e impotente.

—Intenta alegrarte por mí, Grace. Creo que he encontrado mi viaje en esta vida.

Grace lo miró a los ojos, sus intensos iris verdes eran un reflejo perfecto de los de ella.

—Está bien —dijo—. Pero creo que yo también he encontrado mi viaje. Intenta alegrarte por mí.

Volvieron a mirarse a los ojos. Luego, Connor apartó los suyos y la abrazó.

—Por supuesto que sí —dijo—. Por supuesto que sí. Y volveremos a vernos. Pronto. Quién sabe dónde o cuándo, pero eso solo lo hace más emocionante, ¿no crees?

Oyendo sus palabras y viendo su expresión de optimismo, Grace se contagió momentáneamente de su energía.

—Será mejor que no lo alarguemos, ¿eh? —dijo Connor. Luego, tocándola ligeramente en el brazo, se puso el macuto al hombro.

—Te acompaño hasta la entrada —se ofreció Grace.

Connor abrió la boca para decir no, pero cambió de opinión. En vez de ello, asintió y le tendió la mano. Ella la cogió. Su tacto la tranquilizó. Le recordó a la mano de su padre.

—¡Cuídate, Gracie! —dijo Connor cuando las puertas de hierro se abrieron y él tomó el sendero que bajaba la montaña.

Sintiéndose desamparada, Grace se quedó mientras los porteros volvían a cerrar las puertas. No podía negar la tristeza que sentía al ver partir a Connor. Oyó mentalmente su voz. «Volveremos a vernos pronto.» ¿Lo harían? Y, cuando lo hicieran, ¿cómo sería el reencuentro? ¿No existía el riesgo de que la brecha que había entre ellos solo hiciera que ensancharse, siendo cada vez más difícil de salvar? ¿Por qué se atormentaba de aquella forma? ¿Por qué no podía dejar de pensar en el futuro y contentarse con el presente? Connor era feliz en su vida. Parecía haber encontrado su camino. Y había expresado claramente sus sentimientos hacia ella. Eso debería bastar. Pero no la reconfortaba como ella creía que debería hacerlo. Se estaban separando. Tal vez tuviera que ocurrir, pero eso no lo hacía más fácil de soportar.

El Pasillo de las Luces le pareció oscuro y claustrofóbico en contraste con la luz diurna y el amplio patio exterior. Se le hizo extraño volver a entrar en el edificio sin Connor. De pronto, se sintió más sola que nunca y la atenazó una honda preocupación por Sally. Decidió que no podía esperar más. Tenía que averiguar cómo estaba su madre. Se dirigió resueltamente a las habitaciones de Mosh Zu.

Acababa de pasar por delante de la sala recreativa cuando oyó pasos acercándose por el largo pasillo. Al doblar la esquina, se sobresaltó al ver a Lorcan viniendo hacia ella.

—¡Lorcan! —dijo, encantada de verlo.

Él sonrió, pero la sonrisa enseguida se le borró.

—¡Grace, te he buscado por todas partes! ¿Dónde estabas?

—Afuera, con Darcy y Connor —respondió ella—. Me han dicho que estabas en el bloque de los donantes.

—Lo estaba —dijo él—. Pero he vuelto en cuanto me he enterado de lo de Sally, de que se había desmayado.

A Grace se le aceleró el pulso.

—¿Has estado ayudando a Mosh Zu a curarla? —preguntó—. ¿Cómo se encuentra? ¿Puedo verla?

—Por eso te estoy buscando —dijo Lorcan, en un tono bajo y mesurado—. Tienes que ir a hablar con Mosh Zu. Ahora mismo.

La preocupación de Grace se trocó en angustia.

—Lorcan, me estás asustando. ¿Qué pasa?

—Tú ven conmigo —dijo él—. Mosh Zu es con quien necesitas hablar. —La cogió de la mano y echó a andar.

—¡Me estás haciendo daño! —gritó Grace, mientras él tiraba de ella.

—Perdona —dijo Lorcan, cogiéndola con menos fuerza—. Es solo que no quiero perder tiempo.

—¿Por qué no puedes decirme qué está pasando? —preguntó Grace.

—Es mejor que hables con Mosh Zu —respondió él, dirigiéndose a las habitaciones del gurú.

Mosh Zu recibió a Grace y a Lorcan en el umbral de su cámara. Su tono era serio cuando los hizo entrar. Lorcan se cercioró de cerrar bien la puerta.

—Necesito prepararte —dijo Mosh Zu a Grace cuando estuvieron sentados en cojines en el centro de la cámara.

—¿Prepararme? —preguntó ella, sintiendo pánico—. ¿Para qué? ¿Ha ido algo mal en el proceso de curación?

Mosh Zu negó con la cabeza y le sonrió.

—No, Grace. En absoluto. Sally se encuentra bien. Está en su habitación, durmiendo. Iremos dentro de un momento.

—No lo entiendo… —dijo Grace—. Si ella se encuentra bien, ¿para qué necesita prepararme?

Mosh Zu la miró fijamente antes de continuar.

—Otras de las almas que portaba el capitán han comenzado a desvanecerse. —Se quedó callado, dejándole tiempo para asimilar las palabras—. Pese a mi empeño, aún no he podido invertir ese proceso.

—Es terrible —dijo Grace. Lo sentía por todas las almas, pero, por supuesto, quien más le importaba era su madre.

—Terrible en algunos aspectos, sí —dijo Mosh Zu—. Pero la razón por la que el capitán portaba las almas, por la que las rescató en primer lugar, era que estaban atormentadas. Lo que he logrado hacer por ellas es librarlas de ese tormento y permitirles seguir su camino.

Grace por fin comprendió.

—Mi madre también está atormentada, ¿verdad?

Mosh Zu no apartó los ojos de ella.

—Yo preferiría decir que tiene asuntos pendientes —dijo—. Creo que, cuando los zanje, también ella seguirá su camino. —Hizo una pausa—. Para tu madre va a ser duro dejarte, igual que para ti va a serlo permitírselo. Pero ella debe emprender ese último viaje con alegría.

—¿Cuánto tiempo le queda? —preguntó Grace.

—No te lo puedo decir —respondió Mosh Zu, negando con la cabeza—. No lo sé.

Grace tenía la cabeza disparada.

—¿No hay ninguna posibilidad de que Sally sea distinta, de que pueda superar esto y volver a ser enteramente mortal? —Eran preguntas difíciles, pero tenía que hacerlas.

Una vez más, Mosh Zu sacudió la cabeza.

—Lo siento, Grace. Sé que buscas respuestas definitivas, pero, en esta ocasión, no tengo ninguna.

Grace se puso a temblar, pero respiró hondo. Tenía que ser fuerte. Y no quería perder más tiempo.

—¿Puedo ir a verla ahora?

Mosh Zu sonrió.

—Sí —dijo, dirigiéndose a la puerta—. Sí. Deja que te acompañe.

Sally estaba recostada en la cama, durmiendo. Aún parecía muy frágil. Grace se quedó en el umbral de la puerta. No podía dejar de pensar en todo lo que le había dicho Mosh Zu, pero no quería que Sally presenciara su malestar. No podía soportar la idea de acrecentar el tormento de su madre.

—¿Por qué no te sientas con ella mientras duerme? —dijo Mosh Zu, poniéndole una mano en el hombro y empujándola suavemente al interior de la habitación—. Estoy seguro de que le encantará encontrarte aquí cuando se despierte.

Grace asintió; entró y se acercó a la cama haciendo el menor ruido posible para no molestar a su madre. Se detuvo al lado de la silla que había junto al cabecero. Mirando a su madre, pensó en lo serena que parecía a la mortecina luz de las velas.

Cuando se sentó, Sally se revolvió bajo las mantas. Al principio, creyó que estaba a punto de despertarse, pero solo debía de haberse movido en sueños. Una de sus manos reposaba en ese momento sobre la colcha. Era como si, incluso durmiendo, quisiera comunicarse con Grace.

Se la cogió instintivamente. No obstante, en cuanto sus dedos se entrelazaron, advirtió su error. De inmediato, sintió un punzante dolor de cabeza. Fue tan fuerte que estuvo a punto de retirar la mano. Pero entonces pensó: «No. Tengo que aguantar». No sabía cuánto tiempo les quedaba. No sabía cuántas fuerzas le quedaban a su madre para seguir contándole su historia. Pero, de aquel modo, incluso mientras Sally dormía, ella tal vez descubría más cosas de su pasado y podía contribuir a aligerar la carga de su madre. Siguió aferrada a su mano, esperando a que el dolor se mitigara, lo cual hizo rápidamente. Entonces, como antes, la visión la llevó de regreso al *Nocturno*.

70

Esta vez estaba mirando a Sally directamente a la cara. Entonces se dio cuenta de que seguía viéndolo todo desde el punto de vista de su madre, solo que, esta vez, ella se estaba mirando en un espejo. ¡En su reflejo, también vio a Darcy! Grace sonrió para sus adentros cuando vio que estaba peinando a su madre. Le estaba recogiendo el pelo, sujetando sus ondas caoba con delicadas peinetas. Su madre debía de estar arreglándose para salir. Solo que en el *Nocturno*, reflexionó Grace, la gente no salía. Sino que entraba: Sally debía de estar arreglándose para la noche del Festín.

Entonces oyó la voz de Darcy al oído de su madre.

—Estás guapísima, Sally. Él se alegrará muchísimo de tenerte como donante. ¡No te pongas nerviosa! Todo irá bien.

Grace vio el rostro de su madre en el espejo, intentando sonreír con confianza. Era completamente natural que estuviera nerviosa. Aquel debía de ser su primer Festín y, aunque la habían emparejado con Dexter, todavía no lo conocía bien. Grace no tenía la menor idea de cómo había sido la vida de Sally antes de unirse al barco, pero debía de haber sido difícil para llevarla a tomar la decisión de convertirse en donante.

Sally se levantó y se alisó el vestido, sacado, sin lugar a dudas, del armario sin fondo de Darcy. Estaba muy bonita y tenía un aire muy inocente. Vio a Darcy detrás de ella, asintiendo.

—¡Ya te he dicho que te dejaría como una princesa de cuento de hadas!

La visión cambió y Grace se encontró de pronto en el largo camarote donde se celebraba el Festín. Seguía viéndolo todo desde la perspectiva de su madre cuando se sentó entre otros dos donantes para esperar a que llegaran sus parejas vampiratas. Como telón de fondo, oyó la música que acompañaba al Festín, la extraña música de percusión. Y entonces los vampiratas comenzaron a entrar en el camarote.

Grace los observó mientras entraban en fila, impaciente por ver a Dexter. Aquello sería la confirmación definitiva de que su padre era, en efecto, un vampirata. En sus anteriores visiones, había tenido un aspecto similar al del padre que ella recordaba, aunque estaba más joven y ligeramente más delgado. Le intrigaba saber qué aspecto tendría en el Festín, vestido con sus mejores galas. A través de los ojos de Sally, vio a Lorcan entrar en la sala, sonreírle y tomar asiento delante de Shanti, que estaba sentada cerca de ella. Luego vio entrar a Sidorio, seguido, a poca distancia, del capitán. La puerta se cerró tras ellos.

«Qué extraño», pensó Grace. ¿No había visto entrar a su padre? Aún quedaba un grupo de vampiratas en el centro de la sala. ¿Se hallaba entre ellos?

El grupo comenzó a dispersarse y los asientos fueron llenándose en el lado de la mesa ocupado por los vampiratas, pero el sitio que Sally tenía delante siguió vacío.

Ella volvió la cabeza para echar un vistazo a la mesa y vio a Shanti sonriéndole y guiñándole el ojo. Cuando miró de nuevo al frente, vio por fin que el sitio se había llenado. El vampirata con quien la habían emparejado había llegado.

A Grace le palpitó el corazón cuando Sally fue recorriéndolo con la mirada, empezando por los gemelos y la chaqueta, siguiendo por los hombros y el cuello, hasta llegar, por fin, al rostro. Pero, aunque se trataba de un rostro conocido, no era el que Grace esperaba ni quería ver.

El vampirata sonrió a Sally.

—¡Así que tú eres mi nueva donante! Eres una preciosidad.

Grace se estremeció de la cabeza a los pies mientras, a través de los ojos de Sally, miraba el inconfundible rostro de Sidorio.

9

Castillo de naipes

Otra noche. Otro pueblo costero sin futuro. Otra playa.

Las dos mujeres estaban al borde del acantilado, mirando el mar. Una llevaba minifalda y botas de caña alta. La otra vestía un entallado corpiño y unas mallas muy ceñidas. Las dos llevaban puestas unas gafas muy grandes y oscuras.

—Mira —dijo la primera—. Creo que ha llegado nuestro barco. —Señaló un enorme barco prisión que acababa de entrar en la bahía.

—En el momento justo —dijo la otra—. ¿Vamos a recibir a los chicos?

Ocultas entre la sombras, las dos mujeres vieron cómo desembarcaban los vampiratas. Fue igual que en las dos noches anteriores. El barco anclaba lejos de la costa. Luego, la tripulación alcanzaba la orilla por sus propios medios. Algunos lo hacían en tablas de surf. Otros nadaban. Estaban alborotados, hambrientos y listos para cazar.

—¿Puedes prestarme tus prismáticos, Jessamy? —preguntó Camille a su compañera.

—Claro. —Jessamy pasó los prismáticos a Camille, que se los llevó a los ojos para escudriñar a los vampiratas que estaban formando filas en la arena.

—¡Ahí están! Nuestros dos amigos especiales —dijo, con una sonrisa—. Tengo ganas de volver a verlos. ¿Tú no?

—Oh, sí —le respondió Jessamy, pasándose una mano por el pelo—. Desde luego. Todas las noches es como si nos viéramos por primera vez, ¿no te parece? Nunca pierde emoción.

Se rió. Camille asintió y se unió a sus risas.

Esperaron a que Sidorio diera la orden y se quedaron al borde de la playa mientras la tripulación corría a saquear el pueblo.

—Parecen muertos de hambre, ¿verdad? —dijo Camille.

Jessamy asintió con la cabeza.

—Desde luego. Pero me temo que esta noche van a llevarse otro chasco. —Hizo un mohín.

—Venga —dijo Camille—. Ahí están Johnny y Stukeley, esperando hasta el final, como de costumbre. Vamos a presentarnos.

—¡Buenas noches, chicas! —Aquella noche fue Stukeley quien las vio primero.

Jessamy alzó la mano, pero no dijo nada mientras ella y Camille seguían acercándose.

—¿Adónde vais tan arregladas? —preguntó Stukeley.

—Tenemos ganas de juerga —respondió Camille.

—¡Pues habéis venido al sitio indicado! —exclamó Johnny—. Juerga es mi segundo nombre.

—¿De veras? —dijo Camille, coqueteando.

Johnny sonrió.

—De hecho, me llamo Johnny. Johnny Desperado. ¿Y tú eres…?

—Camille —respondió ella, ofreciéndole la mano.

—Me alegro de conocerte, Camille —dijo Johnny, besándole la mano—. Dime, ¿por qué lleváis gafas oscuras en plena noche?

Camille se volvió hacia Jessamy; luego, las dos mujeres miraron a los alféreces.

—¡Está de moda, cariño! —dijeron al unísono.

Mucho más tarde, el cuarteto había regresado a la playa. Johnny estaba mareado del atracón que se habían dado los cuatro. Veía que Stukeley se hallaba en un estado similar.

—¡Ha sido increíble! —exclamó Stukeley, mirando a Jessamy y volviendo a maravillarse del extraño tatuaje en forma de corazón que tenía alrededor del ojo derecho—. Deberíamos repetirlo.

—Sí —dijo Jessamy, sonriendo—. Puede que sí.

—Nosotras deberíamos irnos —observó Camille.

—¿Así que sois de otro barco? —dijo Johnny—. ¿Cómo se llama? ¿Dónde está?

Jessamy lanzó a Camille una mirada de advertencia.

Camille se encogió de hombros y le susurró al oído:

—¿Qué más da? No van a acordarse de nada. Nunca lo hacen.

Las mujeres miraron a sus acompañantes.

—Me temo que tenemos que irnos ahora mismo —dijo Jessamy.

Stukeley pareció abatido. Jessamy se acercó a él para darle un abrazo de despedida. Al mismo tiempo, Camille estrechó a Johnny entre sus brazos. Las parejas permanecieron un momento abrazadas. Luego, las mujeres se apartaron y los cuerpos de sus acompañantes se desplomaron en la arena como dos pesos muertos. Tenían los ojos cerrados.

Las mujeres dieron un paso atrás para mirarlos bien.

—Están monísimos, ¿verdad? —dijo Camille, rodeando a Jessamy por la cintura.

—Sí —asintió ella—. Parecen perritos durmiendo.

Camille se metió la mano en el bolsillo y sacó un naipe. La jota de corazones. Se lo llevó a la boca y lo besó, dejando en él la huella de sus labios pintados. Luego lo soltó. El naipe cayó lentamente hasta posarse en el pecho de Johnny.

—Un bonito detalle —dijo Jessamy.

—No crees que a la capitana le importe, ¿verdad?

Jessamy negó con la cabeza.

—Ella siempre nos anima a improvisar. —Mientras hablaba, se sacó un naipe del bolsillo, se lo llevó a los labios, se agachó y se lo puso a Stukeley entre los dedos.

Camille se rió infantilmente y ayudó a Jessamy a levantarse.

—Venga —dijo—. Volvamos al *Vagabundo* para informar a la capitana.

Johnny se despertó primero. Bostezó y miró a su alrededor, tardando unos momentos en darse cuenta de dónde estaba. Se sentó en la arena.

Al hacerlo, algo le resbaló del pecho. Al principio, creyó que era una polilla, pero, mirando al suelo, vio que era un naipe, que ahora estaba vuelto hacia abajo en la arena. Lo cogió y lo giró, alzándolo para verlo a la luz de la luna. No se parecía a ningún naipe que él hubiera visto. Era la jota de corazones, pero los corazones eran negros. Y también lo era la huella de pintalabios que cubría el dibujo. ¿De dónde había salido el naipe? ¿Qué significaba?

Stukeley se estaba despertando a su lado. Johnny vio otro naipe en su mano. ¿Qué les había sucedido? ¿Por qué no se acordaba? Últimamente, sus cacerías parecían estar induciéndoles alguna clase de amnesia.

—Hola —dijo, cuando Stukeley se incorporó.

—Hola, socio —respondió su amigo—. He dormido mejor que nunca. Como un verdadero tronco.

—Yo también —dijo Johnny.

—Entonces, ¿por qué tienes el ceño fruncido? —preguntó Stukeley.

Johnny señaló.

—¿Qué es lo que tienes en la mano, hermano?

—¿En la mano? —Stukeley se la miró con curiosidad—. Un naipe. —Se lo acercó a los ojos—. El rey de corazones. Pero es negro. Nunca fui gran cosa jugando a cartas, pero los corazones no deberían ser negros, ¿no?

Johnny negó con la cabeza.

—Los corazones no son nunca negros —dijo.

—¿De dónde los hemos sacado? —le preguntó Stukeley.

Johnny se encogió de hombros.

—No lo sé. Lo último que recuerdo es a ti y a mí, poniéndonos a andar por la playa. ¿Y tú?

—Lo mismo —respondió Stukeley.

De pronto, oyeron un ruido ensordecedor.

—¡La sirena del barco! —exclamó Stukeley, levantándose de un salto.

—¡No puede estar zarpando! —gritó Johnny—. No sin nosotros.

—Venga —dijo Stukeley—. Aquí pasa algo raro. ¡Tenemos que volver al *Capitán Sanguinario* ahora mismo!

El *Vagabundo* era un barco mucho más pequeño que el *Capitán Sanguinario,* lo cual le confería ciertas ventajas. Una era la velocidad. Otra era la capacidad para ocultarse entre las sombras de una ensenada. Aun así, lady Lockwood había levantado un velo de niebla a su alrededor para asegurarse de que ningún fisgón pudiera ver su galeón. Por suerte, aquello no le impedía a ella ver lo que ocurría fuera.

Estaba sentada en su camarote, escudriñando el mar con su catalejo.

Llamaron a la puerta.

—¡Adelante! —gritó, levantándose y alisándose su larga falda.

Entraron Marianne y Angelika, seguidas de Jessamy y Camille. Las cuatro mujeres traían cuatro botellas de vino y cinco copas.

—Hemos pensado que a lo mejor le apetecía probar nuestra última cosecha —dijo Marianne.

—¡Por supuesto! —exclamó lady Lockwood—. Querida, ¿serías tan amable de servirme una copa? —Marianne asintió. Ayudada por Angelika, vertió una pequeña cantidad del líquido de la primera botella en cada una de las copas.

Jessamy y Camille se adelantaron.

—¿Habéis vuelto a conseguirlo? —les preguntó lady Lockwood. Jessamy asintió.

—Casi es demasiado fácil —dijo.

Lady Lockwood sonrió.

—No te preocupes, querida. Voy a ponéroslo más difícil dentro de poco. —Alargó la mano y aceptó la copa que le ofrecía Marianne—. Y decidme —añadió, haciendo girar el líquido en la copa para oler el buqué—, ¿cuál es el próximo destino del *Capitán Sanguinario*?

—Bueno —respondió Camille—, según nuestras fuentes...

La sirena sonó por segunda y última vez justo cuando Johnny y Stukeley llegaban a la cubierta principal. Los dos sabían las consecuencias de aquello. Se suponía que eran ellos los que debían tocar la sirena del barco para hacer volver a los vampiratas rezagados y poner fin a la cacería por aquella noche. No tenían que ser los últimos en regresar.

Estaban rodeados de sus compañeros de tripulación. Parecían inquietos, casi enfebrecidos. Aquel no era su estado habitual después de cazar. Normalmente, en aquel punto, la tripulación estaba tirada por la cubierta o dormitando en los camarotes.

—Algo va mal —repitió Stukeley a Johnny.

—¿Dónde está el capitán? —preguntó Johnny.

Stukeley miró a su alrededor.

—No lo sé, pero esperemos que no se haya dado cuenta de que hemos llegado tarde.

Pero Sidorio sí lo había hecho. En ese preciso instante, estaba observando a sus dos alféreces desde la cofa. Justo entonces, decidió hacer notar su presencia. Se encaramó al borde de la cofa y saltó a cubierta, haciendo una cabriola en el aire y cayendo de pie justo delante de ellos.

—Qué bien que hayáis venido —dijo, con la voz cargada de amenaza.

—Hola, capitán —dijo nerviosamente Stukeley.

—¿Dónde habéis estado? —preguntó Sidorio—. Llegáis tarde. Otra vez.

—Estábamos en la playa —respondió Stukeley—. Hemos ido a cazar, como todos los demás.

—Comprendo —dijo Sidorio, atravesándolo con la mirada—.
Y dime, ¿habéis cazado?

Sus alféreces se quedaron callados.

—¿Y bien? —La voz de Sidorio resonó en toda la cubierta.

—Eso creo —respondió Johnny.

Sidorio enarcó una ceja.

—Eso crees, vaquero. ¿Qué quieres decir con que lo crees?

Johnny se puso a temblar.

—Es solo que…

Stukeley intervino.

—Lo siento mucho, capitán, pero lo cierto es que estamos teniendo dificultades para recordar. A lo mejor hemos tomado demasiada sangre o algo…

Sidorio los miró sucesivamente, echando fuego por los ojos.

—Me estoy hartando de que lleguéis horas después que el resto, con cara de alelados. Se supone que sois mis segundos de a bordo, ¿os acordáis?

—Sí, capitán —dijo Stukeley—. Lo siento.

—Yo también —dijo Johnny, cabizbajo.

—Anoche dijisteis lo mismo —continuó Sidorio—. Y anteano-
che. Y, cada vez, ninguno de los dos ha tenido la menor idea de dónde habéis estado ni de lo que habéis hecho. O eso o me estáis mintiendo. Y mentirme sería un grave error. ¡Un error enormemente
grave!

—No le estamos mintiendo —dijo Johnny, negando con la cabeza.

Stukeley frunció el entrecejo.

—Algo raro está pasando.

Sidorio fulminó a sus dos alféreces con la mirada. Seguía furio-
so con ellos.

Stukeley escudriñó la cubierta.

—Capitán —dijo—, ¿qué les ha pasado a los demás marineros?
Parece que no hayan comido esta noche.

—Muy observador —espetó Sidorio—. No han comido. Alguien ha llegado al pueblo antes que nosotros.

—¿Alguien? —dijo Stukeley, confundido—. ¿Qué quiere decir?

Sidorio miró amenazadoramente a sus dos alféreces.

—Será mejor que vengáis conmigo —dijo.

Cuando entraron en el camarote del capitán, Johnny fue directamente hasta la mesa. Estaba llena de naipes. Todos corazones. Todos negros.

—¡Mira! —dijo a Stukeley—. Igual que…

Stukeley le lanzó una mirada de advertencia que lo acalló al instante.

—¿Qué son? —preguntó Stukeley, dirigiéndose al capitán—. ¿De dónde han salido?

—Los hemos encontrado esta noche en el pueblo —respondió Sidorio—. Las calles estaban sembradas de cadáveres y sobre cada uno había uno de estos naipes.

Stukeley se acercó a la mesa. Los naipes eran idénticos a los que él y Johnny llevaban en el bolsillo. La única diferencia era que, mientras que los suyos tenían pintalabios negro, los demás estaban manchados de sangre roja.

El cerebro por fin se le puso en marcha.

—¡Hay otro barco de vampiratas! Nos está diciendo eso, ¿no? Otro barco de vampiratas está llegando a los sitios antes que nosotros.

Sidorio asintió.

—Es la tercera vez que pasa. Mi tripulación cada vez tiene más hambre. Y, cuanta más hambre tiene, más difícil es controlarla. Con la excepción de vosotros dos. Parece que estáis sacando sangre de algún sitio, solo que no parecéis capaces de recordarlo. —Los miró con suspicacia.

Stukeley lanzó una mirada a los naipes manchados de sangre. Luego, se dirigió al capitán.

—¡No hemos sido nosotros, capitán! Y esto no parece obra del *Nocturno*. No, a menos que su forma de hacer las cosas haya cambiado radicalmente.

Sidorio negó con la cabeza.

—Esto no tiene nada que ver con el *Nocturno* —dijo—. Debe de haber otro barco de vampiratas navegando por estos mares. Quizá crean que se están divirtiendo con nosotros, adivinando dónde vamos y llegando antes.

Stukeley frunció el entrecejo.

—Quizá no lo estén adivinando —dijo—. Quizá hayan encontrado un modo de obtener directamente esa información.

—¿Qué quieres decir? —preguntó Sidorio.

Era una baza arriesgada, pero Stukeley decidió jugarla. Se metió la mano en el bolsillo y sacó el naipe. Luego, indicó a Johnny que hiciera lo mismo. Los dos alféreces dejaron sus respectivos naipes sobre la mesa.

—Los hemos encontrado con nosotros —dijo Stukeley—. Cuando nos hemos despertado en la playa. No sabemos de dónde han salido ni quién nos los ha dado, pero parece una coincidencia demasiado grande, ¿no cree?

Johnny asintió.

—Es como si alguien nos estuviera sacando la información y luego nos drogara para que no nos acordáramos de nada.

Sidorio enarcó una ceja.

—Eso parece, sin duda.

Stukeley alargó la mano.

—Capitán, debe saber que ni Johnny ni yo haríamos nada a propósito para alterar el correcto funcionamiento de este barco. Estamos totalmente comprometidos con él, y también con usted, ¿verdad, Johnny?

Johnny estuvo de acuerdo. Los dos esperaron a que el capitán rompiera el silencio.

Por fin, Sidorio habló.

—Tranquilos, chicos. Creo que sé lo que ha estado pasando. Alguien nos la ha estado jugando. Algún otro barco está intentando dominar los mares. Bueno, se han divertido, pero esto se termina aquí, ¡esta noche! —Dio un puñetazo en la mesa. El montón de naipes salió volando por el camarote. Se oyó un crujido de madera resquebrajándose.

—Solo hay sitio para una tripulación de vampiratas renegados —continuó Sidorio—. ¡La mía! Descubriré quién está al mando de ese otro barco. Y luego lo abordaré. —Sonrió, los colmillos brillándole amenazadoramente a la luz del candil.

—Cambiad de rumbo —ordenó—. Esta tripulación necesita sangre. Y pienso dársela. Luego, veremos qué les pasa a los que juegan con un tiburón asesino.

10

La donante de Sidorio

Sally por fin se despertó. Volvió la cabeza y sonrió afectuosamente al ver a su hija junto a ella.

—Hola, Grace —dijo, incorporándose. Pero, al ver la expresión de su hija, se quedó callada—. ¡Grace, tienes un aspecto horrible! ¿Qué pasa?

A Grace le tembló la voz.

—¡Sidorio! —exclamó—. ¡Fuiste la donante de Sidorio! —Le entraban náuseas de solo pensarlo. De todos los vampiratas que ella podría haber elegido para emparejarlos con su madre, Sidorio era el último… el último de todos.

Sally no lo negó.

—¿Cómo lo sabes? —preguntó—. ¿Te lo ha dicho Mosh Zu? Grace negó con la cabeza.

—He tenido otra visión —dijo—. Lo he visto todo.

Sally la miró temerosa, con los ojos muy abiertos.

—¿Qué has visto exactamente? —Terminó de incorporarse, colocándose almohadones en la espalda.

—Te he visto preparándote para tu primer Festín —respondió Grace—. Estabas con Darcy, en su camarote. Ella te recogía el pelo. —La expresión de Sally se dulcificó al recordarlo—. Estabas muy guapa, mamá. Llevabas un vestido amarillo pálido. ¿Quieres saber una cosa curiosa? Es el mismo que llevé yo en mi primer Festín.

—¡Tú! —exclamó Sally—. ¿Tú fuiste a un Festín? Pero tú no eres donante, Grace, ¿verdad? ¡No puedes serlo!

—No —contestó Grace—. No soy donante. Pero llevé ese mismo vestido amarillo, que me prestó Darcy, y fui al Festín y Sidorio intentó convertirme en su donante…

—¿Sidorio hizo qué? —A Sally se le saltaron los ojos. Grace vaciló. Lo último que deseaba era angustiar a su madre, pero tampoco quería ocultarle nada. Si Sally seguía haciéndole aquellas preguntas, ella iba a tener que intentar responderlas lo mejor que supiera.

—Tranquila, mamá. Lo de esa noche no importa. El capitán intervino y no pasó nada. —Decidió, por el momento, ahorrar a Sally los detalles de cómo la había acorralado Sidorio en su camarote y de cómo había tenido ella que mantenerlo a raya antes de que el capitán la rescatara por segunda vez.

—Vuelve a la visión —dijo Sally—. ¿Qué has visto?

—Yo estaba sentada delante del espejo, viéndolo todo a través de tus ojos —explicó Grace—. Luego, estaba, estabas, en el largo camarote del Festín, sentada en el lado de mesa de los donantes. De pronto volvías la cara y veías a Lorcan y a Shanti. Shanti te guiñaba el ojo…

—Shanti —dijo Sally, sonriendo—. Mi dulce Shanti. Qué buena amiga era. Me encantaría volver a verla. ¿La conoces? Bueno, tienes que conocerla, ¡porque la has reconocido!

Una vez más, Grace corría el riesgo de lastimar hondamente a su madre. ¿Cómo iba a decirle que su amiga estaba muerta? Decidió obviarlo por el momento.

—Luego hablamos de Shanti —dijo.

—Sí, vale —dijo Sally—. Vuelve a tu visión, Grace.

—Estabas esperando a que llegara tu vampirata. Yo esperaba ver a papá. Pero, en cambio, era Sidorio el que se sentaba enfrente de ti. Y decía…

Sin embargo, antes de que pudiera continuar, Sally dijo las palabras exactas:

—¡Así que tú eres mi nueva donante! Eres una preciosidad. —No las había olvidado.

Grace asintió.

—Entonces te he soltado la mano, mamá, y la visión se ha desvanecido. No estaba preparada para ver nada más. Pero no me puedo quitar de la cabeza lo que sí he visto. —Miró a Sally—. ¿Cómo era Sidorio cuando lo conociste? ¿Cómo era ser su donante?

Sally cerró los ojos y Grace se preguntó si no estaría demasiado débil para continuar. Pero, cuando volvió a abrirlos, los tenía mucho más brillantes que antes.

—Si quieres saber la sorprendente verdad, Grace, y es sorprendente cuando pienso en todo lo que pasó después, Sidorio me gustaba bastante al principio.

—¡Te gustaba Sidorio! —Grace movió la cabeza con gesto incrédulo.

Sally se encogió de hombros y sonrió.

—No cabe duda de que siempre tuvo algo siniestro. Supongo que siempre supe que podía… —Buscó la palabra adecuada—. Que podía ser violento. Pero yo lo encontraba muy guapo. Y supongo que me dejé arrastrar por el romanticismo de aquella situación extraña: yo, a bordo de un barco de vampiratas, y él, a punto de ser mi pareja. Era como una especie de matrimonio. —Se encogió de hombros—. Al menos, así lo veía yo en mi tonta cabecita. —Hizo una pausa—. ¿Queda agua en la jarra? Estoy muerta de sed.

Grace llenó un vaso y se lo pasó, impaciente por que retomara el hilo de la historia.

—Me había enterado de la conexión entre Sidorio y Julio César y, para mí, eso casi lo convertía en un héroe. Lo hacía todavía más atractivo. —La luz de las velas se reflejó en sus ojos verdes—. Oh, Grace, salta a la vista que eres una chica sensata. Tienes la cabeza bien amueblada. Pero la mía estaba llena de pájaros. Y confieso que, mientras me preparaba para mi primer Festín, tenía la impresión de que iba a una cita.

—¡Una cita! —exclamó Grace—. ¿Con Sidorio? —Jamás había imaginado que pudiera oír aquellas dos palabras dichas tan cerca una de otra. Hasta le costaba imaginarse a alguien pensando en Sidorio de aquella forma.

—Por supuesto, en el Festín me llevé un chasco enorme. Cuando llegó Sidorio, esperaba que empezaría a hacerme preguntas. Pensaba que tendría las mismas ganas de conocerme que yo tenía de conocerlo a él. A mi alrededor, oía a los otros vampiratas charlando con sus donantes. Pero, después de saludarme, Sidorio no pronunció ni una palabra. Daba toda la sensación de que no tuviera ningún interés en conocerme.

Sally miró a Grace.

—Me di cuenta de que, para Sidorio, solo era su proveedora de sangre, nada más. ¡Qué insensata había sido haciéndome ilusiones! Después del Festín, fuimos a mi camarote para que él bebiera mi sangre. Y, de hecho, fue sorprendentemente delicado y preciso. Solo tomó la cantidad de sangre prescrita. Después, me dormí. No sé cuánto sabes sobre el acto de la entrega, Grace, pero los donantes acostumbran a necesitar dormir justo después. Por lo general, los vampiratas se quedan con sus parejas durante ese tiempo. Es una muestra de respeto por el regalo que les hacemos.

Sally negó con la cabeza.

—Solo que Sidorio no se quedó conmigo. No esa noche, ni ninguna otra, con una excepción. —Suspiró—. Cuando me desperté, estaba sola. Jamás me había sentido tan sola como me sentí entonces, en aquel pequeño camarote de aquel barco extrañamente silencioso.

Grace tenía lágrimas en los ojos. No podía soportar imaginarse a su madre sufriendo tanto. Le cogió la mano para apretársela y ella le respondió de la misma manera. Aguardó, anticipando, pero no deseando, la llegada de una nueva visión. Pero, afortunadamente, su cabeza siguió clara esa vez. Recordó las palabras de Mosh Zu sobre el hecho de que Sally aún tuviera asuntos pendientes. Quizá su historia necesitara emerger a su propio ritmo. Ya le había desvelado suficientes secretos por un día.

—Lo siento, Grace —dijo Sally—. Todo esto debe de ser muy duro para ti.

Grace sonrió, con lágrimas en los ojos.

—Estoy segura de que para ti tampoco es fácil.

—No —admitió Sally—. Pero quiero dejarlo todo zanjado contigo, antes de que… Bueno, eso, que quiero dejarlo todo zanjado contigo. Y también con Connor. Por cierto, ¿dónde está?

Grace consideró la pregunta, pero decidió no ocultar la verdad.

—Se ha ido —dijo—, hoy.

—¿Por mí? —preguntó Sally.

Grace volvió a vacilar.

—En parte —respondió—. Por lo que has empezado a contarnos. Que estamos vinculados al mundo vampirata, que siempre lo hemos estado. —La miró entristecida—. Connor no quiere eso.

—Que lo quiera o no es irrelevante —dijo Sally—. No es algo que pueda eludir.

—Lo sé —dijo Grace, suspirando—. Pero eso no va a impedirle intentarlo. En este momento, ha zarpado en busca de una capitana pirata para pedirle que lo acepte en su tripulación.

Sally negó con la cabeza.

—Puede correr tanto como quiera, pero la verdad lo alcanzará. Siempre lo hace.

Aquellas inquietantes palabras fueron las últimas que dijo Sally antes de volver a quedarse dormida. Grace se quedó junto a ella durante un rato. Aún estaba afectada por sus revelaciones, pero, al mismo tiempo, se sentía extrañamente serena. Se maravilló de lo conectadas que estaban su madre y ella por los caminos que habían tomado en la vida, por el barco en el que habían navegado y las personas que ambas habían conocido allí. Por algún motivo, aquello la hizo sentirse menos sola.

Por fin, sin hacer ruido para no truncar el reposo que su madre tanto necesitaba, Grace se levantó de la silla. La tapó bien para protegerla del frío aire nocturno. Luego, le mandó un beso delicadísimo y salió de la habitación.

11

La entrevista

Connor tejió su camino por el astillero, procurando seguir las indicaciones que le habían dado en la entrada. Ya era por la tarde, pero el sol seguía cayendo a plomo y, mientras caminaba por el muelle, se le formaron perlas de sudor en la frente que fueron cayéndole por el cuello y los hombros. Se había puesto una camiseta limpia después de su ardua travesía por mar, pero ya se le había formado en el pecho una marcada V de sudor.

Pese al calor achicharrante, el astillero era un hervidero de actividad dondequiera que mirara. Hombres y mujeres trabajaban incansablemente en barcos, desde los que se hallaban en sus primeras fases de construcción —asemejando el esqueleto de una ballena expuesto en un museo marítimo— hasta los que ya estaban casi terminados, siendo lijados o barnizados por última vez. Observó un par de carpinteros levantando un lustroso palo mayor. Él estaba habituado a velas deslucidas y jarcias embadurnadas de sal y alquitrán. Jamás en su vida había visto lienzos o cabos tan virginales como aquellos. Inhaló profundamente. Olía a madera recién cortada. A pintura secándose. El astillero exudaba el embriagador aroma de los nuevos comienzos.

Por fin, llegó a un enorme dique seco donde un barco alto y elegante parecía estar flotando en el aire. No pudo evitar quedarse boquiabierto mientras contemplaba la pura majestuosidad de aquel buque. El pulso se le aceleró. Sintió una conexión instantánea con él, como si sus propias venas y tendones fueran parte de las jarcias, como si los acolladores y escotas del barco estuvieran atados a su propio corazón. Esperaba que, en un día no muy lejano, aquel barco fuera su nuevo hogar. Parecía prácticamente terminado, listo para librarse del armazón que lo envolvía. En uno de los andamios más altos, un hombre estaba pintando el nombre del barco con letras doradas. Connor entornó los ojos para leer las palabras, pero el fuerte sol lo deslumbró.

—¡Qué belleza! —exclamó una peculiar voz femenina.

Connor se volvió y vio a una mujer alta y elegante junto a él. Iba completamente vestida de blanco, empezando por las inmaculadas zapatillas de tenis que enfundaban sus pies diminutos y terminando por su pelo blanco pulcramente cortado a lo garçon. Connor se preguntó si no lo tendría así de nacimiento; no parecía tan mayor. Su rostro ligeramente bronceado estaba tan terso como la vela que Connor acababa de ver izarse en el barco. Su expresión de ligero desdén apenas se alteró cuando se dirigió a él con aire de superioridad.

—Jacinta Slawter, editora general de la revista *Barcomanía*. —Lo fulminó con la mirada—. ¿Y tú eres?

—Connor Tempest —dijo él, estrechándole la mano.

—Estás un poco mojado, Connor Tempest —dijo Jacinta Slawter, retirando rápidamente la mano y buscando un pañuelo en su bolso sin asas—. Bueno, eso da igual. Lo más importante, ¿dónde está tu equipo?

—¿Mi equipo? —¿De qué estaba hablando?

—Tú cá-ma-ra —dijo Jacinta Slawter, remarcando cada sílaba, como si él fuera tonto de remate o quizá extranjero.

—¿Mi cámara? —Connor la miró sin comprender.

Aunque su expresión no cambió, era evidente que Jacinta Slawter se estaba impacientando.

—Vamos a ver, Connor Tontón o comoquiera que te apellides, he venido para escribir un artículo sobre Cheng Li y su barco. Es una exclusiva, para el número de agosto. Y deduzco que tú has venido para hacer las fotografías del reportaje de siete páginas. —Remarcó cada sílaba—. Lo cual me lleva a preguntarte dónde está tu aparato.

Connor negó con la cabeza, sonriendo.

—Yo no soy fotógrafo —contestó—. Soy un viejo amigo de Cheng Li.

—¿Un amigo? —Jacinta Slawter cambió el tono de voz inmediatamente. Cogió un lapicito dorado que llevaba en la oreja y sacó un cuaderno del bolso—. ¿Te gustaría contarme algún recuerdo o experiencia especial?

—Después, quizá —respondió Connor, señalando la proa del barco, donde estaba Cheng Li con las manos en las caderas, escudriñando el mundo desde las alturas como un ave rapaz.

—¡Connor! —gritó—. ¡Qué sorpresa! Y señora Slawter. ¡Ha venido! ¿Por qué no suben los dos?

Cheng Li desapareció por un instante de su vista y Connor siguió a Jacinta Slawter cuando ella se dirigió a la plancha a paso de marcha atlética. Sintió un vértigo momentáneo cuando pisó la plancha, pero controló la respiración y miró al frente. No tenía ninguna intención de mostrar sus debilidades, sobre todo delante de Jacinta Slawter. Cheng Li estaba parada al final de la plancha, observándolo. Aquello también fue un acicate para mantenerse sereno y fuerte.

—Bienvenidos a bordo —dijo Cheng Li, tendiendo la mano a Jacinta Slawter para ayudarla a bajar a cubierta.

—Gracias, capitana Li —dijo la editora general.

—Oh, no seré capitana hasta dentro de unos días —la corrigió Cheng Li. Connor vio que estaba radiante y henchida de orgullo.

—¡Qué barco tan increíble! —exclamó.

—Sí, ¿verdad? —Cheng Li sonrió.

Connor se preguntó si no debería darle un abrazo, pero perdió la oportunidad cuando Jacinta Slawter se puso otra vez a hablar.

—Señorita Li, lo siento muchísimo, pero parece que ha habido algún malentendido con mi fotógrafo. Seguro que tiene fácil explicación, pero…

—¡Eh, Slawter! —gritó una voz desde arriba—. ¡Posa para la foto!

Todos estiraron el cuello para mirar la cofa. Una cámara se disparó varias veces en rápida sucesión.

—¡Perfecto! —gritó la voz.

—¿Fabrizio? Querido, ¿eres tú? —preguntó Jacinta Slawter.

—¡El único e irrepetible! —gritó el fotógrafo, un hombre muy fornido con el pelo negro recogido en una coleta. Bajó ágilmente por las jarcias, con varias cámaras colgadas de sus bronceados y musculosos brazos—. ¿Por qué has tardado tanto? —preguntó, saltando a cubierta—. Yo ya casi he terminado.

—No estaba segura de a quién iban a mandarme… Creía que habíamos quedado a las tres —dijo Jacinta—. No tengas prisa, querido. Quiero que me hagas unas cuantas fotos con la cap… con la señorita Li. Oh, y quizá con este joven, Connor Tufarada. —Siseó a Fabrizio—. Por lo visto, son viejos amigos.

—¡Fabuloso! —exclamó Fabrizio, no perdiendo el tiempo y sacando varias fotografías de Cheng Li y Connor en ese mismo momento.

—Bueno —dijo Cheng Li—, ¿quién se apunta a la gran gira?

—¡Cuando quiera! —dijo Jacinta Slawter, consiguiendo imprimir una pizca de entusiasmo a su voz.

Mientras seguía a Cheng Li, Jacinta Slawter y Fabrizio en su visita guiada, la admiración de Connor fue aumentando a cada paso que daba. El barco era una verdadera pieza de artesanía. Como cabía esperar, Cheng Li había colaborado estrechamente en su proyección. Al señalar sus características clave, habló con total conocimiento de causa de por qué se habían tomado determinadas decisiones y de cómo su construcción combinaba las mejores de las antiguas tradiciones con las innovaciones más vanguardistas. Jacinta Slawter asentía con autoridad y escribía furiosamente, mientras Fabrizio brincaba de acá para allá, haciendo fotografías.

Connor sintió un nuevo respeto por Cheng Li conforme la escuchaba y observaba. Su amiga parecía crecer en estatura cada vez que volvían a verse.

—Discúlpeme por hacerle esta pregunta —dijo Jacinta Slawter, lápiz dorado en mano—, pero me debo a los lectores de *Barcomanía*. Indudablemente, habrá personas en el mundo pirata que dirán que usted es demasiado joven para ser capitana. ¿Qué tiene que decir a eso?

Antes de que Cheng Li tuviera ocasión de responder, Connor se descubrió interviniendo.

—Cheng Li es joven —dijo—, pero lo que ella no sepa de piratería no merece la pena saberlo.

—Gracias, Connor. —Cheng Li sonrió solemnemente. Se dirigió a la señora Slawter—. Si la vieja guardia tiene algún problema con mi juventud, también lo va a tener con toda mi tripulación. He puesto a varios piratas jóvenes en cargos clave de responsabilidad. Algunos preferirían la edad y la experiencia a la vitalidad y la originalidad. Yo creo que hay formas de equilibrar ambas cosas. Esa es la clase de barco que gobernaré. ¿Soy una visionaria? Eso toca decirlo a otros, y a los anales de la historia.

—¡Maravilloso, querida! —gorjeó Jacinta, escribiendo en su cuaderno—. Supongo que puedo citarla textualmente.

Cheng Li asintió, guiñando el ojo a Connor. Él le sonrió. Sus palabras en apoyo de la juventud le parecieron un buen augurio para la conversación que tenían pendiente.

—Y este —dijo Cheng Li, abriendo unas puertas dobles de madera sencillas pero elegantes— ¡es el camarote de la capitana!

Jacinta Slawter aplaudió.

—¡Bravo! ¡Oh, bravísimo, señorita Li!

—¡Fabuloso! —exclamó Fabrizio, arrojándose temerariamente al suelo y sacando una fotografía con un ángulo poco habitual.

—¡Caramba! —dijo Connor, entrando en el camarote detrás de ellos y fijándose en las grandes portillas que tenía en ambos lados. La luz del sol se filtraba por los estores de gasa, proyectando una suave luz en el suelo de madera clara.

—Una habitación muy acogedora —murmuró Jacinta Slawter, tomando notas—, de bonito diseño… amueblada con sencillez pero también con elegancia.

Era exactamente la clase de camarote que Connor podía imaginarse ocupando algún día. Para ser el camarote del capitán, era, de hecho, bastante sobrio. Sí, era definitivamente más grande que los camarotes asignados al resto de oficiales, pero por razones prácticas: para acomodar una mesa de reuniones y sillas, además de los muchos estantes de libros reglamentarios de Cheng Li. ¡No parecía haber un solo volumen sobre la historia de la piratería que ella no poseyera! No obstante, el camarote no era, como el de Molucco Wrathe, un inmenso templo a la insaciable sed de riquezas y excesos del capitán. Allí se respiraba un aire mucho más pragmático y profesional.

El camarote estaba presidido por un gran cuadro de un atlético pirata colgado detrás del escritorio de Cheng Li.

—Chang Ko Li —dijo Jacinta Slawter—. Creo que no había visto nunca este retrato. Un estilo fascinante, aunque tal vez un poco naïf. ¿Quién es el autor?

—Lo pinté yo —respondió Cheng Li—. Tenía nueve años.

—¡Extraordinario! Fabrizio, tenemos que hacer algunas fotografías de esto. Solo Cheng Li y su padre, creo. Bien juntitos.

—¡Fabuloso! —Fabrizio estuvo de acuerdo, tomando rápidamente las fotografías.

—¡Y ya hemos terminado! —declaró Jacinta Slawter.

—¿Puedo ofrecerles algo de beber antes de que se marchen? —preguntó Cheng Li.

Jacinta Slawter consultó su reloj de platino.

—De hecho, no. Tengo un cóctel con John Kuo a las siete y media y debo irme volando a casa para cambiarme de ropa. ¡Los leales lectores de *Barcomanía* se quedarían desolados si me vieran dos veces con el mismo conjunto!

Cheng Li asintió.

—Bueno, muchísimas gracias por venir.

—No, ¡gracias a usted! —dijo Jacinta Slawter—. Con esto haremos un reportaje sensacional. —Le estrechó la mano. Luego miró a Connor, con algo parecido a una sonrisa—. Me alegro de haberte conocido —añadió.

Connor le sonrió y le tendió la mano. Jacinta Slawter la miró, se estremeció ligeramente y se dio la vuelta, pasando el brazo por uno de los abultados bíceps de Fabrizio.

—¡Venga, querido! Llévame al cóctel. Estoy impaciente por enterarme de los últimos chismes.

Dicho aquello, la editora general y su temerario fotógrafo salieron del camarote de la capitana.

Cheng Li esperó hasta que sus pasos dejaron de oírse.

—Bueno, no ha sido tan penoso como podría haber sido —dijo. Sonriendo a Connor, señaló una de las sillas colocadas delante de su escritorio. Luego, se dio la vuelta y pulsó un botón. De inmediato, se separó un panel de la pared y apareció un bar pequeño pero bien provisto.

Cheng Li negó con la cabeza.

—Me parece innecesariamente ostentoso, pero el arquitecto insistió mucho. ¿Te apetece beber algo?

—Un poco de agua me vendría de perlas —dijo Connor.

—¿Solo agua? —preguntó Cheng Li—. No es mucho para brindar por el regreso de un antiguo camarada y buen amigo.

Connor sonrió al oír aquello.

—Agua está bien —dijo—. Y esperaba que pudiéramos brindar por algo ligeramente distinto.

—Ah, ¿sí? —Ching Li enarcó una ceja mientras llenaba dos vasos de agua—. Adelante —dijo, pasándole un vaso.

Connor alzó su vaso.

—Brindo por los nuevos capitanes, los nuevos comienzos y… —dijo, haciendo una pausa para respirar— el reencuentro de dos viejos camaradas. —Esperó atentamente la reacción de Cheng Li. El corazón le palpitaba bajo la camiseta empapada de sudor.

—Bonito brindis. —Cheng Li alzó su vaso.

Connor se descubrió temblando. La inmaculada superficie de la mesa se manchó de gotas de agua.

—¡Lo siento! —dijo, yendo a secar el agua con la mano.

—No te preocupes —dijo Cheng Li, ya con un trapo en la mano—. Vaya, vaya, Connor Tempest. Estás bastante nervioso, ¿no?

—Sonriendo, secó el agua con el trapo—. Cualquiera diría que tu misma vida y felicidad depende de este encuentro.

—En cierto modo, así es —dijo él. Estaba claro que no iba a poder fingir nada cercano a la indiferencia, así que lo mejor sería ir al grano—. Sabes por qué estoy aquí —continuó—. La última vez que nos vimos, dijiste que hablara con el capitán Wrathe y que, si él accedía a exonerarme de mi juramento, tú te plantearías tenerme en tu tripulación.

Cheng Li dejó el vaso en la mesa y lo escrutó atentamente.

—¿Y fuiste a hablar con el capitán Wrathe?

—Sí —respondió él—. Le dije cómo me sentía. Que necesitaba irme del *Diablo*. Y que quería alistarme en tu tripulación.

Cheng Li abrió sus ojos almendrados como platos.

—Estoy segura de que se puso contentísimo.

Connor sonrió.

—No exactamente. Te acusó de incitarme a traicionarlo, pero yo le dije, muy claramente, que era decisión mía y solo mía.

Esta vez Cheng Li no dijo nada, pero Connor supo por su silencio que él tenía toda su atención, y quizá también su respeto.

—En fin, resumiendo, me ha exonerado de mi juramento de lealtad. Así que he venido para preguntarte oficialmente si vas a considerarme como miembro de tu tripulación.

Concluido su discurso, alzó la vista y miró el solemne retrato de Chang Ko Li. ¿Qué término había empleado Jacinta Slawter para describir el estilo? ¿«Naïf»? No estaba seguro de qué significaba, pero, por el tono de la periodista, no creía que hubiera sido un halago. Desde su perspectiva, lo encontraba un cuadro impresionante y le parecía increíble que Cheng Li solo tuviera nueve años cuando lo pintó. El famoso capitán pirata casi parecía estar mirándolo desde su retrato, su expresión innegablemente feroz, pero, al mismo tiempo, algo divertida.

Connor miró de nuevo a Cheng Li, descubriendo que también ella estaba sonriendo.

—Me encantaría tenerte en mi tripulación —dijo—. ¡Estás contratado!

Connor se quedó sin habla. Por algún motivo, no esperaba que fuera a ser tan fácil.

—¡Eso es genial! —exclamó, sonriendo alegremente—. No te arrepentirás, te lo prometo.

—Lo sé, Connor. Pero es una lástima que me hayas contado la versión abreviada de tu enfrentamiento con Molucco. Según mis fuentes, ¡quemó tu juramento delante de ti y, de paso, casi se prendió fuego a él y a la pobre Scrimshaw!

—¿Lo sabías? —preguntó Connor. ¡Claro que lo sabía! Tenía ojos en la nuca e informadores en todo el mundo pirata.

—Bueno, ahora que ya formas parte de la tripulación, ¿te gustaría conocer a tus camaradas? —preguntó Cheng Li—. He quedado con unos cuantos en la taberna de Ma Kettle esta noche. Tengo que terminar unas cosas; luego, podemos ir juntos.

Connor estuvo de acuerdo con ella.

—Me encantaría. —Sintió que las puertas de su conocido mundo pirata volvían a abrirse. Solo que esta vez era mejor. Esta vez, había decidido conscientemente a qué tripulación se unía. Antes, quizá hubiera tenido sus dudas con respecto a Cheng Li, pero ahora se le habían disipado por completo. Iba a ser una capitana magnífica y una mentora soberbia.

—¿Por qué no te das otra vuelta mientras yo reviso estos documentos? —sugirió Cheng Li, poniéndose unas gafas de montura al aire—. Solo son para leer la letra pequeña —añadió, captando la expresión de sorpresa de Connor—. Anda, esfúmate. Elige un camarote.

Connor se levantó, pero permaneció delante de su escritorio.

—Ya sé qué camarote me gustaría.

Cheng Li lo miró, con las gafas colocadas en la punta de su delicada nariz.

—Soy toda oídos.

—El camarote donde pone «segundo de a bordo» —dijo él. Era apuntar muy alto, pero, en lo que llevaba de día, el universo se había portado bien con él. ¿Por qué no pedir una última cosa?

Cheng Li se quitó las gafas, pero no despegó los ojos de él.

96

—Me temo, Connor, que el cargo de segundo de a bordo ya está ocupado.

Connor notó que se ruborizaba.

—¡Lo sabía! —exclamó—. ¡Sabía que tenía que haber venido antes!

—No —dijo ella, con calma pero también con firmeza—. No, en esta ocasión, no ha sido porque hayas llegado tarde. Eres un buen pirata, Connor. Aprendes deprisa y trabajas en equipo. Tu valor es incuestionable y eres un diestro espadachín. Pero eres un diamante en bruto y tu experiencia es limitada. Sin duda, tienes una asombrosa carrera ante ti, pero aún te falta.

Con lo cortante que podía ser, tan cortante como el filo de sus dos katanas, Cheng Li se había esmerado en elegir sus palabras. Connor tampoco podía discutir su opinión. Había hecho una valoración precisa de sus capacidades en aquel punto. No estaba diciendo que jamás alcanzaría el nivel, solo que era demasiado pronto. En ese mismo instante, se comprometió a aprender todo lo que pudiera de Cheng Li y de quienquiera que ella hubiera elegido como segundo de a bordo.

—Estás decepcionado —dijo Cheng Li.

—Sí. —Era inútil negarlo—. Pero comprendo tu razonamiento. Y quiero que sepas que os apoyaré en todo a ti y a tu segundo de a bordo. Tengo ganas de conocerlo… ¿o debería decir conocerla? ¿Estará en la taberna?

Cheng Li volvió a sonreír.

—Ya os conocéis. Muy bien, de hecho. —Hizo una pausa—. Connor, mi segundo de a bordo es Jacoby Blunt.

12

Cuando Sally encontró a Dexter

Grace estaba al borde de la montaña, contemplando las vistas a la luz de la vivificante mañana. Ya llevaba levantada más de una hora. Hacía un día hermoso. El sol brillaba intensamente y el cielo estaba despejado. Muy por debajo de ella, el mar resplandecía como si hubieran arrojado lentejuelas a un estanque turquesa. Todo aquello le dio una nueva sensación de optimismo con respecto al futuro. También le dio una idea. Decidiendo no perder ni un minuto, regresó rápidamente al interior de Santuario y se dirigió a las habitaciones de Mosh Zu.

Se preguntó si el gurú dormía alguna vez, porque era el único vampirata que parecía estar levantado y activo tanto de día como de noche. Aquello quizá se debiera a que en aquel momento se encontraba en una situación de alerta máxima, dado el progresivo desvanecimiento que estaban experimentando las almas, incluyendo su propia madre. Aunque, por otra parte, Mosh Zu tenía tal dominio de la energía que quizá simplemente necesitase dormir muy poco.

Cuando llegó a la puerta de la sala de meditación, llamó con suavidad, lo bastante fuerte como para alertar al gurú si estaba despierto pero no tanto como para molestarlo si estaba descansando. Se alegró muchísimo de oírle decir animadamente:

—¡Adelante!

Al entrar, Mosh Zu le saludó con un gesto de la cabeza y le sonrió afectuosamente.

—Hola, Grace. ¿Cómo estás hoy?

—Muy bien —respondió ella—. Acabo de estar fuera. Hace una mañana preciosa. ¡El sol ya calienta! ¡Las vistas desde la montaña son increíbles!

Mosh Zu sonrió al verla de tan buen humor.

—Me pregunto… —dijo Grace—. Fuera se está genial. ¿Cree que a mi madre le vendría bien salir?

Mosh Zu consideró brevemente su petición y estuvo de acuerdo con ella.

—Sí, creo que es una idea excelente. A Sally le hará bien volver a sentir el sol en la piel.

Grace se alegró muchísimo.

—Estoy contentísima. He pensado que antes debía preguntárselo a usted, pero tengo muchísimas ganas de enseñarle los jardines y todo lo demás. —Ya volvía a estar en la puerta, no queriendo perder ni un segundo. Pero, súbitamente, pensó en algo que borró por completo su frágil optimismo.

Mosh Zu vio que se le ensombrecía la cara y se acercó rápidamente a ella.

—Grace, estás pensando en nuestras anteriores conversaciones, ¿verdad?

Ella asintió. Por mucho que se esforzara en quitársela de la cabeza, no podía eludir la cruda realidad de que ella y su madre tenían los días contados.

Mosh Zu la miró a los ojos.

—Grace, solo tengo un consejo para ti. Intenta concebir este tiempo con tu madre como un regalo. —Se quedó callado, sonriendo—. No solo para ti, sino también para ella.

Grace suspiró. Mosh Zu tenía razón, ella lo sabía. Se dirigió a la habitación de Sally con sobriedad, serenándose con cada paso que daba.

—Mamá —dijo, llamando a la puerta—, soy Grace. ¿Puedo entrar?

—Sí, por supuesto, Grace. —La voz era débil, pero alegre. Grace abrió la puerta.

Sally estaba sentada en la cama, apoyada en una montaña de almohadas. Algo en sus modales la alertó de que su madre no estaba sola. Al volver la cabeza, vio a Lorcan sentado en una silla junto a la cama.

—¡Buenos días! —dijo él.

Grace no pudo disimular su sorpresa de haberlo encontrado allí. Era muy raro para él estar levantado a aquella hora. Por algún motivo, tuvo la sensación de haberlos interrumpido.

—Lorcan —se descubrió diciendo—, ¿qué estás haciendo aquí?

Él sonrió, con los ojos azules brillantes.

—Poniéndome al día con una vieja amiga muy querida.

—¡Menos por lo de vieja, gracias! —dijo Sally, riéndose de todos modos—. ¡Te tiraría una de estas almohadas si tuviera fuerzas! Pero no te confíes. ¡Han llegado refuerzos! —Sonrió traviesamente a Grace—. ¿Verdad, cielo?

—Sí —respondió Grace, sentándose en la cama, entusiasmada de ver a su madre de tan buen humor. Miró a Lorcan—. ¡Así que más te vale comportarte!

—¡Vale, vosotras ganáis! —dijo él, sacándose un pañuelo blanco del bolsillo y agitándolo en señal de rendición.

Grace se rió. Su incomodidad inicial se había evaporado. Era agradable estar allí con Lorcan y Sally. Tuvo una sensación de plenitud que hacía demasiado tiempo que no sentía.

—Miraos —dijo Lorcan—. Sois clavaditas. El pelo, los ojos, las mismas pecas, la forma idéntica de arrugar la nariz cuando sonreís. ¡Como dos gotas de agua!

—Sí —asintió Sally, volviendo suavemente el rostro de Grace hacia sí—. Cuando te miro, cielo, es como si estuviera mirándome en un espejo mágico. Me veo a tu edad. —Suspiró—. Deseo tanto que seas feliz, que te cuiden y te quieran. Después de que yo… Después de que yo… —No pudo terminar la frase.

Lorcan se levantó y se acercó a la cama. Las rodeó a las dos con los brazos.

—Vamos a cuidar de Grace, Sally. Siempre. No temas. —Las besó en la cabeza, primero a Sally y luego a Grace. Luego, las soltó tiernamente y se retiró hacia la puerta—. Mejor me voy —dijo—. Ya hace diez minutos que debería estar con Mosh Zu. Además, creo que os merecéis estar solas.

—Sí —admitió Sally.

—Hasta luego —dijo Lorcan, sonriendo al salir.

Cuando la puerta se cerró, Grace miró a su madre.

—He pensado que podíamos salir al jardín, mamá. Hace un día precioso. ¿Te apetece?

—Sí —dijo Sally—. Sí, Grace. Me apetece muchísimo. —La mera idea pareció infundirle nuevas energías. Se apoyó en el cabecero de la cama y bajó los pies al suelo. Grace la observó mientras se ponía los zapatos y se abrochaba la rebeca. Era blanca, con un delicado dibujo de conchas y corales bordado en azul y diminutos botones de madreperla.

—¡Qué bonita es! —exclamó Grace—. ¿De dónde la has sacado?

—¡Adivínalo! —dijo Sally.

Riéndose, madre e hija hablaron como una sola persona.

—¡Darcy!

—Es maravilloso estar aquí contigo —dijo Sally mientras cruzaban el patio después de haber contemplado las vistas desde las puertas de Santuario.

—Para mí también lo es —dijo Grace, sintiéndose de algún modo en paz, cogida del brazo de su madre—. Pero ¿cómo te encuentras? ¿Quieres sentarte un rato?

Sally asintió.

—Conozco el sitio ideal —dijo Grace, guiándola dulcemente hacia su querida fuente y uno de los bancos que la rodeaban.

—¡Qué sitio tan bonito! —exclamó Sally.

—Me alegro mucho de que te guste —dijo Grace—. Es mi sitio de Santuario favorito. Es donde vengo a pensar. Es muy tranquilo, ¿verdad?

Sally volvió a asentir.

—Sí que lo es. Y también sombreado. —Se sentó y estiró exultantemente los brazos. Entonces arrugó la nariz—. ¿Es lavanda lo que huelo?

—Sí —le contestó Grace—. Hay un huerto de plantas medicinales justo ahí, ¿lo ves? Es donde Mosh Zu cultiva muchas de las plantas que utiliza en sus curas.

—Oh, sí —dijo Sally, volviendo a arrugar la nariz—. Huelo a limoncillo, a romero, a cardamomo y a curry. ¡Qué delicia!

—Sí —dijo Grace, sonriendo. Le alegraba ver que el huerto también estaba obrando su magia reconstituyente en Sally. Esperaba que fuera el momento apropiado para que ella retomara el hilo de su historia.

La miró.

—¿Te apetece volver a hablar, mamá? ¿Sobre el tiempo que pasaste en el *Nocturno*?

—Sí —dijo Sally—. Creo que sí. A ver, ¿por dónde íbamos?

Grace suspiró.

—Me estabas contando que eras la donante de Sidorio. Y que él te defraudó.

—Ah, sí —dijo Sally—. Eso es. —Se quedó callada, alargando la mano y arrancando una ramita de lavanda. Jugueteó con ella mientras seguía hablando—. Bueno, pronto me acostumbré a Sidorio. Comprendí que lo único que quería de mí era su ración semanal de sangre y, después de mi decepción inicial, no me importó demasiado dársela. —Se encogió de hombros—. En cierto modo, el hecho de que no tuviera ningún otro interés en mí me daba cierta libertad. Solo de vez en cuando, muy de vez en cuando, después del acto de la entrega, cuando me sentía un poco débil en mi camarote a oscuras, me habría gustado que estuviera conmigo. Esos eran los únicos momentos en que me sentía triste.

Volvió el rostro hacia Grace.

—Sidorio tenía las ideas muy claras, y un orgullo bárbaro. Otros vampiratas, Lorcan, por ejemplo, veían a sus donantes como iguales. Sidorio, no. Al menos, eso era lo que yo pensaba entonces.

102

—Vaciló, mirando hacia la fuente. Una delicada mariposa le había llamado la atención mientras revoloteaba sobre el agua. Cuando volvió a hablar, su tono de voz era distinto—. Mi vida a bordo del barco era agradable. Había hecho un trato y lo que obtenía a cambio de mi donación de sangre semanal me compensaba con creces. Era una vida realmente fácil… ¡y divertida! Después de los racionamientos por los que había pasado en casa… Bueno, comía como un caballo, tanto que pronto comencé a engordar. Tuve que empezar a cuidarme y hacer ejercicio.

—¿Ejercicio? —preguntó Grace—. ¿A bordo del *Nocturno*? —Por algún motivo, la idea le chocó.

—¡No te sorprendas tanto! —dijo Sally—. Me había hecho buena amiga de otros donantes. Sobre todo de dos mujeres… A una ya la viste en tu visión, Shanti, ¿te acuerdas…?

—Sí. —Grace asintió.

—Una chica guapísima. Y es divertidísima, ¿verdad?

Cuando el nombre de Shanti había surgido anteriormente, Grace había eludido el tema, pero ya no podía seguir mintiendo a su madre. Sally percibió la tristeza en sus ojos.

—¿Qué pasa? —preguntó—. Grace, ¿qué es? ¡Dímelo!

—Me temo que tengo malas noticias —dijo Grace, cogiéndole la mano y dándole un suave apretón—. Me temo que Shanti murió. Lo siento mucho, mamá.

—¡Oh, no! —Sally se llevó la mano al pecho y cerró un momento los ojos. Cuando volvió a abrirlos, vio que su hija la estaba mirado con preocupación—. No pasa nada, Grace. De veras. Estoy afectada, por supuesto. Shanti era muy amiga mía. Pero no quiero que me ocultes la verdad. Por favor, dime qué le pasó.

Grace suspiró hondo.

—La mataron. La mató su pareja vampirata.

—¡Lorcan! —exclamó Sally, incrédula.

—¡No! —Grace negó con la cabeza—. ¡No, por supuesto que no! Lorcan jamás cometería una atrocidad como esa.

—No lo entiendo —contestó Sally—. Lorcan era la pareja de Shanti.

—Sí —asintió Grace—, formaron pareja, hasta que Lorcan se quedó ciego y tuvimos que traerlo a Santuario para que se curara. Shanti también vino, pero odiaba esto tanto que el capitán terminó accediendo a llevársela al *Nocturno* con él y a encontrarle otro vampiro con quien formar pareja.

—No es fácil para un donante cambiar de un vampirata a otro —dijo Sally.

Grace se quedó intrigada. ¿Estaba su madre intentando decirle algo? Sally había empezado siendo la donante de Sidorio. Pero ¿había cambiado cuando otro vampirata había llegado al barco? ¿Le estaba diciendo que, al final, había sido la donante de Dexter? ¿Que también él había sido un vampirata?

Tenía la pregunta en los labios, pero, antes de poder hacerla, su madre se puso de nuevo a hablar.

—Mirándola ahora, parece una época tan inocente... —dijo—. Shanti, Teresa y yo haciendo nuestra tabla diaria de ejercicios en cubierta. Nos reíamos mucho. ¡Muchísimo! Era como estar en un crucero. Nos pasábamos la vida en cubierta, sin ninguna preocupación. Uno de los otros donantes, ¡Oskar, así se llamaba!, era un músico maravilloso. Solía tocar la guitarra en cubierta. ¡Qué música tan bonita! Nos pasábamos toda la tarde tomando el sol. —Sally miró a Grace con los ojos brillantes—. Bueno, fue justo en una tarde como esa cuando conocí a Dexter.

A Grace le dio un vuelco el corazón cuando oyó el nombre de su padre. Parecía que su madre le hubiera leído el pensamiento.

—Me encantaría que me lo contaras —dijo.

—Oh, Grace... —contestó Sally—. Me temo que el ejercicio y el aire puro me han cansado un poco. Creo que voy a tener que descansar antes de seguir, y este es un sitio tan bonito para hacerlo...

Grace no pudo disimular la desilusión en su mirada.

Sally la rodeó por la cintura y fue a cogerle la mano.

—Además, ¿por qué oírmela contar —dijo— cuando tú puedes verla con tus propios ojos? —Le cogió la mano y cerró los ojos. Cuando su madre se quedó dormida en su hombro, Grace sonrió.

De pronto, estaba viendo mentalmente la cubierta del *Nocturno* en una tarde soleada.

Había mucha gente. Una vez más, lo veía todo a través de los ojos de Sally. Su madre llevaba un bañador pasado de moda y estaba sentada en una estera, extendiéndose crema para el sol en los brazos. Enfrente de ella, Shanti estaba haciendo exactamente lo mismo, charlando. Y había una tercera muchacha cerca de ellas: debía de ser Teresa. En el centro de la estera había una bandeja repleta de frutas que resplandecían como joyas al sol vespertino: higos, suculentos duraznos y rodajas de sandía.

Grace oyó música de guitarra, tal como Sally había dicho. Miró detrás de Shanti y vio un joven apoyado en el mástil, rasgueando una guitarra. Él la sorprendió mirándolo y le sonrió. Evidentemente, la conocía. ¿Cómo había dicho Sally que se llamaba? ¡Oskar, eso era!

De pronto, Grace notó una mano en el hombro. Al principio, creyó que la estaban arrancando de la visión, pero, de hecho, fue justo al revés: se estaba imbuyendo en ella todavía más. Ahora, a todos los efectos, era Sally.

Notó la mano de Shanti en el hombro y oyó su inconfundible voz.

—¡Haced lo que os digo y pensad un deseo! ¡Pero aseguraos de cerrar antes los ojos o no se cumplirá!

En la visión, Grace cerró los ojos. Todo se tornó negro. Luego, volvió a notar la mano de Shanti en el hombro y la oyó gritar de emoción.

—¡Abre los ojos, Sally! ¡Creo que tu deseo ya se ha hecho realidad!

Ella abrió los ojos y descubrió que Shanti y Teresa la estaban arrastrando hacia la borda, cogiéndola cada una por un brazo.

—¡Mira! —gritaron al unísono. Estaban señalando la costa. Allí, sentado en una roca, con una toalla de rayas blancas y rojas extendida debajo de él, estaba Dexter Tempest.

A Grace se le aceleró el corazón. Qué guapo estaba su padre. Tenía una cesta con comida junto a él y se estaba comiendo algo.

Un melocotón. ¡No, una manzana! Cuando sus ojos se encontraron con los de ella, dejó la manzana a medio morder y la saludó con la mano. A Grace le recorrió un escalofrío, pero fue de placer, porque aquel era el momento en que su padre había visto a su madre por primera vez.

Cuando se reconectó con la visión, se descubrió asomada a la borda, una vez más flanqueada por sus dos amigas.

—Hazlo —dijo Shanti—. ¡Venga, Sally! ¡Atrévete!

Sally se encaramó a la borda, quemándose los pies descalzos con la madera.

—¡Pero va contra las reglas!

—¡Hazlo! —repitió Shanti, con más vehemencia.

Súbitamente, Sally saltó por la borda al mar transparente y maravillosamente refrescante. Al salir a la superficie, se echó el pelo hacia atrás y se orientó. Vio el barco, y a las chicas asomadas a la borda, con el dedo pulgar levantado y riéndose entre dientes. Se dio la vuelta en el agua y miró la roca donde había estado sentado Dexter. Vio su toalla blanca y roja, pero él había desaparecido. Frunció el entrecejo. Entonces lo vio nadando hacia ella, dando potentes brazadas en su dirección. Sonriendo, decidió encontrarse con él a medio camino.

Se presentaron en el agua.

—Hola —dijo él, sonriéndole—. Soy Dexter. Dexter Tempest.

—Y yo soy Sally —dijo ella.

—¿Es ese de ahí tu barco? —preguntó él, señalándolo con la cabeza.

—Viajo en él —respondió ella, evitando contarle toda la historia por el momento.

—¡Qué sofisticado! —exclamó él—. Yo también estoy viajando. Por el mundo. Soy el farero de un pueblecito llamado Crescent Moon Bay, pero hace poco me entró el gusanillo de viajar. Supe que tenía que hacer las maletas y ver mundo.

Sally sonrió.

—Sé a qué te refieres. A mí me pasó justo lo mismo.

Dexter le sonrió, mirándola fijamente a los ojos.

—A lo mejor se nos despertó la misma sensación para poder estar aquí los dos, en este sitio en este preciso momento. Para que nos conociéramos…

Aquello había sido un atrevimiento. La primera reacción de Sally fue sonreír e ignorar el comentario. Pero Dexter tenía algo especial, una mirada profundamente honesta. Así pues, no ignoró su comentario. De hecho, le pareció que tenía mucho sentido. Le devolvió la sonrisa y asintió.

—¡Ven! —dijo él—. ¡Ven, hermosa Sally! Ven a mi roca a comer conmigo.

Nadaron hasta la roca y se secaron al sol. Luego, Dexter abrió varios envoltorios de comida y se los ofreció. Sally estaba demasiado emocionada para comer mucho, y también nerviosa. Por una parte, sentía una honda felicidad. Pero estaba mezclada con una aciaga inquietud.

Dexter tenía unos prismáticos y los cogió para escudriñar el barco.

—El mascarón de proa de tu barco es muy bonito —dijo, bajando los prismáticos.

Sally dejó de masticar.

—Pero tiene una expresión rarísima —continuó él—. ¡Es como si nos estuviera poniendo mala cara! ¿No están sonriendo la mayoría de mascarones de proa?

—Sí. —Sally le dio la razón, acelerándosele el corazón—. Pero no es un mascarón de proa normal y corriente. Ni tampoco es un barco normal y corriente. —De pronto, se levantó, azorada—. No tendría que haber venido. Tengo que volver.

—¡Espera! —suplicó él, pero ella ya había saltado al agua y estaba nadando hacia el *Nocturno*.

Oyó un chapoteo a sus espaldas y supo que Dexter la estaba siguiendo. Tenía lágrimas en los ojos cuando se puso a negar con la cabeza.

—¡No me sigas! —le advirtió. Pero él la ignoró y pronto la alcanzó. Sally esperó que no viera sus lágrimas.

Dexter nadó con ella hasta el barco.

—Me temo que no debes subir —dijo Sally, agarrándose a la escalerilla—. Ojalá pudieras, pero no puedes. Yo tendría un grave problema. El peor problema…

—Está bien —repuso él—. No quiero meterte en ningún lío. —Sonrió—. Pero tengo que volver a verte, hermosa Sally. Eso no es negociable.

Sally ya tenía los pies en el primer peldaño de la escalerilla. Negó con la cabeza.

—No debemos volver a vernos —dijo—. Ya te lo he dicho. Este no es un barco normal y corriente.

—No. —Él estuvo de acuerdo—. Es un barco extraordinario. Me ha traído a una mujer extraordinaria.

Una vez más, sus palabras despertaron en Sally una agridulce sensación de alegría y tristeza. Y, nuevamente negando con la cabeza, comenzó a subir por la escalerilla.

—Lo siento —dijo—. No puedo volver a verte nunca más, Dexter Tempest. Tienes que olvidarme.

—¿Olvidarte? ¡Imposible! —gritó él—. Seguiré el barco. Haré lo que haga falta. Pero voy a volver a verte.

Sally continuó subiendo por la escalerilla, pero, mientras lo hacía, la vista se le nubló. De pronto, Grace descubrió que tenía los ojos abiertos y volvía a estar en el banco de los jardines de Santuario, con las sienes palpitándole por lo que había visto. ¡Qué emocionante había sido experimentar el primer encuentro de sus padres!

Miró a Sally, que también tenía los ojos abiertos.

—¿Lo has visto? —preguntó a Grace.

Ella asintió.

—Sí —dijo—. Hasta el momento en que vuelves al barco. Estoy impaciente por saber qué pasó luego. Cómo volvió a encontrarte.

Sally sonrió.

—Esa es otra historia —dijo—. Ya llegaremos a eso.

—Ojalá estuviera Connor aquí —dijo Grace—. Ojalá también pudiera oír o ver esto.

—Vas a tener que contárselo tú —dijo Sally, ensombreciéndosele la mirada—. Cuando esté listo para escucharlo.

13

Camaradas

—¡Hola, Connor!

—Jacoby. —Connor le tendió la mano—. Enhorabuena por ser el segundo de a bordo.

—Gracias, tío. —Jacoby le sonrió abiertamente—. Estoy contentísimo de que te hayas alistado en nuestra tripulación. La mejor noticia que hemos tenido esta semana. ¿Verdad, Min?

Jasmine Peacock se adelantó y estuvo de acuerdo.

—Va a ser genial trabajar contigo, Connor —dijo, dándole un rápido abrazo. Mientras la tenía entre sus brazos por aquel brevísimo momento y olía la sublime fragancia a coco de su cabello, Connor sintió que aquella era su recompensa instantánea por ser magnánimo con Jacoby.

—¡Aquí tenéis, chicos! —gritó una voz conocida—. ¡Una ronda de ron con cerveza! —Connor volvió la cabeza y vio a Tarta de Azúcar dejando una bandeja de cócteles en la mesa. Al verlo, ella corrió a abrazarlo—. ¡Connor! ¡Estás genial!

Sonriendo, Connor la estrechó entre sus brazos. Advirtió, para su inmensa satisfacción, que a Jacoby se le habían puesto los ojos como platos.

—Hola Tarta de Azúcar —dijo—. Deja que te presente a mis nuevos camaradas, Jacoby Blunt y Jasmine Peacock. ¡Es la primera vez que vienen a Ma Kettle!

Tarta de Azúcar les sonrió alegremente.

—Todos los amigos de Connor son amigos míos. Bienvenidos a Ma Kettle. Para cualquier cosa que necesitéis, ¡llamad a Tarta de Azúcar!

—¿Podrías definir «cualquier cosa»? —no pudo evitar preguntar Jacoby. Jasmine sonrió y le dio un fuerte codazo en las costillas.

—¡Bien hecho, muchacha! —Tarta de Azúcar sonrió, chocándole esos cinco a Jasmine—. Creo que vas a encajar muy bien aquí. —Volvió a dirigirse a Connor, rodeándolo por la cintura—. Entonces, ¿es cierto? ¿Has terminado con el capitán Wrathe y su tripulación? ¿Te has alistado en la tripulación de la señorita Li?

Connor asintió.

—Es complicado —dijo—. Pero sé que es la decisión correcta.

—Pues entonces, ¡deja de parecer tan preocupado, por el amor de Dios! —exclamó Tarta de Azúcar, sonriendo—. Y recuerda lo que te dije la última vez que nos vimos: siempre serás bienvenido aquí, pertenezcas a la tripulación que pertenezcas. Eres buena gente, Connor Tempest. —Sus amables palabras lo conmovieron más de lo que pudo expresar—. Bueno, mejor me pongo en movimiento. Esta noche hay mucha gente con sed. Y, después, a lo mejor canto otra canción y vuelvo a bailar vestida de sirena. —Guiñó el ojo a Jacoby.

—¡Espera! —dijo Connor, siguiéndola—. Antes de irte… si ves a Bart y a Cate, o sea, cuando los veas, ¿les dirás… los saludarás de mi parte?

Tarta de Azúcar sonrió.

—Salúdalos tú —dijo, señalándole con la cabeza uno de los reservados para clientes especiales—. Parece que el *Diablo* y el *Tifón* han salido de juerga esta noche.

Connor miró en esa dirección. Vio a Ma Kettle conduciendo a Molucco Wrathe a su reservado preferido. Los seguían Barbarro, el hermano de Molucco, y Trofie, su esposa y segunda de a bordo, que, como de costumbre, iba vestida con suma elegancia. Connor miró detrás de ellos, con el corazón palpitándole, para averiguar si Bart y Cate los acompañaban. Tendría que ir a decirles alguna cosa, pero no quería exponerse a toparse con Molucco. No logró ver a sus amigos entre el gentío, pero, para mala suerte suya, Molucco miró justo en su dirección. El capitán le mantuvo un momento la mirada, pero no sonrió ni hizo ningún gesto de familiaridad. Connor recordó lo que le había dicho la última vez que se vieron. «Para mí ya no eres nada.» Aquellas palabras volvieron a darle escalofríos mientras Molucco apartaba simplemente la mirada. Era evidente que las había dicho en serio.

—Hola, Connor —dijo Jasmine, apareciendo a su lado con un vaso—. Prueba uno de estos rones con cerveza. ¡Son increíbles!

Connor se volvió y vio que Jacoby y Cheng Li también se habían acercado. Ella le guiñó el ojo y alzó su vaso.

—Por los nuevos camaradas —dijo.

Los otros repitieron el brindis y todos brindaron, antes de tomar un sorbo del delicioso nuevo cóctel de Ma Kettle.

Dentro del reservado para clientes especiales, Barbarro y Molucco Wrathe se hallaban enfrascados en una conversación. Trofie estaba sentada junto a los dos capitanes, no prestando oído a sus palabras, encerrada en sus sombríos pensamientos. Delante de ella en la mesa, una copa intacta de champán la tentaba con sus burbujas, pero Trofie estaba tan apagada como una noche sin luna. Sabía que, en lo fundamental, nada había cambiado en lo que atañía a su riqueza, su poder o su legendaria belleza. Y su familia, a la que ella quería por encima de todo lo demás, estaba a salvo. No obstante, la falta de su mano de oro la cohibía profundamente y llevaba un impresionante vestido plateado con las mangas exageradamente largas para que le taparan por completo los dos brazos. Pese al corte soberbio y el precio excepcional del vestido, se sentía tan gris como una monja. Ojalá pudiera hallar el modo de quitarse de encima aquel decaimiento.

—Hola, mamá —saludó Moonshine, sonriéndole afablemente mientras pasaba por encima la cuerda de terciopelo que delimitaba el reservado.

La aparición de su querido hijo, que cada día estaba más alto y guapo, era justo lo que necesitaba para sonreír. Alzó el rostro para que él le diera un beso. Cuando Moonshine se retiró, Trofie vio que llevaba un paquete marrón atado con un cordel, balanceándolo con los dedos pasados por la lazada.

Se lo señaló con un gesto de la cabeza.

—¿Qué es, *min elskling*? ¿Has ido de compras?

Moonshine sonrió.

—Es un regalo, mamá. Para ti.

—¿Para mí? ¿Con qué motivo? No es mi cumpleaños, o ni siquiera el día del pirata…

—Es para animarte —dijo Moonshine, dándoselo.

Trofie le enseñó sus mangas excesivamente largas.

—¿Querrías abrirlo por mí, *min elskling*?

Moonshine asintió, sonriendo alegremente mientras desataba el cordel.

—Mira, marido. —Trofie dio un codazo a Barbarro—. Nuestro querido hijo me ha traído un regalo.

Barbarro y Molucco se volvieron. Moonshine terminó de desatar el cordel y retiró el papel marrón. Dentro había una caja cuadrada. Abrió la tapa. Emocionada, Trofie observó a su hijo mientras sacaba algo de su interior con sumo cuidado. Estaba envuelto en papel de seda, pero la purpurina que se desprendió de él fue bonita de ver. Como una lluvia de plata.

Por fin, exagerando el gesto, Moonshine retiró el último envoltorio de papel de seda a su regalo.

Barbarro, Molucco y Trofie contuvieron simultáneamente el aliento.

—Es tu nueva mano —anunció Moonshine. Luego añadió, bastante innecesariamente—: ¡La he hecho yo!

Allí, en sus brazos, estaba lo que había comenzado siendo la mano del maniquí de una tienda, serrada toscamente y pintada de color plata (de una forma bastante poco uniforme).

—¿Y bien? ¿Te gusta? —preguntó Moonshine, mirando a Trofie con expectación.

Trofie tragó saliva.

—No… no tengo palabras —dijo.

—¡Qué detalle tan bonito y considerado! —bramó Molucco—. Es un buen chico, vuestro Moonshine —añadió, dando un codazo a Barbarro.

—¡Mira! —Moonshine puso a su madre la mano plateada en las narices—. ¿Has visto cómo he pintado las uñas?

Ella las miró, advirtiendo que cada una tenía la insignia pirata de las tibias y la calavera. Claramente, su hijo había invertido mucho esfuerzo en aquello. Trofie notó lágrimas en los ojos.

—Fíjate —dijo Barbarro—. ¡Has emocionado a tu madre! —Masajeó el hombro a su esposa—. Tranquila, querida. Veo que el regalo de tu hijo te ha conmovido mucho.

—Déjame ponértela —dijo Moonshine, entusiasmado. Antes de que Trofie pudiera protestar, su hijo le levantó los voluminosos pliegues de la manga y se la retiró para dejar al descubierto su muñeca truncada. Había acoplado una gruesa correa de piel a su mano de bricolaje. Se la colocó en la muñeca a su madre y, con suavidad pero también con firmeza, abrochó la correa. Toda la familia Wrathe observó sin respirar para ver si se le sujetaba. Milagrosamente, pareció acoplársele perfectamente. Moonshine retiró las manos, contemplando su obra henchido de orgullo.

Trofie miró su extraña nueva mano, que seguía soltando purpurina, manchando el suelo de lo que parecía caspa de tamaño gigante.

—Gracias —farfulló—. Gracias, *min elskling*. Estoy tan… tan… —Mientras hablaba, alzó la mano hacia su hijo, pero, debido a su peso, esta se le desprendió de la muñeca y cayó al suelo. Se le rompió el dedo pulgar, yendo a parar fuera del reservado. Más purpurina lo manchó todo. Moonshine gritó una palabra extremadamente vulgar y recibió de inmediato un tortazo de su padre.

—¡Se ha roto! —gritó Moonshine—. ¡Transom y yo hemos tardado dos días enteros en hacerla!

—No pasa nada, muchacho —dijo Molucco—. La intención es lo que cuenta. Y si vas a recoger el dedo gordo antes de que alguien lo pise, podemos intentar arreglarla.

—¿Para qué? —Moonshine negó con la cabeza—. ¡No soy imbécil! ¡Sé que no le ha gustado! ¡La ha tirado al suelo a propósito!

—No importa —bramó ferozmente Barbarro—. Vamos a recuperar la auténtica mano de tu madre. Y pronto.

Trofie cogió a su hijo.

—Oh, *min elskling*. Sí que me ha gustado. ¡Claro que me ha gustado!

Pero Moonshine se libró de sus enormes mangas fantasmagóricas y dio una patada a la cuerda de terciopelo, saliendo del reservado en dirección a la barra. La tensión y la ira habían vuelto a nublarle la razón. Quería dar un puñetazo a algo, o a alguien, con todas sus fuerzas. El azar quiso que, al levantar la vista, viera un rostro familiar viniendo hacia él.

Por una vez, su puño dio de lleno en el blanco. Paf. La ventaja de la sorpresa le permitió derribar a su contrincante. Connor Tempest se desplomó en el suelo de la taberna como un peso muerto. El ruido que hizo al caer en los podridos tablones fue muy posiblemente el sonido más agradable que Moonshine había oído desde *Los espacios tenebrosos*, el último álbum de los dioses de la música marinera *thrash-metal*.

—¡Está volviendo en sí! —exclamó Jacoby—. ¡Oíd, está volviendo en sí! —Todos observaron mientras Connor, que estaba tendido en una tumbona de terciopelo, abría los ojos.

—Estas sales aromáticas no fallan nunca —dijo Ma Kettle.

Jasmine sonrió.

—Hum, ¡no creo que hayan sido las sales aromáticas! —Señaló a Tarta de Azúcar con la cabeza—. Lo ha besado.

—Ah, ¿sí? —Ma Kettle sonrió—. ¿Cómo me lo he podido perder? Bueno, lo que haga falta.

Connor los miró aturdido.

—¿Qué pasa? —preguntó—. ¿Por qué está girando de esa forma esa bandera pirata gigante?

Jacoby miró a los otros con cara de honda preocupación.

—Debe de estar peor de lo que pensábamos —dijo—. Tiene alucinaciones.

—¡Qué va! —dijo Ma, señalando el techo de la pista de baile—. ¿Habéis visto mi nueva bola de discoteca con la bandera pirata? La vi en un espectáculo de danza y pensé: ¡Yo también quiero una! Es magnífica, ¿verdad?

Aliviado, Jacoby miró a Connor.

—¿Sabes quién eres? ¿Dónde estás?

—Sí, sí. Soy Connor Tempest. Estoy en la taberna de Ma Kettle y el gilipollas de Moonshine me ha atacado sin ningún motivo.

—Parece que no te ha causado ninguna lesión importante —dijo Jacoby—. Eso es una buena noticia, al menos. —Se dirigió a los otros—. Apartaos. Dejadle espacio para respirar.

Ma Kettle se rió.

—Mejor aún, dadle alguna bebida fuerte. Eso lo espabilará. —Se dirigió a Tarta de Azúcar—. Vamos a traerles otra ronda de ron con cerveza. ¡Invita la casa!

—Sí, Ma.

Mientras Ma y Tarta de Azúcar se alejaban, unas toses exageradas anunciaron la llegada de Barbarro Wrathe, seguido a poca distancia de su hermano Molucco.

—¿Cómo está? —inquirió.

—Se recuperará —respondió Cheng Li—. No gracias a su incontrolable hijo.

—Lo siento —dijo Barbarro—. Su conducta ha sido totalmente injustificada.

—Sí —dijo Cheng Li—. Espero que no le haya roto ningún hueso.

—Venga, venga, señorita Li —trinó Molucco—. No creo que haya para tanto.

Cheng Li se irguió cuanto pudo, atravesándolo con sus oscuros ojos almendrados.

—Puede que usted sea algo laxo en su modo de abordar los ataques a su tripulación, capitán Wrathe, pero yo me tomo estos asuntos muy en serio.

Molucco quitó importancia a sus palabras con un gesto de la mano.

—Ha sido una payasada —dijo—. Simplemente, Connor estaba donde no debía. Moonshine tiene muchas cosas en la cabeza en este momento. Todos las tenemos. Supongo que habrá oído hablar del ataque al *Tifón*. Por parte de los vampiratas.

—Sí. —El tono de Cheng Li se tornó más circunspecto—. Aun así.

Molucco pensó claramente que había ganado la partida y prosiguió con la sutileza de una apisonadora.

—Creo que entonces comprenderá que esto lo cambia todo. Ahora, debemos concentrarnos en abordar la amenaza de los vampiratas. —Guardó un momento de silencio—. Para cuyo propósito querríamos hablar sobre ellos con el joven Tempest. Creo recordar que tiene cierta experiencia en ese terreno.

Molucco pasó entre Jacoby y Jasmine para ponerse delante de Connor, que ahora estaba sentado en la tumbona, pero seguía pareciendo algo aturdido.

—Disculpe, capitán Wrathe —dijo Cheng Li, colocándose entre él y Connor en actitud protectora—. Pero ¿qué demonios cree que está haciendo?

Molucco frunció el entrecejo.

—Pensaba que me había expresado con absoluta claridad. Queremos hablar con Connor sobre los vampiratas.

Cheng Li se puso en jarras.

—Tomo nota de su petición —dijo—. Pero ahora no es el momento.

—Lo siento… —comenzó a decir Molucco, no pareciendo que lo sintiera en absoluto.

Cheng Li continuó hablando, impertérrita.

—Parece creer erróneamente que Connor aún es parte de su tripulación. No lo es. Ni, por cierto, tampoco lo soy yo. Ahora, Connor está a mi mando. Y, por tanto, soy yo quien decide cuándo y si puede hablar con él.

—¡Esto es intolerable! —Barbarro la miró por encima del hombro de su hermano, echando fuego por los ojos.

—No mucho más intolerable que un ataque gratuito a una tripulación pirata por parte de otra. De hecho, me estoy planteando presentar un informe al comodoro Kuo y a la Federación de Piratas. Sería otra mancha en la trayectoria de Moonshine.

—No nos amenace, señorita Li —se defendió Molucco—. Presente los informes que le venga en gana. Nosotros tendremos nuestra entrevista con el señor Tempest.

—Tal vez —dijo Cheng Li—. Pero no aquí y no esta noche. —Se cruzó de brazos—. ¡Concierten una cita!

Molucco le sostuvo la mirada durante un buen rato antes de girar sobre sus talones y marcharse con paso airado, sus pisadas resonando en los tablones. Barbarro lo siguió a poca distancia.

—¡Adiós, capitán! —le despidió Jacoby. Él y el resto miraron a Cheng Li.

Ella asintió gravemente.

—Quiero que entendáis una cosa —dijo—. Esto no es ninguna lucha de voluntades. Todos me habéis jurado lealtad, pero, a cambio, yo he jurado cuidar de cada uno de vosotros. Y eso es exactamente lo que tengo intención de hacer cuando me nombren capitana dentro de unos días.

14

Punto muerto

Stukeley llamó a la puerta del camarote del capitán.

—Adelante —dijo Sidorio desde el interior.

Stukeley abrió la puerta y entró, seguido de Johnny.

Sidorio miró a sus alféreces.

—¿Va todo bien?

—Sí, capitán —le contestó Stukeley—. Llegaremos a la bahía dentro de nada.

—Excelente —dijo Sidorio—. Ahora descubriremos quién ha estado jugando con nosotros y zanjaremos este asunto.

—Sí, capitán —volvió a decir Stukeley—. Pero, antes de que desembarquemos, Johnny y yo hemos estado haciendo una serie de reflexiones, que querríamos compartir con usted.

Sidorio enarcó una ceja.

—Muy bien —dijo—. Vosotros diréis.

Stukeley asintió.

—Creemos que es hora de organizarnos un poco más, de tener un reglamento.

Johnny también asintió.

—Nos hemos expandido muy deprisa —dijo, dirigiéndose a Sidorio—. Ya tenemos… ¿cuántos?, ¿dos centenares, tres centenares de marineros?

Sidorio quitó importancia al comentario con un gesto del brazo.

—Tendremos quinientos a finales de mes… mil el siguiente…

—¡Exactamente! —dijo Stukeley—. A eso nos referimos. Si vamos a crecer tan deprisa, tenemos que organizarnos. Necesitamos más barcos, para empezar…

Sidorio se encogió de hombros.

—Pues conseguiremos más barcos. Empezando por el que abordaremos esta noche. Construiremos una flota…

—Una idea magnífica —dijo Stukeley—. Y cada barco necesitará un capitán.

—Claro, claro. —Sidorio estaba perdiendo el interés.

Stukeley sabía que el capitán tenía la cabeza en otro sitio, pero siguió adelante.

—Pero no solo un capitán. Necesitamos una estructura de mando más reglamentada en cada barco.

Sidorio se rió.

—¡Lo próximo que sugerirás es que tengamos una tripulación de donantes y un Festín semanal!

—¡No! —exclamó Sturkeley—. No, jamás sugeriría eso. No es necesario que imitemos al *Nocturno*.

—Por supuesto que no —declaró Sidorio—. No es así como van a funcionar las cosas aquí. En mi ejército. —Miró a Johnny—. ¿Cómo lo llamas tú, vaquero?

—¡El ejército de la noche! —dijo Johnny.

—¡Muy poético! —exclamó Sidorio, sonriendo.

Stukeley se levantó.

—Capitán, no estoy sugiriendo que hagamos las cosas de ninguna manera remotamente parecida a la del *Nocturno*. Usted proviene de la época romana, ¿no?

Aquel comentario volvió a despertar instantáneamente el interés de Sidorio.

—La época romana, sí.

—Bueno —continuó Stukeley—, he estado documentándome, ¿sabe? Sobre el ejército romano y su estructura de mando. ¿Sabía que el ejército romano tenía…?

Sidorio le hizo un gesto para que no siguiera.

—Créeme, sé todo lo que hay que saber sobre el ejército romano.

—¿Qué opina entonces —insistió pacientemente Stukeley— de organizar nuestros barcos, ejem, sus barcos, al estilo de la legión romana?

—Hummm —dijo Sidorio—. Tal vez. Lo pensaré. —Stukeley vio claramente que el momento había pasado—. Subamos a cubierta —añadió el capitán. Creo que estamos llegando a nuestro destino.

Stukeley asintió. Había hecho todo lo posible.

—Ahí está el barco —dijo Jessamy, bajándose las gafas oscuras.

—Oh, sí —dijo Camille—. Hora de vernos con nuestros chicos.

—Por última vez —se lamentó Jessamy, con las comisuras de la boca vueltas hacia abajo.

—Eso es lo que ha dicho la capitana —asintió Camille—. Lo confieso, voy a añorarlos. Son unos juguetitos tan monos. —Sonrió a su compañera.

Las dos mujeres aguardaron en los acantilados mientras la tripulación del *Capitán Sanguinario* se reunía en la arena. Vieron que Sidorio daba la orden —«¡Es hora de cazar!»— y que todos salvo dos vampiratas corrían hacia el pueblo, el pueblo que ya habían diezmado lady Lockwood y su tripulación.

Luego, cuando Johnny y Stukeley se encaminaron a las dunas, Jessamy y Camille fueron al encuentro de sus víctimas.

—¡Buenas noches, apuestos caballeros! —gritó Jessamy cuando Johnny y Stukeley estuvieron cerca. Se había quitado los zapatos para deslizarse por la ladera de la duna. Camille la siguió.

—¡Hola! —gritó Johnny, sonriendo y acercándose a ellas—. ¿De dónde habéis salido vosotras dos?

—Estábamos en los acantilados, tomando el aire —respondió Camille—. ¿Y vosotros?

—Acabamos de desembarcar —respondió Johnny, señalando el barco prisión, anclado a mucha distancia de la bahía.

—Y —dijo Jessamy, sonriendo a Stukeley— ¿qué os trae a tierra esta noche?

Stukeley se encogió de hombros.

—Hemos venido a desfogarnos un poco. Ya sabes.

Jessamy asintió.

—¿Y vosotras? —preguntó Stukeley—. ¿Vivís aquí o estáis de visita?

Las mujeres se miraron. Luego, Jessamy volvió a hablar.

—De visita —respondió.

—Oye —dijo Johnny—, ¿cómo es que lleváis gafas oscuras? ¡Es noche cerrada!

Las mujeres volvieron a sonreír. Luego, las dos respondieron a la vez.

—¡Está de moda, cariño!

—¡Quitaos las gafas!

A las mujeres se les congeló la sonrisa. Ni Johnny ni Stukeley habían hablado.

—¡He dicho que os quitéis las gafas! —La voz se había tornado más enérgica.

Camille miró a Jessamy, buscando orientación. Ambas se volvieron. Sidorio estaba detrás de ellas, cruzado de brazos.

—¿Tengo que pedíroslo por tercera vez? —dijo—. Quitaos. Las. Gafas.

Mientras él bajaba de la duna, las mujeres se quitaron las gafas. Se quedaron mirando a los tres hombres, con sus tatuajes negros a la vista.

—Muy llamativos —dijo Sidorio, deteniéndose entre sus dos alféreces—. No es extraño que hayáis conseguido hechizar a estos dos noche tras noche.

—¿Quién es usted? —preguntó Jessamy. Pese a la amenazadora presencia de Sidorio, no parecía inquieta.

—Seré yo quien haga las preguntas —dijo Sidorio—. Y empezaremos oyendo quiénes sois y de qué barco provenís.

Las miró a los ojos. Ellas le sostuvieron la mirada. Sus ojos se quedaron un rato trabados hasta que Sidorio rompió el silencio.

—Os habéis estado divirtiendo con mis chicos estas últimas noches, ¿no? Sacándoles información sobre nuestro próximo destino y valiéndoos de la magia para hacerles olvidar que os conocen. —Se quedó callado—. Es correcto, ¿no?

Jessamy se puso en jarras, desafiándolo.

—Puede que lo sea, señor.

—Por fin estamos avanzando —dijo Sidorio—. A ver, ¿de qué barco provenís?

Jessamy lo miró directamente a los ojos.

—No estoy autorizada para darle esa información —dijo.

Sidorio frunció el entrecejo.

—¿No estás autorizada? —Se acercó más a ella—. ¿Que no estás autorizada? Tal vez quieras pensártelo mejor. Deprisa.

Pero Jessamy negó con la cabeza.

—No lo creo —dijo—. Por la boca muere el pez.

—¿Qué? —Sidorio la miró sin comprender.

Una vez más, habían llegado a un punto muerto.

—Muy bien —dijo Sidorio—. Os he dado la oportunidad de hacer esto por las buenas. Pero hay otras opciones. —Se dirigió a sus alféreces—. Llevadlas al barco —ordenó, volviéndose y dirigiéndose al agua.

Johnny y Stukeley se adelantaron.

—Venid con nosotros, lindas damiselas —dijo Johnny.

Jessamy los miró con desdén.

—Ya os hemos vencido tres veces —dijo—. ¿Qué os hace pensar que esta noche va a ser distinta?

—Sí. —Camille estuvo de acuerdo—. Y, por cierto, lo de «lindas damiselas» ya huele.

Los cuatro vampiratas se miraron fijamente. Todos echaban fuego por los ojos. Esta vez, no era la sed de sangre lo que los movía, sino la necesidad de librar batalla.

Súbitamente, una nueva voz se sumó a la trifulca.

—¿Ocurre algo?

Lady Lola Lockwood atravesó la playa, la larga falda de su entallado vestido dejando un surco en la arena.

Sidorio se volvió hacia ella.

—¿Y usted quién es?

—Lady Lola Lockwood. —Señaló con la cabeza a Jessamy y Camille—. Pertenecen a mi tripulación.

—¿Su tripulación? —dijo Sidorio, incrédulo.

—Exacto —afirmó lady Lockwood. Señaló hacia un lado de la ensenada—. Mi barquito está anclado allí.

—Ah, ¿sí? —dijo Sidorio, señalando el enorme barco prisión que se erigía amenazadoramente en la bahía—. Mi barco es ese de allí.

—¡Cielos! —exclamó lady Lockwood, sonriendo—. ¡Es gigantesco!

Sidorio asintió, desconcertado.

Lady Lockwood continuó hablando afablemente, como si se hubiera tropezado con Sidorio en un cóctel.

—Me temo que el *Vagabundo* es un mero pececillo, ¡comparado con su ballena de barco! *Capitán Sanguinario,* ¿es así como se llama? ¡Qué emocionante!

Tenía uno modo muy extraño de hablar. No se parecía a ninguno que Sidorio hubiera oído. Era hipnotizante, al igual que sus ojos. Y su extraño tatuaje del corazón negro.

Lo cual le recordó… Se metió la mano en el bolsillo.

—Supongo que estos se los debo agradecer a usted. —Sacó un puñado de naipes y los arrojó a la arena.

—Oh, veo que las ha encontrado —observó lady Lockwood—. Nuestras tarjetitas de visita.

—Sí —dijo Sidorio—. Las hemos encontrado. Noche tras noche. Justo como usted quería.

Lady Lockwood frunció el entrecejo.

—¿A qué diantres se refiere?

—No se haga la inocente conmigo —dijo Sidorio—. Sabemos lo que han estado haciendo, usted y su tripulación. —Escupió las palabras con desdén, señalando con la cabeza a Camille y Jessamy, que seguían plantando cara a Johnny y Stukeley—. Sus criaditas han estado engañando a mis alféreces para enterarse de cuál era nuestro próximo destino. Y luego, ustedes han estado adelantándosenos y atacando los pueblos antes de que llegáramos.

Al principio, la expresión de lady Lockwood no dejó traslucir nada. Luego, sus curvos labios esbozaron una sonrisa.

—Bueno, supongo que, después de todo, ser un pececillo tiene sus ventajas —observó.

—Lo admite —dijo Sidorio—. Así que ya puede dejarse de juegos.

—Esto no ha sido nunca un juego, Sid. ¿Puedo llamarte Sid?

A Sidorio se le ensombreció el rostro.

—No, no puede llamarme Sid. Me llamo Sidorio. Quintus Antonius Sidorio. Rey de los vampiratas.

Lady Lockwood sonrió.

—Ha sido una grosería por mi parte. Me he propasado con usted. Es un gran honor conocerle. —Hizo una reverencia, bajando el tronco hasta casi rozar la arena—. Cómo siento que hayamos empezado con tan mal pie.

Sidorio negó con la cabeza.

—¿Con qué pie espera que empecemos, actuando como lo han hecho usted y su tripulación?

Lady Lockwood se encogió de hombros.

—Solo estaba intentando captar su atención —dijo—. Para un pececillo, no es fácil hacerle señas a una ballena.

Sidorio volvió a fruncir el entrecejo, desconcertado una vez más por sus palabras, su voz peculiar y su rara belleza.

—¿Quería captar mi atención? —preguntó, confuso.

—Pues claro —respondió lady Lockwood, sonriendo.

—Entonces, ¿esto solo es un juego para usted?

—Oh, no, señor —dijo lady Lockwood, bajando la cabeza—. En absoluto.

—¿No está intentando competir conmigo? —preguntó Sidorio—. ¿Dominar estas aguas?

—Oh, no —respondió lady Lockwood—. Sería ridículo.

—Sí —convino Sidorio—. ¡Lo sería!

—Quizá debiéramos hacer una tregua —sugirió lady Lockwood. Señaló a Johnny y Stukeley, que seguían plantando cara a Jessamy y Camille, listos para enzarzarse en una pelea.

Sidorio reflexionó un momento y llegó a una conclusión.

—Dejadlo, chicos —dijo.

—Retiraos, chicas —ordenó lady Lockwood.

Los cuatro vampiratas volvieron a ponerse en parejas. Johnny y Stukeley se colocaron junto a Sidorio mientras Jessamy y Camille lo hacían junto a lady Lockwood.

—Pero estas incursiones nocturnas tienen que acabarse —dijo Sidorio—. Tengo una gran tripulación que solo hace que crecer. Necesita sangre.

Lady Lockwood asintió.

—De acuerdo. Pero seguro que en estos mares hay sitio para más de un barco vampirata.

—Hay sitio para los barcos que sea —dijo Sidorio—. Pero solo para un comandante en jefe. —Se dio una palmada en el pecho, por si no lo había dejado suficientemente claro—. ¡Yo!

—Por supuesto. —Lady Lockwood estuvo de acuerdo—. Ya se lo he dicho, señor. No tengo ninguna intención de competir con usted. Solo estaba intentando, con bastante poco acierto, propiciar un encuentro.

Sidorio la miró sin comprender. Johnny se adelantó y le susurró al oído:

—Creo que solo quería conocerle, capitán.

Oyendo el comentario, lady Lockwood asintió.

—Exacto. Solo quería conocer al gran Sidorio, rey de los vampiratas.

Ante aquel halago, Sidorio sonrió abiertamente.

—Bueno, pues ya me conoce.

—Sí, en efecto. —A lady Lockwood le brillaron los ojos—. Y ha rebasado ampliamente mis expectativas.

Sidorio volvió a sonreír.

Lady Lockwood lo miró con aire culpable.

—Me temo, señor, que mi tripulación ya ha diezmado la población esta noche. Pero le prometo que esto no volverá a ocurrir nunca más.

Sidorio se encogió de hombros.

—No se preocupe. Mi tripulación ya ha cazado en otro lugar. Solo hemos venido para confrontarles y zanjar este asunto.

Lady Lockwood asintió.

—¿Y considera que el asunto está zanjado, señor?

Sidorio la miró, pensando en qué criatura tan extraña era.

—Sí —dijo por fin—. Sí, esto termina aquí.

Lady Lockwood se dispuso a marcharse.

—Venga, chicas. Retornemos al *Vagabundo*. —Jessamy y Camille obedecieron y, mirando a Stukeley y a Johnny por el rabillo del ojo, comenzaron a alejarse.

Entonces, lady Lockwood se dio la vuelta y regresó. Tendió una mano a Sidorio.

—Espero que volvamos a vernos —dijo—. En circunstancias algo distintas.

Sidorio se quedó mirando la mano, sin saber qué hacer. Luego, para sorpresa de todos, él incluido, se inclinó y se la besó.

—Volveremos a vernos —dijo—. Me aseguraré de que así sea.

Lady Lockwood retiró la mano y se alejó para reunirse con sus marineras.

Cuando ya no podía oírlos, Stukeley se dirigió al capitán.

—¿Qué acaba de pasar? —preguntó—. Creía que íbamos a apoderarnos de su barco.

—No es más que un pececillo —dijo Sidorio, repitiendo las palabras de lady Lockwood—. Dejémosla quedarse con su juguetito. —La miró—. Me gusta. Me gusta cómo habla.

Stukeley fue a protestar, pero Johnny le dio un codazo en las costillas. Él captó el mensaje, fuerte y claro.

—¿Quiere que vayamos a tocar las sirenas, capitán, para que la tripulación regrese a bordo?

Sidorio asintió.

—Hazlo, Stukeley —dijo, alejándose por la arena, lanzando una última mirada a la figura de lady Lockwood ya casi invisible.

Stukeley se dirigió a Johnny.

—Ha dicho que era un tiburón asesino —dijo, negando con la cabeza—. ¡Pero se ha retractado como una babosa de mar!

Johnny sonrió.

—Estoy de acuerdo contigo, hermano. ¡Pero creo que el capitán se ha enamorado!

—No digas bobadas —dijo Stukeley—. Sidorio no sabe lo que significa esa palabra. Esas cosas no le interesan.

—Créeme —insistió Johnny, moviendo la cabeza—. Tú eres sabio en muchas cosas, amigo mío, pero yo sé mucho de hombres y mujeres. Y entre esos dos hay alguna clase de conexión. ¡Seguro!

—¡Hemos estado cerca! —dijo Jessamy a lady Lockwood.

—Sí —asintió la capitana.

—¿Ese tipo es así de verdad? —preguntó Camille—. O sea, había oído rumores, pero ha sido incluso más primitivo de lo que esperaba.

Lady Lockwood sonrió.

—A mí me ha parecido bastante encantador, a su manera.

—¡Encantador! —exclamó Camille.

—Ha sido muy complaciente con él —dijo Jessamy—, si me permite decírselo, capitana.

Lady Lockwood volvió a sonreír.

—Ah, ¿sí? ¿Te lo he parecido? —Abrió los brazos y puso una mano en el hombro de Jessamy y otra en el de Camille—. El caso es, queridas, que a veces hay que perder una batalla para ganar la guerra. —Se le ensanchó la sonrisa—. ¡Y aún falta mucho para que la guerra se acabe!

Suspiró.

—Venga, tanta cháchara me ha dado sed. ¡Apresurémonos a regresar al barco y descorchemos el argentino!

—¡Oh, sí! —exclamó Jessamy—. El embajador argentino. Estaba bastante rico, ¿verdad?

—Sí —dijo lady Lockwood—. Desde luego que sí…

15

El deseo de Sally

La siguiente vez que Grace visitó a Sally en su habitación, la encontró de un humor sorprendentemente bueno.

—Oh, cariño, tengo noticias, ¡unas noticias magníficas!

—¿Qué? —preguntó Grace, maravillándose del cambio que había hecho su madre.

—Nos vamos de viaje. —Tenía los ojos brillantes—. Se lo he pedido a Mosh Zu y dice que le parece bien. ¡Nos vamos a Crescent Moon Bay!

—¡Crescent Moon Bay! —exclamó Grace—. Pero ¿por qué?

—Quiero ver dónde os criasteis tú y Connor —respondió Sally—. Y quiero visitar la tumba de Dexter. Volver a estar cerca de él. Oh, Grace, por favor, alégrate de esto.

—Claro que me alegro —le aseguró Grace—. Es solo que no me lo esperaba. ¿Estás segura de que tienes fuerzas…? —Exhaló—. ¡Oh, mamá, claro que me encantaría enseñarte Crescent Moon Bay! —Tomó a Sally en sus brazos y la abrazó.

—Tienes que irte a hacer el equipaje. ¡Zarpamos en el *Nocturno* esta noche!

—¿El *Nocturno*? —repitió Grace. Pensó en otra cosa—. ¿Significa eso que también viene el capitán? ¿Está completamente recuperado? —Era una perspectiva fascinante.

Sally negó con la cabeza.

—Me temo que no sé la respuesta a eso. Tendrás que preguntárselo a Mosh Zu.

Grace volvió a mirarla. Sally parecía igual de entusiasmada que una niña en la víspera de su cumpleaños.

—¿Estás segura de querer volver? —le preguntó—. ¿De querer visitar la tumba de Dexter? ¿Y el faro? Tienes que enseñarme el faro.

Grace asintió instintivamente. Se le haría raro regresar, sobre todo sin Connor. Pero sería genial enseñar a Sally, y a Lorcan y Mosh Zu y con un poco de suerte al capitán, dónde se había criado. Y sería agradable volver a visitar la tumba de su padre y sentirlo de nuevo cerca.

Pensando en su padre, miró a su madre.

—Imagino —dijo en tono vacilante— que no es un buen momento para retomar la historia, ¿verdad?

—Sí —dijo Sally—. Sí que lo es. —Dio una palmadita en la cama—. Ven, siéntate a mi lado. Así. Quiero tenerte bien cerquita.

Grace no perdió ni un segundo, sentándose rápidamente junto a su madre.

—Shanti y Teresa me estaban esperando en cubierta —explicó Sally—. Estaban impacientes por que se lo contara todo sobre mi encuentro con Dexter. Era extraño pero, aunque había pasado muy poco tiempo con él, de algún modo estaba segura de que era el hombre de mi vida.

Grace sonrió. Había sentido que sus padres se habían enamorado nada más verse y las palabras de Sally se lo acababan de corroborar.

—Durante los días que siguieron —continuó Sally—, no hablamos prácticamente de nada más y todas convinimos en que teníamos que olvidarnos del mundo que había fuera del barco. Ese era, a fin de cuentas, el trato que habíamos hecho al convertirnos en donantes. Todas teníamos nuestras razones para habernos embarcado, aunque prefiriéramos no explicárnoslas. Y, aunque era bonito soñar despiertas, sabíamos que jamás podríamos volver a ese otro mundo. Visitarlo había sido divertido, pero aquello se había acabado.

Grace frunció el entrecejo.

—Pero no se acabó. Eso es imposible.

Sally sonrió a su hija.

—No, cielo, claro que no. La vida, como dice el refrán, es lo que te pasa mientras estás haciendo otros planes.

—Entonces, ¿cómo y dónde volviste a ver a papá?

Sally le acarició el pelo mientras proseguía.

—Fue unos días después. Y, en esos días y noches, estuve tristísima, como si estuviera llorando una pérdida. Pero ¿cuál? ¿La de mi vida anterior? ¿La del camino que no había seguido? ¿La de un hombre que había conocido en mitad del mar y con el que había nadado durante, cuánto, media hora? Parecía demasiado absurdo, pero lo que yo sentía era más hondo y verdadero que nada de lo que hubiera sentido hasta entonces. —Suspiró—. Hasta Sidorio notó que me pasaba algo. Lo recuerdo preguntándomelo la noche del Festín. Justo antes de beber mi sangre, me preguntó si estaba bien. Aquello me sorprendió tanto que me puse a llorar. Inconteniblemente. —Negó con la cabeza—. Estoy segura de que Sidorio se arrepintió de haber dicho algo, pero ¿sabes?, me consoló lo mejor que supo. Y luego bebió mi sangre. Esa noche, por primera y última vez, se ofreció a quedarse. Pero yo le dije que no. Quería estar sola.

Grace pensó en su madre, sola en su camarote. Se le partió el corazón.

Sally continuó su relato.

—Al día siguiente, me desperté sintiéndome incluso más desgraciada. Las chicas estaban resueltas a distraerme. El barco iba a atracar para recoger alimentos frescos para los donantes. Y, bueno —hizo una pausa—, resulta que ese día no recogimos únicamente provisiones, sino también a un nuevo ayudante de cocina…

Grace la miró expectante, abriendo los ojos como platos.

—¿Papá? —preguntó.

—Dexter —confirmó Sally—. Eso sí, yo no me enteré hasta el día siguiente. Iba por el pasillo, pensando en mis cosas, y, de pronto, oigo una voz que dice «Hola otra vez, hermosa Sally». ¡Casi me desmayo! No podía dar crédito a mis ojos. Le pregunté qué estaba haciendo allí, cómo me había encontrado, qué sabía del barco... y, oh, otras cien cosas más. —Los ojos le brillaron al recordar el reencuentro.

—¿Y qué respondió él? —preguntó Grace.

Sally movió la cabeza, sonriendo dulcemente.

—Dijo «Te dije que te encontraría, Sally. Dije que encontraría la manera de estar juntos».

—¡Hurra por papá! —exclamó Grace. Estaba muy orgullosa de él. Qué romántico había sido, y también audaz, siguiendo el barco vampirata y alistándose en su tripulación. Había pocos trabajos para los mortales a bordo del *Nocturno*, pero Grace recordó sus primeros días en el barco y la vez que había estado en la cocina con Jamie, el joven ayudante. Qué raro se le hacía pensar que su propio padre había trabajado en el *Nocturno*. Era maravilloso saber que, en momentos diversos, Sally, Dexter, Connor y ella habían viajado todos en el mismo barco.

—Debías de estar felicísima —dijo, mirando a su madre.

Sally se lo pensó.

—¿Feliz? Tal vez. Emocionada, desde luego. Pero también estaba asustada, muy asustada. No me malinterpretes, Grace. Estaba encantada de volver a ver a Dexter, pero tenía la sensación de que nos habíamos montado en una montaña rusa. Y no podía evitar preguntarme dónde íbamos a terminar.

Grace percibió en el rostro de su madre el temor que debió de sentir en su momento. También percibió cansancio. Era como si contar su historia la estuviera volviendo a despojar de toda su energía.

—Será mejor que me vaya —dijo—. Tendría que preparar mis cosas para el viaje.

—Sí —dijo Sally, volviendo a iluminársele la cara—. Oh, tengo tantas ganas de ver todos los sitios que son especiales para ti, Grace.

Grace asintió, besándola en la mejilla.

—Y yo tengo ganas de enseñártelos. Hasta luego.

—Tengo entendido que salimos de viaje —dijo Grace, entrando en las habitaciones de Mosh Zu—. A Crescent Moon Bay.

—Efectivamente —dijo el gurú—. No hay tiempo que perder. Zarpamos en el *Nocturno* esta noche, después del ocaso. Darcy y Lorcan también vienen.

—¿Y el capitán? —preguntó Grace, esperanzada—. ¿Va a venir también?

Mosh Zu negó con la cabeza.

—No, Grace. El capitán no va a venir con nosotros. Yo ocuparé temporalmente su puesto.

Grace no pudo disimular su decepción.

—¿Cómo está? —preguntó—. Lo echo muchísimo de menos.

—Tenéis un vínculo especial, ¿verdad? —dijo Mosh Zu.

Grace le dio la razón.

—Siempre lo hemos tenido, desde la primera vez que estuve en el *Nocturno*. Será extraño viajar sin él.

Mosh Zu hizo un gesto afirmativo con la cabeza.

—Para todos.

Grace se quedó callada, sin apenas atreverse a hacer la siguiente pregunta.

—¿Va a recuperarse? ¿Volverá algún día?

Mosh Zu alargó las manos y se las puso en los hombros.

—Espero y confío en que lo haga, Grace. Sé que quiere hacerlo. Pero ha estado muy enfermo y tenemos que darle tiempo y espacio para que se cure como es debido.

—Comprendo —dijo Grace—. Y sé que usted gobernará muy bien el barco.

Mosh Zu asintió, agradecido.

—Eres muy generosa diciendo eso —observó. Luego, frunció el entrecejo—. De haber podido posponer este viaje, lo habría hecho. Pero es muy importante que Sally lo haga ahora.

—Lo sé —dijo Grace. Vio que Mosh Zu vacilaba—. ¿Hay algo más?

—Tu madre se halla en un estado fluctuante —explicó el gurú—. Te ha estado hablando de su pasado, ¿verdad?

—Sí —respondió Grace—. Yo le he estado preguntando por él. Me ha estado hablando del tiempo que pasó a bordo del *Nocturno*. Y yo he podido canalizar solo parte de la historia.

—Por lo que parece, tus poderes continúan desarrollándose, Grace —dijo Mosh Zu.

—No es contraproducente, ¿verdad? —preguntó Grace—. Mi madre parece estar muy frágil. Yo estoy impaciente por conocer mi historia, pero no es contraproducente, ¿verdad? ¿O eso la está debilitando? Porque, en ese caso, pararé.

Mosh Zu le sonrió con ternura.

—No te eches la culpa —dijo—. Sí, hablar de su pasado y contar sus secretos está, creo, debilitándola, como lo expresas tú. —Se quedó callado, cogiéndole la mano—. Grace, ya te he dicho que las otras almas se estaban desvaneciendo con más rapidez que tu madre. Que ella estaba aguantando por ti.

—Sí —dijo Grace, notándose el corazón tan pesado como una piedra—. ¿Y ahora qué? ¿Ya no puede seguir aguantando?

—Lo que he observado en las otras almas es lo siguiente —explicó Mosh Zu—: cuando emergieron durante la ceremonia de sanación, su tormento, del cual las había estado protegiendo el capitán, aún estaba reciente. Quizá recuerdes lo atemorizadas que parecían.

—Sí. —Grace asintió, imaginándose vívidamente a las almas desorientadas vagando por la niebla.

—Mis ayudantes y yo hemos trabajado con ellas para calmar su desazón. Lo que hasta ahora hemos observado en todos los casos es que, conforme se despojan de su tormento, se tornan más livianas. —Hizo una pausa—. Se desvanecen más deprisa. —Le sonrió con dulzura—. No solo se despojan de su tormento, sino también de su forma física. En último término, cada alma está viajando hacia la paz eterna.

Grace notó que se ponía a temblar. Mosh Zu le apretó la mano con un poco más de firmeza, transmitiéndole parte de su fuerza.

—Y eso es lo que le está pasando a mi madre —concluyó Grace, notando lágrimas en los ojos—. Conforme comparte sus secretos conmigo, y acepta lo que le ha pasado, también se está acercando a esa paz.

—Exactamente —dijo Mosh Zu, su voz calma y serena.

—Y cuanto más me cuenta, más liviana se vuelve. Y una vez que me lo haya contado todo, de… desaparecerá. —Se le llenaron los ojos de lágrimas.

Mosh Zu la miró durante mucho rato antes de responder.

—Eso es lo que creo —dijo por fin.

Grace frunció el entrecejo.

—Así que puedo elegir. O le dejo que me lo cuente todo y ella halla la paz y… yo la pierdo. —Se estremeció—. O… o impido que me cuente cosas y halle alguna vez la verdadera paz, manteniéndola egoístamente conmigo. —Negó con la cabeza y suspiró—. La opción está bastante clara, ¿no?

—Sí —dijo Mosh Zu—. Realmente, sí.

Grace se frotó los ojos.

—Dígame una cosa —dijo—. ¿Sabe ella lo que está pasando? Este viaje a Crescent Moon Bay. ¿Es su último deseo?

Mosh Zu sopesó cuidadosamente la pregunta.

—Eso creo —dijo—. Creo que está aguantando para arreglar las cosas contigo. Y creo que luego podrá descansar en paz, sabiendo que su vida, sus sueños, continúan en ti. Y también en Connor, por supuesto.

—Pero acabo de encontrarla —dijo Grace, sacudiendo la cabeza—. No sé si soy lo bastante fuerte para dejarla marchar.

Mosh Zu se inclinó hacia delante.

—¿Sabes lo que creo yo, Grace? Creo que eres mucho más fuerte de lo que imaginas. Y, aunque ahora quizá te cueste aceptarlo, creo que todo se está desarrollando como debería.

Grace suspiró. Quería creerlo, pero le pareció que, esta vez, Mosh Zu estaba pidiendo lo imposible.

16

La nueva capitana

Cheng Li tenía el corazón acelerado mientras bajaba por la ladera de camino al puerto de la Academia de Piratas. Como alumna de la academia, ya había presenciado aquella escena muchas veces: las gradas llenándose de los piratas más grandes, y también de los de peor fama, vestidos todos con sus mejores galas; la alfombra de color azul marino desplegada en el muelle, discurriendo hasta el podio central y recorriéndolo en toda su longitud. Apenas se podía creer que en aquella ocasión todo aquel bullicio fuera en su honor. ¡Pero lo era! Cuando se metiera en la cama aquella noche, tendría por fin el cargo de capitana y, lo que era más importante, las responsabilidades asociadas.

—¡Señorita Li!

Al volverse, vio al comodoro Kuo bajando enérgicamente por las escaleras desde su estudio. Estaba muy elegante con su uniforme de comodoro completo: un chaleco adornado con varias medallas que indicaban su alto rango, un largo frac almidonado de color azul y unos calzones muy ceñidos. Empuñaba su legendaria espada, la espada de Toledo. Aquello la sorprendió gratamente. En circunstancias normales, la espada solo aparecía una vez al año, el Día de las Espadas. Era un gran honor que el comodoro Kuo se hubiera saltado el protocolo para utilizarla también en su ceremonia de investidura.

—¡Bueno! —dijo John Kuo, alcanzándola y señalando el hervidero de actividad que había en el muelle—. ¿Es todo lo que esperabas que fuera?

Cheng Li miró el muelle, viendo cómo se dirigían a sus asientos los hombres vestidos de frac y las mujeres ataviadas con sombreros de plumas mientras la orquesta de la academia tocaba el cuarto movimiento de la sinfonía *Océano* de Rubinstein, una de las preferidas de la Federación.

—Es perfecto —dijo, los ojos brillándole como el sol vespertino reflejado en las aguas del puerto—. Es absolutamente perfecto.

—La Federación de Piratas nunca escatima con sus estrellas más brillantes —dijo el comodoro Kuo, guiñándole el ojo—. ¿Y tú cómo estás, capitana?

—No te anticipes —dijo Cheng Li con una sonrisa, encontrando fácil relajarse en compañía de John Kuo—. Antes, está la pequeña cuestión de mi investidura.

—Un mero trámite. Pompa y solemnidad. Tú eres capitana desde el día en que viniste a la academia, cuando no le llegabas a la rodilla ni a un caballito de mar.

Sus palabras la complacieron inmensamente. Tenía la sensación de estar andando sobre agua.

—De hecho, siento que todos los acontecimientos de mi vida han sido escalones que me han conducido a este momento —dijo, mientras bajaban juntos por la ladera.

—Estás emocionada pero nerviosa, ¿no? Impaciente por que suceda pero preguntándote si estarás a la altura de todo lo que se espera de ti... de todo lo que esperas tú.

Ella asintió.

—¡Sí! —Qué inteligente por su parte expresarlo en palabras—. Sí, así es justo cómo me siento.

El comodoro Kuo sonrió.

—Así es justo cómo me sentí yo, hace un montón de años, cuando me nombraron capitán. Y lo mismo sintieron Platonov y Grammont, y Lisabeth Quivers y el resto. No hay por qué tener miedo. Como ya te he dicho, estás más que preparada. Pero el miedo me indica cuánto te importa esto. Demuestra con cuánta pasión quieres hacerlo bien. El miedo confirma que la Federación ha depositado su confianza en la pirata correcta.

—Gracias, John. Eso significa mucho para mí. Sobre todo, viniendo de ti.

Él sonrió y le dio un apretón en el hombro.

—Siempre estaré cuando me necesites, Cheng Li. No lo olvides. Siempre ha sido así y nada va a cambiar.

—Gracias, John —dijo ella cuando llegaron al muelle—. Oh, ya tendría que habértelo dicho, pero suerte en la regata.

Él sonrió.

—¿Cuento con tu apoyo?

Cheng Li sonrió enigmáticamente.

—Mi segundo de a bordo, Jacoby, participa con la capitana Quivers. Y el capitán Platonov se ha apuntado con Jasmine, otro miembro clave de mi tripulación.

—Comprendo —dijo el comodoro Kuo—. Veo que tus lealtades están divididas.

—No tengo la menor idea de a qué te refieres —dijo ella, sonriendo—. Pero sé que, solo para variar, eres el favorito.

—Ah, ¿sí? —dijo John Kuo, sonriéndole con la mirada—. Me contentaré simplemente con batir el tiempo del año pasado.

—Sí. —Cheng Li sonrió—. Y con batir otro récord de la academia.

—¡Ay! —El comodoro se agarró súbitamente el hombro—. Como siempre, tus dardos son brutalmente certeros, señorita Li.

Ella se rió, pero, entonces, la asaltó un inoportuno pensamiento. Un pensamiento que había anticipado pero que se había prometido que no iba a perturbarla hoy. Y, no obstante, era imposible que no lo hiciera.

—¿Qué pasa? —le preguntó John Kuo.

Cheng Li suspiró.

—Solo estaba pensando en mi padre. Es una tontería, lo sé, pero ojalá pudiera verme hoy aquí.

—No es ninguna tontería —dijo John Kuo, abrazándola—. En absoluto. Chang Ko Li fue como un hermano para mí. Lo conocía quizá mejor que nadie salvo tú y el resto de tu familia. Y sé, hija mía, que él te está viendo hoy y está muy orgulloso de ti.

—Gracias —dijo Cheng Li, hundiendo solo por un momento el rostro en el fuerte pecho de John Kuo.

—Lo digo en serio —dijo el comodoro, besándola en la cabeza—. Anda, vamos. Debemos darnos prisa. ¡No sería correcto que llegaras tarde a tu investidura!

Mientras la orquesta tocaba los primeros compases del himno de la Federación de Piratas, los dignatarios, profesores y alumnos sentados en las gradas se pusieron en pie todos a la vez. Cheng Li sintió un escalofrío recorriéndole el espinazo mientras cantaba las familiares palabras…

> *Mi vida cedo a la aventura,*
> *mi alma entrego a la mar.*
> *Lucharé contra viento y marea*
> *por el sueño que arde en mí.*
> *Y este sueño que arde mí*
> *es vivir en libertad.*
> *¡Y no hay mayor libertad*
> *que ser pirata!*

Las palabras y la música le resonaron fuertemente en la cabeza. Mientras cantaba la segunda estrofa, se volvió para mirar el podio, desde el cual el comodoro Kuo empezaría en breve la ceremonia. Detrás del podio, estaba colgada la antigua lona que lucía el logotipo de la Academia de Piratas. El logotipo constaba de cuatro símbolos: la espada, la brújula, el ancla y la perla. Una de las primeras cosas que habían enseñado a Cheng Li a su llegada a la Academia de Piratas era el significado de aquellos cuatro símbolos: la espada representaba la habilidad para el combate; la brújula significaba la habilidad para navegar; el ancla reconocía la importancia de la historia de la piratería, y la perla celebraba la capacidad para acometer la peor y más desagradable de las situaciones y atravesarla para hallar el tesoro que esconda. Aquellos, en opinión de la Federación de Piratas, eran los cuatro talentos principales que todo pirata debía dominar, y Cheng Li sabía que ella los dominaba todos.

> ... y el honor que persigo
> es un título sin par.
> ¡Pues no hay mejor título
> que ser pirata!

Cuando la tercera estrofa del himno, la más conmovedora de todas, estaba a punto de concluir, el comodoro Kuo apretó la mano a Cheng Li. Luego, se levantó de su asiento y bajó las gradas para subirse al podio.

—Buenas tardes, damas y caballeros —dijo, dirigiéndose a las concurridas gradas con su natural confianza—. Bienvenidos a la Academia de Piratas. Este, al igual que cualquier otro puerto, es un punto de comunicaciones. Muchos de ustedes estudiaron aquí. Ahora, son capitanes y segundos de a bordo de sus propios barcos. Otros enseñan en la academia. Ellos, como yo, han dejado los mares para transmitir sus conocimientos y experiencias a los capitanes piratas del futuro. —Señaló las gradas de alumnos con la cabeza. En ese momento, el público estalló en aplausos. El director aguardó a que cesaran antes de continuar—. Sí, concibo nuestro pequeño puerto de la academia como un lugar del que zarpar y al cual regresar, una vez tras otra, a lo largo de toda nuestra vida como piratas. —Hizo una pausa—. Estamos reunidos de nuevo aquí para nombrar a un nuevo capitán. Tales ocasiones me llenan siempre de orgullo, pero hoy esto es especialmente cierto. Estamos a punto de ver a una joven pirata extraordinaria hacerse a la mar como capitana de su propio barco.

Lanzó a Cheng Li una mirada tranquilizadora. Ella ya estaba henchida de orgullo cuando el comodoro continuó.

—Cheng Li es, como todos saben, la hija del gran capitán pirata Chang Ko Li. Era conocido como el mejor de los mejores, y con razón. Trágicamente, murió antes de que Cheng Li tuviera edad para aprender de él. Si la piratería se lleva o no en la sangre es un tema sujeto a debate. Sea cual sea la conclusión, nadie puede negar que Cheng Li ha sido extremadamente concienzuda en su aprendizaje. Durante su ilustre trayectoria como alumna de esta academia, jamás la oí citar a su padre con el fin de promocionarse. Jamás utilizó su nombre para ganarse la aceptación de sus compañeros. No, porque Cheng Li es una trabajadora nata. Se aplicó a las clases con absoluta atención y diligencia. Fue la primera de su clase y, como es costumbre, dejó esta escuela para hacer prácticas como segunda de a bordo en un barco pirata, el *Diablo,* capitaneado por Molucco Wrathe.

Cheng Li se preguntó si los demás advertirían que ni Molucco ni, de hecho, ningún miembro de la familia Wrathe, estaban presentes hoy. No importaba. Si reparaban en su ausencia, seguro que la atribuirían al reciente incidente sucedido a bordo del *Tifón* y a la determinación de los hermanos Wrathe de recuperar la mano robada de Trofie. Recordando su reciente altercado con los hermanos Wrathe en la taberna de Ma Kettle, se sintió aliviada de que no hubieran asistido a la ceremonia, aunque sabía que su investidura habría hecho a Molucco retorcerse en su asiento de una forma bastante satisfactoria.

Volvió a prestar atención al comodoro Kuo.

—Tuvimos la suerte de recuperar a la señorita Li para que impartiera clases aquí durante unos meses; la primera vez, podría añadir, que la academia solicita la colaboración de alguien que todavía no es capitán. Ninguno de ustedes se sorprenderá de que Cheng Li no solo estuviera a la altura de lo que se esperaba de ella sino que rebasara todas las expectativas. Tiene una vocación innata para la docencia y, si tuviéramos el lujo de vivir dos veces, estoy seguro de que su contribución a la academia sería valiosísima. Pero el lugar de Cheng Li está en el mar y, sin más dilación, me gustaría pedirle que subiera a este podio conmigo para que pueda nombrarla capitana.

El público se puso a aplaudir espontáneamente cuando Cheng Li se subió al podio para unirse al comodoro Kuo.

Se inclinaron uno ante otro y Teagan, un alumno bastante serio de primer curso, se adelantó con un cojín —hecho con la tela de una antigua bandera pirata— sobre el cual había una cadena. Hecha de oro y hermosísimas gemas, llevaba los mismos cuatro símbolos de la Federación de Piratas —la espada, la brújula, el ancla y la perla—. Todos los capitanes nombrados por la Federación recibían una, y llevar la suya no solo sería un honor para Cheng Li sino un fuerte lazo con los grandes piratas que la habían precedido. Hubo entusiastas aplausos cuando el niño entregó el cojín al comodoro Kuo y él puso la cadena alrededor del cuello de Cheng Li.

Teagan se retiró y Cheng Li se arrodilló delante del comodoro Kuo. Se hizo un silencio absoluto cuando él desenvainó su espada de Toledo.

—Con la autoridad que me confiere la Federación de Piratas, yo, el comodoro Kuo, concedo a Cheng Li el título de capitán a perpetuidad.

Alzó la espada de Toledo hasta rozarle un lado del cuello con el filo. Cuando el metal tocó su pálida piel, dijo:

—Abundancia y saciedad.

Luego, volvió a alzar la espada y se la puso en el otro lado del cuello, diciendo:

—Placer y comodidad.

Por último, le rozó el corazón con la punta de la espada.

—Poder y libertad.

Volvió a envainar la espada y comenzó la última parte de la ceremonia. Todo el público recitó las palabras de la investidura:

Sé fiel a las tradiciones de la Federación de Piratas.
Respeta a quienes te han precedido.
Da a quienes te sigan motivos para respetarte.
Que el mar te dé sustento y el clima te trate bien.
Enseña a tu tripulación y aprende también de ella.
Mantente firme tanto en la fama como en la adversidad.
Y cuando se ponga el sol, vuelve a casa en paz y armonía.

El comodoro Kuo se inclinó ante ella y le tendió la mano para ayudarla a levantarse. Cuando ella estuvo de pie, la besó delicadamente en la mejilla y le susurró al oído:

—Enhorabuena, capitana Li. —Luego se retiró para cederle el protagonismo. Una vez más, hubo entusiastas aplausos.

—Gracias —dijo Cheng Li, con la cara tan radiante como el sol vespertino—. Prometo no robarles mucho tiempo, pero me gustaría aprovechar la ocasión para expresar mi agradecimiento a una serie de personas. Gracias al comodoro Kuo por oficiar mi ceremonia de investidura y por decir tan amables palabras sobre mí y mi padre. Gracias a los tutores de la academia que me han enseñado tan bien y... —dijo, e hizo una pausa— ... ¡me han hecho trabajar tanto! —Aquello provocó risas—. Pero, si pensaba que los alumnos de la academia trabajaban duro, eso no es nada comparado con lo que invierten los profesores, ¡como ahora sé! —Aplaudió para honrar a sus colegas docentes. Entre el público, vio a la capitana Quivers agradeciéndole el halago.

»Hoy es un día maravilloso para mí, pero la piratería es una labor de equipo. Me siento muy afortunada de que la Federación me haya procurado un barco tan maravilloso y, sí, muy pronto revelaré el nombre que he escogido para él. Pero, antes de hacerlo, quiero expresar mi agradecimiento a la tripulación con la que voy a trabajar. Gracias a todos los que me habéis jurado lealtad. Espero serviros bien como capitana. Sé cuánto talento tenéis y tengo ganas de trabajar con todos y cada uno de vosotros. —Miró el lugar de las gradas donde estaban sentados Jacoby, Jasmine, Connor y el resto de su tripulación, sonriendo a su dinámica jefa.

»Pasemos ahora al nombre de mi barco. Me lo estuve pensando mucho. Pero, conforme iba anotando mis ideas en un cuaderno, siempre acababa decantándome hacia el mismo nombre. No podía quitármelo de la cabeza. Tuve que preguntar al comodoro Kuo si sería posible adaptar el reglamento de la Federación. Me complace decir que la Federación ha accedido y, ya sin más dilación, les diré que el nombre de mi nuevo barco, nuestro nuevo barco, es ¡*Tigre*!

Sorprendido, el público dio un grito cuando destaparon la placa del barco.

—¡Lo sé! —dijo Cheng Li—. Sé que no es costumbre adoptar el nombre de un antiguo barco de la Federación, y apenas necesito decirles que *Tigre* fue el nombre del navío de mi padre. Mi padre, Chang Ko Li, murió en la flor de la vida. La gente habla de él como el mejor de los mejores. Pero solo era un hombre joven cuando murió y creo que aún nos quedaba mucho por ver de él. Quiero continuar su labor. Espero que comprendan que escogí este nombre no para aprovecharme de su reputación sino para honrarla y, espero, con el tiempo, poder mejorarla.

Cuando terminó de hablar, volvió a hacerse un silencio absoluto. Cheng Li recorrió nerviosamente el público con la mirada. Se encontró con los ojos de Jacoby. Él empezó a aplaudir. Jasmine y Connor se unieron a él. Luego, lo hizo el resto de la tripulación de su barco recién bautizado. Detrás de ella, oyó que John Kuo comenzaba también a aplaudir. No se atrevió a volverse, sino que miró, en cambio, hacia la hilera de capitanes. Vio con alivio que también ellos estaban aplaudiendo. En un instante, estuvo envuelta en aplausos. Muchos asistentes se habían puesto de pie para manifestarle su apoyo.

—Ahí lo tienes —le susurró al oído el comodoro Kuo—. Te había dicho que te apoyarían, ¿verdad?

Sonriendo, Cheng Li bajó la cabeza en señal de agradecimiento mientras el comodoro volvía a dirigirse al público.

—Damas y caballeros, la capitana Li y su tripulación posarán ahora para las fotografías que es costumbre hacer antes del viaje inaugural. En lo que atañe al resto, sean tan amables de reunirse conmigo en la terraza de la academia, donde se servirá nuestra merienda de merecida fama. Luego, volveremos a tomar asiento, al menos ustedes volverán a tomarlo, ¡para ver la Regata de los Capitanes!

En el mar, lady Lola Lockwood tenía la cara pegada a su periscopio de alta definición, el cual le permitía ver el exterior sin tener que exponerse a la luz del día. Lo enfocó hasta tener una imagen diáfana de la escena que estaba desarrollándose en el puerto de la Academia de Piratas. Se quedó un momento observando. Luego, se apartó y se irguió, retirándose de los ojos un rebelde mechón de pelo negro.

—¿Y bien? —inquirió Marianne, que estaba sentada enfrente de ella en un hermoso sillón tapizado con seda, bordando.

—La Regata de los Capitanes está a punto de empezar —anunció lady Lockwood.

Marianne sonrió y dejó su bordado.

—¿Voy a preparar a las otras?

—Sí, querida —dijo lady Lockwood, sonriendo. Se frotó enérgicamente las manos—. ¡Qué bien! Esta noche me apetece hacer un poco de deporte.

17

La Regata de los Capitanes

Sonriendo dignamente a sus numerosos admiradores, Cheng Li fue a sentarse en las gradas, agradecida de encontrar una cara conocida aguardando en el asiento contiguo.

—Hola, Connor —dijo—. ¿Te importa que me siente a tu lado? —preguntó, aunque el asiento ya llevaba escrito su nombre.

—Adelante —dijo él, sonriéndole.

Cuando estuvo sentada, Cheng Li abrió el programa de la regata que le había dado uno de los alumnos de penúltimo año.

—Bueno —dijo a Connor—. Imagino que sabes cómo va.

—Diez capitanes, en un esquife de cinco metros y medio de eslora, cada uno de ellos con dos ayudantes —explicó Connor—. La regata consta de dos partes: el trayecto hasta la isla Araña, que es de día, y el viaje de regreso, que es de noche. El primer esquife en volver, gana.

—Muy bien. —Cheng Li sonrió—. Aprendes rápido.

—He tenido a los mejores maestros —dijo Connor, volviéndose para ver cómo embarcaban los capitanes y sus ayudantes.

Jacoby los miró y levantó el dedo pulgar antes de acompañar a Lisabeth Quivers a su esquife. Con ellos iba un amigo de Jacoby, Bastian, que completaba su tripulación. Connor sonrió: ¡tenía que ser la excéntrica capitana Quivers quien se hubiera agenciado como ayudantes a los alumnos mayores más fuertes!

Jasmine ya estaba sentada en su esquife, junto con un alumno que Connor apenas había conocido en su primera visita a la academia. Aamir, así se llamaba. Los dos estaban escuchando atentamente al capitán Platonov mientras él les daba las últimas instrucciones.

En el otro extremo del puerto, el comodoro Kuo parecía estar de muy buen humor mientras charlaba con sus dos jóvenes ayudantes, Zak y Varsha. Kuo exudaba la confianza del director y favorito de la regata, pero tenía que saber que no podía relajarse cuando había otros nueve anteriores piratas prodigio totalmente resueltos a ganar. Connor escrutó los rostros de los demás capitanes: René Grammont, Francisco Moscardo, Apostolos Solomos, Kirstin Larsen, Floris van Amstel, Shivaji Singh, Wilfred Avery. Junto con Kuo, Quivers y Platonov, eran diez de los capitanes más famosos de todos los tiempos. Cada uno era una leyenda viva.

«Un día —pensó Connor—. Un día, seré como ellos.» Sonrió y miró a su lado. Cheng Li estaba observando el puerto incluso con más atención que él. Le pareció que podía leerle el pensamiento.

Cuando sonó el cañonazo de las seis, los diez esquifes y sus tripulaciones se pusieron en marcha. Connor se quedó inmediatamente hipnotizado y deseó poder estar allí, navegando con uno de los equipos.

—¡Son rapidísimos! —dijo a Cheng Li sin dejar de mirar los pequeños esquifes, que casi parecían rozar el agua.

—¡Pues claro! —exclamó Cheng Li—. El esquife de cinco metros y medio de eslora es el mejor barco de vela. Debido a su casco plano, apenas hay resistencia en el agua.

El barco del capitán Singh iba en cabeza. El comodoro Kuo ocupaba el segundo puesto, seguido a bastante distancia del capitán Grammont. Los capitanes Solomos y Moscardo se disputaban el cuarto puesto.

—Se están acercando mucho, ¿verdad? —dijo Connor.

Cheng Li se rió.

—Apostolos y Francisco son grandes rivales. Pero más les vale separarse o van a descalificarse uno a otro. ¡No sería la primera vez!

Los esquifes adquirieron tanta velocidad en tan poco tiempo que la mayoría del público tuvo que sacar ya sus prismáticos para seguir la regata mientras la flota casi volaba hacia el arco de piedra que señalaba el límite del puerto de la academia. Mirando por sus prismáticos, Connor vio que la capitana Quivers y su equipo estaban avanzando posiciones. Para evitar que los esquifes volcaran, la tripulación tenía que utilizar cada gramo de su peso estratégicamente, inclinándose hasta casi rozar el agua para conseguir una posición óptima. Connor no había visto nunca a la capitana Quivers en acción y le sorprendió su agilidad. Con Jacoby y Bastian apoyándola, parecía tener muchas posibilidades de ganar. ¡Les deseaba suerte!

Buscó a Jasmine con los prismáticos. ¡Allí estaba! El barco del capitán Platonov iba varios largos por detrás de los líderes, pero estaba acortando rápidamente las distancias. Connor vio que Jasmine izaba el *spinnaker*.

—¡Fíjate en Jasmine! —gritó.

—Sí —dijo Cheng Li—. ¿Ves lo que está haciendo? El *spinnaker* es como un muro de seda. Hay que intentar orientarlo lo más posible contra el viento. De esa forma, el esquife puede navegar a la misma velocidad que sopla el viento.

Los dos vieron que, gracias a la pericia de Jasmine, el esquife del capitán Platonov alcanzaba a los barcos que iban en cabeza justo cuando llegaban al arco de la academia. Viraron con mucha destreza y adelantaron al capitán Singh, colocándose en segunda posición. Pero el comodoro Kuo seguía fuera de su alcance. Su esquife ya había cruzado velozmente el arco. Si mantenía aquella velocidad, sería imposible alcanzarlo. Connor ya no podía distinguir la expresión del director, pero sabía que Kuo no iba a confiarse, ni llevando tanta ventaja. Aún había mucha regata por delante.

De pronto, se oyó un grito entre el público, seguido de un suspiro colectivo. ¿Qué había sucedido? Connor dejó un momento los prismáticos, viendo el panorama completo. Uno de los esquifes se había quedado rezagadísimo, completamente parado. Volviendo a coger los prismáticos, los apuntó al iracundo rostro de Kirstin Larsen. La vio cogerse la cabeza entre las manos.

—Kirstin está descalificada, me temo —dijo Cheng Li, suspirando—. El poste del *spinnaker* se le ha roto. Va a recriminárselo. Pero puede pasarle a cualquiera. Esta tarde sopla un viento del nordeste fortísimo. El mar va a estar movidísimo tanto a la ida como a la vuelta.

Connor vio zarpar una lancha de rescate en busca de la capitana Larsen y su tripulación. Advirtió que varias otras embarcaciones se estaban haciendo a la mar.

—¿Son más lanchas de rescate preparándose? —preguntó—. ¿Cómo de peligrosa va a volverse exactamente la regata?

—No. —Cheng Li negó con la cabeza—. No son lanchas de rescate. Han salido para encender las bengalas que guiarán a los esquifes en el trayecto de vuelta. Han estado esperando a que se alejaran para no estorbarles.

—¡Ah! —Connor volvió a concentrarse en la regata, viendo que los dos últimos esquifes, los gobernados por los capitanes Avery y Van Amstel, estaban alcanzando el arco. Cuando lo cruzaron, ya no fue posible distinguir un barco de otro. Los líderes se encontraban ya en mar abierto y la flota estaba comenzando a dispersarse conforme los capitanes iban tomando su propio rumbo. A Connor le habría gustado poder continuar siguiendo la regata, pero, a menos que se montara en un avión, las posibilidades eran nulas.

—¿Qué hacemos ahora? —preguntó, bajando los prismáticos.

—Oh, hay mucho con que entretenerse hasta que los esquifes vuelvan —respondió Cheng Li. Volvió una hoja del programa y le dio unos golpecitos con el dedo—. A continuación, los alumnos de primero van a hacer un combate de exhibición; luego, los de segundo representarán una obra de teatro inspirada en la historia de la Federación de Piratas. Luego, les toca a los de tercero, y después hay un descanso para cenar. Para entonces, los esquifes ya deberían haber llegado a la isla y estar volviendo. Ahí es cuando las cosas empiezan a ponerse interesantes.

Después del combate de exhibición (bastante impresionante, la verdad), la obra de teatro sobre la Federación (un verdadero tostón) y la interpretación por parte de los alumnos de tercero de una original canción marinera (¡sin comentarios!), Connor estaba más que listo para el descanso de la cena. Acompañó a Cheng Li a la terraza, donde habían servido una variedad de tentadores manjares para los alumnos de la academia y los solemnes invitados.

Connor se fijó en que había una hilera de catalejos al borde de la terraza.

—¡Echa un vistazo! —exclamó Cheng Li—. Son de muy largo alcance. Puede que consigas ver alguno de los esquifes comenzando a volver.

Connor pegó el ojo al catalejo y buscó señales de vida en mar abierto. Lo único que vio fue una estela de bengalas encendidas. Conforme el sol se ponía y el día daba paso a la noche, el fuego parecía brillar cada vez con más intensidad.

—Nada aún —anunció, apartándose del catalejo.

—Bueno —dijo Cheng Li, pasándole un plato—. En ese caso, lo mejor será que repongamos nuestras reservas de proteínas.

Connor no necesitó que se lo dijera dos veces. Se fue rápidamente al bufé libre mientras Cheng Li se encontraba súbitamente rodeada de admiradores. Mientras se llenaba el plato de comida, Connor la vio charlar con todos y cada uno de ellos, desde un grupito de alumnos de penúltimo año sobreexcitados hasta un pirata casi senil empeñado en alistarse en su tripulación. Ella los trató a todos con igual cortesía y entusiasmo. Estaba en buena forma. Era su gran día y era agradable verla disfrutarlo. En general, Connor nunca la había visto tan feliz y relajada.

Para los veloces esquifes que navegaban hacia la isla Araña, no había tiempo para relajarse. El mar estaba tan embravecido como Cheng Li había predicho y una momentánea falta de concentración podía salirles enormemente cara. El comodoro Kuo seguía yendo claramente en cabeza, pero eso no le impedía animar a sus ayudantes a trabajar más y más deprisa.

—¡Venga! —gritó—. ¡Dadlo todo! ¡Y luego dad más!

—¡Sí, sí, capitán! —gritaron al unísono Zak y Varsha, volviendo a inclinarse sobre el agua.

El comodoro Kuo se rió.

—¡Singh y su tripulación ya ni se ven! ¡A esta velocidad, estaremos de vuelta antes de que la cena termine!

—¡No te desconcentres, Jasmine! —ordenó el capitán Platonov—. Tú tampoco, Aamir. Hasta ahora hemos tenido mala suerte, pero aún podemos recuperar el tiempo perdido y ganar la regata.

Jasmine asintió, su expresión era tan decidida como la de su capitán. Los cabos le habían quemado las manos. Le dolían muchísimo, pero se aguantó. En aquel punto, nada importaba salvo alcanzar a los esquifes que iban en cabeza.

—¡Esto es una gozada! —La capitana Quivers sonrió alegremente a Jacoby y Bastian mientras ellos se inclinaban sobre el agua, cabalgando la cresta de una ola—. Me encanta esta regata. Tendría que navegar más a menudo.

Jacoby se rió.

—Es bien distinto a la clase de nudos, ¿no?

—Desde luego —dijo la capitana Quivers—. Y dime, ¿te hace ilusión convertirte en el segundo de a bordo del *Tigre*…? —Sus palabras quedaron ahogadas por la lluvia de agua que arrojó sobre ellos una ola enorme. Pese a estar empapada, la capitana Quivers gritó de entusiasmo y esperó a que Jacoby respondiera la pregunta.

Él le sonrió de oreja a oreja.

—¡Me hace mucha ilusión! —dijo—. ¡Muchísima!

En la isla Araña, el *Vagabundo* se mecía en las oscuras aguas. Por fin, el sol se había puesto y lady Lockwood y varios miembros de su séquito habían salido a cubierta. La mayor parte de la tripulación estaba simplemente relajándose, tomando el aire o celebrando la llegada de la noche. Lady Lola se encontraba sola en la proa del barco, escudriñando el mar con su catalejo antiguo.

Colocándose a su lado, Marianne tosió discretamente.

—Había pedido una tetera, capitana —dijo.

Lady Lockwood bajó el catalejo y sonrió al ver la bandeja de plata, dejada en una mesita cercana.

—La bandeja de plata de mi madre para el té —murmuró con cierto placer.

En la bandeja, no solo había una tetera de plata, una taza, un platito de porcelana y una jarra de leche a juego, sino también un colador de té y su soporte. Lady Lockwood era, como su tripulación había podido comprobar, extremadamente puntillosa en su forma de tomar el té.

—¿Se lo sirvo? —se ofreció Marianne—. Ha reposado durante tres minutos exactos.

—Muy bien —dijo lady Lockwood.

Con cuidado, Marianne cogió la tetera y el colador y vertió el té de color miel en la taza de porcelana, que estaba decorada con una bucólica escena de pastores y corderos retozando a orillas de un río. Junto a la taza y el platito estaba la jarra de leche a juego. Sin embargo, no contenía leche. Lady Lockwood prefería tomarse el té con algo más fuerte. Marianne, que era experta en aquellas lides, cogió la jarra y vertió una dosis exacta de líquido en la taza. Un remolino carmesí enturbió el té de color miel. Marianne dejó una cucharilla de plata en el platito y pasó el té a lady Lola.

—Gracias, querida —dijo ella, sonriéndole. Removió el té, se llevó la taza a la nariz e inhaló su aroma—. Néctar —murmuró. Luego, se la llevó a los labios y la vació.

—¿Le apetece otra taza, capitana? —preguntó Marianne.

Lady Lockwood negó con la cabeza.

—Mira esto —dijo—. Creo que te divertirá.

Intrigada, Marianne se acercó. Vio que lady Lockwood sostenía la taza vacía y el platito en una mano y volvía a hacer girar la cucharilla con la otra. Marianne se quedó desconcertada. Dentro de la taza no quedaba nada de líquido.

—No, querida —dijo lady Lockwood—. No mires la taza.

¿A qué se refería? Marianne volvió la cabeza. Oyó un susurro de hojas. La brisa marina había empezado a mecer las ramas de los árboles que cubrían la isla. Parecía que se estuviera avecinando una tempestad.

Marianne notó que la brisa aumentaba. Miró a lady Lockwood, que tenía los ojos clavados en el mar mientras seguía moviendo la cucharilla de plata, cada vez más aprisa, como si hubiera entrado en trance.

Asombrada, Marianne vio que el mar se rizaba. Luego, empezó a arremolinarse y a salpicar como un remolino en miniatura.

—Con esto debería bastar —declaró por fin lady Lockwood, dejando la cucharilla en el platito.

Marianne señaló el remolino.

—Eso lo ha hecho usted —dijo—, ¿verdad?

Lady Lola asintió, sonriendo.

—Es un truquito que me sale fenomenalmente bien. Yo lo llamo mi tempestad particular.

—Pero ¿para qué es?

Lady Lola sonrió.

—Espera y verás —dijo—. Ya no queda mucho.

18

La isla Araña

El esquife de cinco metros y medio del comodoro Kuo quedó atrapado en el ojo del remolino.

—¡Capitán, el mar se está picando cada vez más! —gritó Zak.

—¡Lo sé! —gritó el comodoro Kuo—. Pero ya casi hemos llegado a la isla. Veo la bengala.

—¡El barco está fuera de control! —chilló Varsha, agarrándose a los cabos con tanta fuerza que las manos se le quedaron en carne viva.

—¡Concentraos! —ordenó el comodoro Kuo—. Hemos dado con un punto aislado de turbulencias. ¡Podemos salir!

Varsha tenía los ojos tan rojos como las manos, y le escocían debido al constante embate del agua salada. ¿Por qué no podía admitir el comodoro Kuo que tenían problemas? ¡Problemas graves!

—¡Capitán, mire! —gritó Zak—. ¡Un barco a estribor!

John Kuo se volvió. Demasiado tarde. Su esquife colisionó con el casco del galeón pirata. El barco parecía haber salido de la nada, debido quizá al mar embravecido y a la espesa niebla que envolvía las aguas próximas a la isla.

—¡Virad! —gritó el comodoro Kuo.

—¡Lo estamos intentando! —respondió Varsha.

—¡Capitán, mire el poste del *spinnaker*!

Tres pares de ojos miraron el poste, que se había incrustado en el casco del galeón. Todos habían visto desde lejos cómo se le había partido a la capitana Larsen el poste de su *spinnaker*, obligándola a abandonar la regata. Ahora, vieron cómo se fracturaba el suyo ante sus propios ojos. Ya no tenían ninguna posibilidad de terminar la regata.

—¿Tienen problemas? —Un rostro preocupado de mujer se asomó por la borda del barco.

—Sí —respondió el comodoro Kuo—. Lo siento, pero hemos chocado con su barco. Creo que su casco no ha sufrido ningún daño...

—No se preocupe por eso —fue la tranquilizadora respuesta—. ¿Qué hay de su embarcación?

—Se nos ha roto el poste del *spinnaker*. Aparte de eso, creo que estamos bien. Nos ha arrastrado un remolino.

—Sí, les hemos visto. Han hecho todo lo posible. A veces, no se puede luchar contra los elementos.

—¡Capitán! —dijo Zak—. Creo que el esquife se está hundiendo.

El comodoro Kuo se volvió. El barquito estaba haciendo agua. La colisión debía de haberle causado más daños de lo que a simple vista parecía.

—Será mejor que suban a bordo —dijo la voz desde arriba—. ¿Llegan a la escalerilla o les mando a alguien?

—Llegamos —dijo Varsha, agarrada ya a la escalerilla de acero por la que se accedía a la cubierta del barco.

—Pero nuestro esquife... —protestó el comodoro Kuo—. La regata...

—La regata se ha terminado, comodoro Kuo —dijo tristemente Zak, encaramándose a la escalerilla después de Varsha. Vio que el esquife continuaba hundiéndose en las oscuras aguas. El comodoro Kuo seguía aferrado a sus sueños de victoria.

—Venga, señor —imploró la voz desde arriba—. Suba con sus camaradas y nosotras nos ocuparemos de ustedes.

Negando tristemente con la cabeza, el comodoro Kuo se agarró a la escalerilla justo a tiempo. El esquife terminó de hundirse y las aguas enseguida lo engulleron.

Cuando los tres piratas subieron a bordo, la capitana, flanqueada por sus dos ayudantes, fue rápidamente a su encuentro.

—Bienvenidos al *Vagabundo* —dijo—. Yo soy lady Lola Lockwood y estas son mis dos ayudantes, Marianne y Angelika.

—Yo soy el comodoro Kuo, director de la Academia de Piratas. Y estos son mis alumnos, Zak y Varsha. Estamos compitiendo en una regata.

—Ya lo he oído —dijo lady Lockwood, asintiendo tristemente—. Qué mala suerte haberse visto atrapados en este mal tiempo tan inesperado.

—Se llama la Regata de los Capitanes —le contestó el comodoro Kuo—. Se celebra cada vez que la Federación nombra un nuevo capitán. Todos los capitanes que trabajan en la academia compiten en un esquife de cinco metros y medio de eslora... Bueno, usted ya lo sabrá, naturalmente, siendo como es capitana.

Lady Lockwood sonrió con indulgencia.

—Pero no soy una capitana pirata, comodoro Kuo. Este no es un barco pirata.

—Ah, ¿no? —dijo él, mirando el extremo del palo mayor y viendo que en él no ondeaba la enseña pirata, como había creído al principio, sino una bandera con el dibujo de lo que parecía un naipe—. Entonces, ¿qué clase de barco es este?

—Un galeón privado —respondió lady Lockwood, sonriendo—. Mírese. Está empapado, y sus pobres ayudantes no paran de temblar. Angelika, ¿puedes traer toallas y mantas? Y Marianne, ¡creo que lo mejor será que nos tomemos otra taza de tu famoso té!

—No queremos molestar —dijo el comodoro Kuo.

—No lo hacen —respondió lady Lockwood, su voz tan entrecortada como sus vocales—. En el *Vagabundo,* nos gusta atender bien a nuestros invitados, ¿verdad, chicas?

—Sí, capitana —respondieron al unísono Angelika y Marianne antes de marcharse para cumplir sus órdenes.

—Vengan —dijo lady Lookwood, conduciéndolos a una zona resguardada del viento—. Sentémonos a esperar a que vuelvan las chicas. Estoy segura de que no tardarán nada.

Al sentarse, Zak vio que subían a cubierta más miembros de la tripulación de lady Lockwood.

—Capitana, ¿está su tripulación compuesta únicamente por mujeres? —preguntó.

—Así es —respondió lady Lockwood—. ¡Me temo que tú y el comodoro Kuo estáis en franca desventaja! —Se rió alegremente—. Pero no te preocupes, aunque no aceptamos hombres en nuestra tripulación, nos gusta tenerlos como invitados.

Zak sonrió. Se le ocurrían peores cosas que ser rescatado de las gélidas aguas por una tripulación de hermosas mujeres jóvenes, que en aquel momento ya estaban regresando con toallas y mantas.

No obstante, cuando Angelika llegó, lady Lockwood alzó la mano.

—Pensándolo mejor, Angelika, estos dos jóvenes están empapados. ¿Por qué no te los llevas abajo y les buscas ropa seca?

Varsha se levantó agradecida, pero Zak se opuso.

—Muchas gracias, pero prefiero quedarme mojado que ponerme un vestido.

Lady Lockwood volvió a reírse.

—¡Muy gracioso! Pero no te preocupes, querido. Estoy segura de que Angelika te encontrará algo apropiado. Como he dicho, en este barco ya hemos tenido a muchos invitados varones.

—Entonces vale —dijo Zak, siguiendo a Varsha y Angelika, que ya estaban bajando.

—Disculpe, comodoro Kuo —dijo lady Lockwood—. Estoy segura de que también podemos encontrar ropa para usted, si lo desea.

Él negó con la cabeza.

—Estoy bien, gracias, lady Lockwood. Pero le agradezco que cuide de mis alumnos. Me temo que están un poco afectados por lo que acaban de pasar.

—Por supuesto —convino lady Lockwood—. Es totalmente comprensible. Pero un hombre con sus años y experiencia está hecho de una madera más dura. Hace falta más para soliviantarlo, estoy segura.

—Pues sí —dijo John Kuo, sonriendo.

—Mire —dijo lady Lockwood—. Aquí llega Marianne con nuestro té. Gracias, querida. Puedes dejarlo y ya lo sirvo yo. Veamos. ¿Prefieres leche o limón, John?

—Lo tomo solo —respondió él.

—Muy bien —dijo lady Lockwood, cogiendo el colador en una mano y la tetera en la otra.

El comodoro Kuo la observó mientras servía el té.

—Sabe cómo me llamo —dijo.

—Sí. —Ella le pasó la taza y el plato—. Se ha presentado antes.

—Me he presentado como comodoro Kuo. Pero usted acaba de llamarme John.

Lady Lockwood se rió.

—Bueno, tal vez haya sido un poco atrevido por mi parte. Aunque usted puede llamarme Lola.

—Me malinterpreta, lady Lockwood. —El comodoro Kuo le escrutó el rostro—. ¿Cómo ha sabido que me llamo John?

Lady Lockwood se ruborizó.

—Me ha pillado. —Alzó las manos—. *¡Mea culpa!* Sabía quién era. El celebérrimo comodoro John Kuo, antes capitán y ahora director de la academia y figura principal de la Federación de Piratas. Y, si no me equivoco, lleva su legendaria espada, la espada de Toledo. —Señaló con la cabeza la empuñadura del arma, que asomaba de su funda. La piel de pastinaca que la revestía relució a la luz de la luna.

Sorprendido, el comodoro Kuo abrió los ojos como platos.

—¿Sabía todo eso?

—Es usted un hombre muy famoso —dijo ella—. Lo he visto en cuadros. Aunque, si me permite el atrevimiento, no terminan de hacerle justicia.

El comodoro Kuo sonrió.

—Estoy seguro de que yo diría lo mismo si hubiera visto una pintura de usted —dijo—. ¿Cómo es que no he oído hablar de ti, Lola?

—Soy una persona muy reservada, John. He tenido una vida muy movida, por lo que supongo que ahora prefiero quedarme a la sombra.

—Hummm —musitó el comodoro Kuo antes de tomar un sorbo de té—. Una *rara avis* de rapiña como tú no debería enjaularse, envolverse de oscuridad.

Lady Lockwood sonrió, removiendo su té.

—¿Estás coqueteando conmigo, John? ¡Qué encanto!

El comodoro Kuo sonrió y tomó otro sorbo de té.

Súbitamente, advirtió que lady Lockwood no había tocado el suyo.

—¿Qué pasa? ¿Por qué no bebes?

—Oh, me he tomado una taza no hace mucho —respondió ella—. Además, el té no es mi bebida preferida.

—¿No? —dijo él, picado por la curiosidad.

Ella negó con la cabeza. Al hacerlo, el comodoro Kuo vio que le cambiaban los ojos. Sucedió en un instante. Al principio, creyó que era una bengala reflejada en sus ojos oscuros, pero, al volver la cabeza, vio que no había ninguna en las proximidades. El fuego estaba en sus ojos, como si ardiera en un pozo muy profundo. Por una vez en su larga e ilustre carrera, se quedó sin habla.

19

Piedad

—Este té —dijo el comodoro Kuo—, le has puesto algo, ¿verdad?

—Un sedante suave. Algo para calmarte los nervios —reconoció lady Lockwood.

—No estaba nervioso. Pero ahora sí lo estoy. Eres un vampiro, ¿verdad? Este es un barco de vampiratas.

Lady Lockwood sonrió.

—Nombres, John. A mí me bautizaron como lady Lola Isabel Piedad Lockwood, pero me han ido llamando de muchas formas distintas con el discurrir de los años. Aventurera. Bandolera. Pirata. De manera que, sí, ¿por qué no añadir vampirata a la lista?

—¿Qué quieres de mí?

El fuego volvió a arderle en los ojos.

—Es muy sencillo —dijo—. Quiero tu sangre. Estoy segura de que tendrá un sabor intenso. Con mucho cuerpo y seco, diría yo.

El comodoro Kuo se quedó blanco como el papel. Luego, dijo, farfullando:

—¿Quieres mi sangre?

—Exacto, John. Llenarás media caja. Y estará muy cotizada, siendo como eres un pirata tan famoso, y director y figura principal…, etcétera.

—Estás loca —dijo él, aunque empezaba a tener dificultades para hablar—. Estás loca de atar.

—Llámame lo que quieras, John. Como ya te he dicho, me han llamado muchas cosas.

El comodoro Kuo se hundió en la silla. Claramente, el sedante estaba surtiendo efecto. Apenas le quedaba energía, pero, con gran esfuerzo, volvió a erguirse.

—¿Y mis alumnos… Zak y Varsha?

—¿Qué pasa con ellos? —preguntó lady Lockwood—. Oh, mira. ¡Aquí vienen!

Efectivamente, Angelika los estaba trayendo de vuelta. Llevaban ropa seca y estaban riéndose y bromeando con Angelika y otras dos marineras.

—Perdónales la vida —dijo el comodoro Kuo, su voz cargada de urgencia—. Haz lo que quieras conmigo, pero déjalos marchar. Yo he tenido mis años de gloria. Los suyos están por venir…

—Sí, sí —dijo lady Lockwood, interrumpiéndolo antes de que terminara—. Claro que les perdonaré la vida si es eso lo que quieres. Además, la sangre joven es un poco áspera para mi paladar, aunque es posible que otras de mis marineras discrepen.

—Otras… —Las palabras murieron en los labios del comodoro Kuo cuando vio en los ojos de Angelika el mismo fuego infernal que ardía en los de lady Lockwood. Por suerte, Zak y Varsha no parecían estar enterándose de nada.

—¿Se encuentra bien, comodoro Kuo? —preguntó Varsha.

—Está un poco pálido —dijo Zak—. ¿No debería cambiarse de ropa? Fíjese en qué traje tan elegante me han buscado.

No se estaban enterando de nada, pensó Kuo. Pese a todo lo que él les había enseñado sobre el *zanshin*, el excepcional estado de extrema vigilancia ante el peligro en cualquier situación de los guerreros samurái. Pero, por otra parte, él mismo había tardado en identificar el peligro en esa situación. E iba a pagarlo caro.

—Debéis iros —dijo roncamente—. Lady Lockwood y yo tenemos que zanjar un asunto.

—¿Irnos? —preguntó Zak, incrédulo—. ¿Adónde?

—El esquife se ha hundido, comodoro Kuo —dijo Varsha—. ¿No se acuerda?

—Sí —dijo él, pero su voz era distante, inconexa.

—John tiene razón —dijo lady Lockwood—. Tendríais que iros ahora mismo.

—No podemos irnos sin el comodoro Kuo —dijo Varsha—. Tiene un aspecto horrible.

—Debéis hacerlo —insistió el director—. Nadad hacia tierra. Esperad junto a la bengala hasta que llegue el próximo esquife. Irán a buscar ayuda y podréis volver a la academia.

—¿Nadar? —protestó Zak—. ¿Con mi traje nuevo? ¿Por qué?

—¡Ya es suficiente! —anunció lady Lockwood—. Angelika, sácalos del barco.

—Sí, sí, capitana. —Angelika se volvió e indicó a tres de sus camaradas que se acercaran. Entre ellas, llevaron a Zak y a Varsha hasta la borda.

—Saltad, pececillos —bufó Angelika, con los ojos en llamas.

Zak se los vio, pero Varsha no. En un segundo, Zak se dio cuenta de lo que estaba sucediendo. Agarró a Varsha y saltó con ella a las gélidas aguas.

Angelika condujo a sus camaradas junto a la capitana.

—Se han ido —le informó.

—¿Son libres? —preguntó roncamente el comodoro Kuo.

—Sí —respondió lady Lockwood—. De acuerdo con tu último deseo. Ese ha sido tu último deseo, imagino.

—Sí —dijo entrecortadamente el comodoro Kuo antes de desplomarse en cubierta.

Angelika miró a lady Lockwood, esperando órdenes. La capitana se levantó de su silla.

—Llévalo al lagar —dijo—. Pero ten cuidado. —Sonrió—. Quiero que su cadáver quede intacto.

—Sí, capitana —dijo Angelika, dándose la vuelta para pedir ayuda.

Cuando la marinera le dio la espalda, el comodoro Kuo aprovechó la oportunidad. En un único movimiento, se levantó, desenvainó la espada de Toledo y atacó a lady Lockwood. No sabía si atravesarle el corazón la destruiría; pero, como mínimo, le infligiría una herida profunda.

No obstante, lady Lockwood fue más rápida que él y, simplemente, retorcedió.

—Vaya, vaya, comodoro Kuo —dijo—. Pareces haberte recuperado con una rapidez milagrosa.

El comodoro Kuo le estaba apuntando amenazadoramente la espada al corazón.

—Tu sedante no me ha hecho ningún efecto. He recurrido a las técnicas de los samuráis para superar su acción a base de fuerza de voluntad.

Lady Lockwood sonrió.

—A las técnicas de los samuráis y, sin duda, a tus dotes teatrales —objetó. Se cruzó de brazos—. ¿Y ahora cuál es el plan, machote? ¿Vas a matarnos a mí y a mi tripulación tú solo?

El comodoro Kuo la miró a los ojos.

—No sería la primera vez —dijo.

—¡Bravo! —exclamó lady Lockwood—. Matrícula de honor, John. Empiezo a entender cómo te has labrado tu soberbia fama. Te guardas unos cuantos ases en la manga. —Descruzó los brazos—. Pero, por desgracia para ti, también me los guardo yo.

Comenzó a mover las manos en círculo, primero despacio, luego cada vez más deprisa. Mientras lo hacía, el comodoro Kuo notó que la espada de Toledo le vibraba en la mano. Era como si lady Lockwood estuviera ejerciendo una especie de atracción magnética, arrancándole la espada. Utilizando hasta su último gramo de determinación, asió la empuñadura de pastinaca con todas sus fuerzas.

Lady Lockwood fue moviendo las manos cada vez más deprisa, hasta que ya no fue posible distinguir la una de la otra.

El comodoro Kuo notaba que la espada se le iba resbalando de la mano, pero ni tan siquiera él estaba preparado para lo que ocurrió a continuación. La espada de Toledo terminó de escurrírsele, pero, en lugar de caer al suelo, se quedó flotando en el aire, a poca distancia de él. Luego, mientras lady Lockwood seguía moviendo las manos en círculo, la espada se dio la vuelta hasta que el filo estuvo amenazando a su dueño. El comodoro Kuo se quedó mirándola, hipnotizado. ¿Era así como iba a terminar? ¿Abatido por su propia espada? Cuando hablaran del gran pirata, del comodoro John Kuo, ¿sería aquella la historia que contarían?

La voz entrecortada de lady Lockwood interrumpió sus pensamientos.

—Has dicho que tenías la técnica de un samurái, de manera que, ¿por qué no decides morir como uno? Caer sobre tu espada. ¿No es el harakiri la forma más honorable de morir para un samurái?

El comodoro Kuo miró la espada de Toledo amenazando a su dueño. Ahora sabía lo que sus centenares, quizá millares, de víctimas habían sentido en aquella posición. Se descubrió hipnotizado por la reluciente empuñadura de la espada, hecha hacía tantos años por el espadero de Toledo.

—He conocido samuráis, John Kuo —dijo lady Lockwood—. Y tú no eres uno de ellos.

El comodoro Kuo pensó en Zak y Varsha, nadando hacia la libertad. Pensó en los otros capitanes, regresando a la academia en sus esquifes. Pensó en Cheng Li, que acababa de ser nombrada capitana. Él ya había hecho su trabajo. La gloria que una vez fue suya estaba pasando a la próxima generación. Aquel sí era un final apropiado.

Sintió una descarga de adrenalina al arrojarse contra la espada. Se estaba riendo cuando cayó sobre ella y se desplomó en cubierta, sonriendo en brazos de la muerte más ampliamente de lo que jamás había sonreído en vida.

Lady Lockwood convocó a su tripulación.

—Llevadlo abajo —dijo—. No quiero que se desperdicie ni una gota de su sangre. —Cuando lo levantaron, empuñó la espada y lo desensartó. El filo estaba embadurnado de su sangre aún caliente. Pasó un dedo por él y se lo llevó a los labios. Dejó que el sabor le impregnara la boca antes de hacer su veredicto—. Complejo y exquisitamente equilibrado. Explosivo, dulce, con una exótica nota de granada al final. Delicioso. —Pasó la espada a Angelika—. Hazla limpiar. Será una bonita adición a mi colección. Me voy a mi camarote. No quiero que nadie me moleste. —Y comenzó a alejarse.

—Capitana —dijo Angelika a sus espaldas.

—Sí. —Lady Lockwood se volvió.

—Los dos alumnos. ¿De veras quiere que se salven?

Lady Lockwood se lo pensó un momento.

—La verdad es que me trae sin cuidado —respondió—. Dejaré esa decisión en tus manos, querida.

Zak y Varsha nadaban hacia la isla.

—¡Nunca lo conseguiremos! —gritó Varsha—. Parecía cerca, pero cada vez parece más lejos.

—Es porque estamos cansados —dijo Zak—. Pero vamos bien. ¡Sigue nadando! Ahí está la bengala. No dejes de mirarla. Esperaremos allí hasta que llegue el próximo barco.

—¿Y si también los atacan a ellos?

—Se ha terminado —dijo Zak—. Métetelo en la cabeza.

—Pero lo que le han hecho al comodoro Kuo. Lo que le están haciendo...

—¡Basta! —exclamó Zak—. Él no querría que pensaras eso. Recuerda sus clases. El *zanshin* y todo eso. Necesitamos ser fuertes y concentrarnos únicamente en salvar el pellejo. Es lo que habría querido él.

Varsha oyó sus palabras y, viendo que seguía nadando, pensó que quizá tenía razón. Quizá podían lograrlo.

Justo entonces, oyeron un burbujeo en el agua. Una cabeza emergió a un par de metros de ellos. La cabeza de una mujer. Luego emergió otra en el lado opuesto, a unos pocos metros de distancia. Luego dos más. Y otras dos. Y otras dos. Zak y Varsha se encontraron rodeados por Angelika, Marianne y otras seis marineras de lady Lockwood.

—Hola de nuevo —dijo Angelika, sonriendo—. ¿Qué tal os va la nadada?

—Dejadnos en paz —dijo Zak—. Es el trato. El comodoro Kuo se ha sacrificado para que nosotros nos salváramos.

—Solo estamos nadando —arguyó Angelika.

—El mar es de todos —añadió Marianne.

—Venga —dijo Zak, empujando a Varsha—. Sigue nadando.

Los dos alumnos continuaron nadando hacia la orilla. La tripulación de lady Lockwood también lo hizo, a su mismo ritmo, formando un círculo perfecto a su alrededor. Casi parecía que estuvieran protegiendo a los jóvenes ayudantes.

—¡Es inútil! —dijo Varsha—. No puedo hacerlo, Zak.

Se paró. Zak no tuvo más remedio que volver a buscarla.

—Descansa un momento los brazos —dijo—, pero no dejes de moverte.

Las ocho mujeres se habían detenido con ellos. De pronto, comenzaron a nadar a su alrededor en un círculo perfecto. Sus hermosos rostros estaban sonrientes. A lo mejor solo estaban jugando, a un juego extraño, pero no forzosamente peligroso. Zak se preguntó cuánto iba a durar. Las piernas se le estaban entumeciendo debido al frío. Notaba que a Varsha la estaban abandonando las pocas fuerzas que le quedaban.

De pronto, Varsha estornudó. Una vez, dos. Una tercera.

Las mujeres se rieron infantilmente. Luego, al unísono, comenzaron a cantar mientras seguían nadando a su alrededor...

Al corro, corrito,
ramos en el bolsillo,
cenizas, cenizas,
¡nos caemos toditos!

Cuando terminaron el último verso, se rieron y desaparecieron bajo el agua.

Zak no se esperaba aquello. Él y Varsha volvían a estar solos. Se había terminado. La isla solo estaba a unos diez metros de distancia, quizá menos. Notó una nueva inyección de adrenalina corriéndole por las venas. Sonrió a Varsha para tranquilizarla.

—Venga —dijo—. Ya queda poco.

Pero, cuando intentó nadar, notó un par de manos agarrándolo por los tobillos. Tuvo un breve momento de terror al darse cuenta de la suerte que estaban a punto de correr él y Varsha. Luego, notó un implacable tirón desde abajo y no tuvo fuerzas para resistirse.

20

Vencedores y vencidos

—¡Aquí vienen! —La excitación corrió como un reguero de pólvora cuando el primero de los esquifes fue avistado entrando en el puerto de la academia—. ¿Quién es?

—¡Es el capitán Platonov! —exclamó Connor—. ¡Bien hecho, Jasmine!

—Más le vale no relajarse —dijo Cheng Li—. Hay otro esquife cruzando el arco. Debe de ser el comodoro Kuo.

—¡No! —gritó Connor—. Es el capitán Singh. Y está ganando rápidamente terreno a Platonov.

Otros dos esquifes se estaban aproximando al arco, separados por apenas un largo.

—¡No me lo puedo creer! —dijo Connor—. El capitán Solomos y el capitán Moscardo siguen pegados después de todo este tiempo.

Cheng Li bajó los prismáticos y frunció el entrecejo.

—Eso significa que el comodoro Kuo va el quinto. Es una posición muy mala para él.

—¡No es el quinto! —gritó excitado Connor, señalando—. Es la capitana Quivers, y Jacoby.

Mientras Connor hablaba, el esquife de Lisabeth Quivers cruzó velozmente el arco, aprovechando el viento para acortar la distancia con los esquifes que llevaba justo delante. Las olas del puerto estaban iluminadas por las últimas bengalas. Había tantas cosas sucediendo al mismo tiempo que era difícil saber dónde mirar. Otro esquife se aproximó al arco, pero iba demasiado rezagado para ser un contendiente serio.

El capitán Platonov continuaba en cabeza, seguido de cerca por el capitán Singh. Los capitanes Solomos y Moscardo se disputaban el tercer puesto, pero la capitana Quivers les estaba ganando terreno a cada segundo.

—¡Venga, Jasmine! ¡Venga, Jacoby! —gritó Connor.

A su alrededor, los alumnos e invitados habían empezado a animar a sus amigos y favoritos. Las aguas del puerto estaban picadas. Una ola levantó el esquife del capitán Moscardo por los aires. Al caer al agua, colisionó con el esquife del capitán Solomos antes de volcar. El público contuvo el aliento. En el último momento, ambos esquifes habían quedado descalificados. Los grandes rivales habían neutralizado sus respectivas amenazas.

La atención del público volvió a centrarse en los esquifes que iban en cabeza. Apenas un largo separaba a Platonov de Singh y no había más de medio largo entre Singh y Quivers. Connor estaba afónico de tanto chillar, pero no tenía ninguna intención de parar.

—¡Adelante, Jacoby! ¡Adelante, capitana Quivers!

Mientras gritaba, le alegró ver que el esquife de la capitana Quivers se colocaba junto al del capitán Singh. Platonov seguía sacándoles un largo cuando los esquifes entraron en la última parte del puerto y se aproximaron a la meta.

—¡Venga! —Los gritos del público se tornaron ensordecedores.

Fue el capitán Platonov quien primero cruzó la línea de meta, a medio largo por delante de la capitana Quivers, con un capitán Singh claramente contrariado por verse obligado a ocupar el tercer puesto.

—¡Lo han conseguido! —gritó Connor entusiasmado—. ¡Jasmine y Jacoby lo han conseguido!

—Sí —dijo Cheng Li—. Desde luego, la capitana Quivers se ha empleado a fondo en el último momento. La felicito.

—¡Mira! —exclamó Connor—. Otros dos esquifes han cruzado el arco.

—¡Déjame ver! —Cheng Li alzó sus prismáticos—. El capitán Grammont y el capitán Van Amstel —dijo.

—Con eso, solo quedan el capitán Avery y…

—El comodoro Kuo —dijo Cheng Li—. ¡Es impensable que él termine en el noveno o décimo puesto! Aquí ocurre algo. Me voy a hablar con Platonov. A lo mejor sabe alguna cosa.

—Voy contigo —dijo Connor, no dándole opción a negarse.

Se abrieron paso entre el exultante público. Junto al puerto, los equipos ganadores estaban desembarcando. Connor vio a Jasmine, bebiendo agua con avidez de una cantimplora. Corrió hasta ella y la levantó impulsivamente por los aires.

—¡Enhorabuena! —gritó—. ¡Habéis ganado!

—Gracias —dijo ella—. Ha sido duro, pero hemos aguantado.

A su lado, el capitán Platonov estaba mirando a Cheng Li y negando con la cabeza.

—No lo comprendo —dijo—. El comodoro ha ido en cabeza durante todo el trayecto de ida. Ha llegado a la isla con tanta ventaja que ni siquiera lo hemos visto virar. He supuesto que nos ganaría por una milla. Cuando hemos cruzado el arco de la academia, creía que nos estábamos disputando el segundo puesto. Hasta que he alzado la vista, he observado las caras del público y he visto que el esquife del comodoro Kuo todavía no había llegado.

—¿Cree que tiene problemas, capitán Platonov? —preguntó Cheng Li, con la frente arrugada y escrutándole el rostro.

—No sé qué pensar. Vamos a hablar con Shivaji, a ver qué dice. —Trajo al capitán Singh.

—Enhorabuena, Pavel —dijo el capitán Singh, consiguiendo sonreír—. Habéis peleado bien.

—Gracias. Tú nos lo has puesto difícil. Oye, Cheng Li y yo estamos hablando del comodoro Kuo. No ha dado ninguna señal de vida, ¿verdad?

El capitán Singh contestó:

—No, tú has sido prácticamente el único esquife que hemos visto durante toda la regata. Hasta que la capitana Quivers ha aparecido al final.

—¿Ha mencionado alguien mi nombre? —La capitana Quivers, flanqueada por Jacoby y Bastian, se sumó al grupo—. Siento haber tenido que castigarte al final, Shivaji.

El capitán Singh frunció el entrecejo.

—Capitana Quivers, ¿cuándo y dónde ha visto por última vez el esquife del comodoro Kuo?

Lisabeth Quivers se puso seria de inmediato.

—¿No ha vuelto? No lo he visto desde el principio de la regata. Después de verlo pasar disparado por el arco de la academia, no pensaba que ninguno de nosotros tuviera oportunidad de poder alcanzarlo.

—Estoy convencida de que algo va mal —volvió a decir Cheng Li. Estaba pálida.

Connor vio que los otros capitanes habían llegado a la misma conclusión. Y el rumor se había extendido desde el grupo del muelle a la totalidad de las gradas. Todos, fueran alumnos o invitados, sabían que, para que el comodoro Kuo llegara en último lugar, su esquife tenía que haber sufrido algún percance después de cruzar el arco.

Cuando los capitanes Grammont y Van Amstel cruzaron la línea de meta seguidos a varios largos de distancia por el capitán Avery, apenas hubo aplausos. En lo que a todos respectaba, la regata había concluido. La pregunta que realmente importaba era: ¿dónde estaba el comodoro Kuo y qué le había sucedido?

—No hay necesidad de asustarse aún —dijo el capitán Grammont, quien, pese a haber llegado el cuarto en la regata (tras las descalificación de los capitanes Moscardo y Solomos), asumió el mando de forma natural como suplente que era del comodoro Kuo desde hacía ya tiempo.

—Tenemos que mandar en su busca a los barcos exploradores —dijo el capitán Platonov, en tono de urgencia.

—¿Por qué únicamente los barcos exploradores? —arguyó Kirstin Larsen—. ¡Tendríamos que ir todos!

—¿Hacemos realmente falta los nueve, además de los barcos exploradores, para formar un pelotón de búsqueda? —preguntó el capitán Singh—. Probablemente, hay una explicación sencilla para esto. ¿Un poste del *spinnaker* partido, quizá? —Sus palabras parecieron estar dirigidas a la capitana Larsen, que frunció el entrecejo y le dio la espalda.

—Es del comodoro de quien estamos hablando —dijo el capitán Van Amstel—. Yo voto por que vayamos todos a buscarlo. No perdamos más tiempo hablando.

—Estoy de acuerdo —dijo el capitán Avery.

—*Moi aussi* —añadió el capitán Grammont, dándoles la razón—. El tiempo es crucial.

—Me gustaría ir con ustedes —dijo Cheng Li—. Si les parece bien.

Los capitanes la miraron, sus caras súbitamente congeladas.

—Dios mío —dijo la capitana Quivers—. Qué cosa tan horrible para que pase en el día de tu investidura.

—Venga, Lisabeth —dijo el capitán Grammont—. No sabemos si ha ocurrido algo horrible.

La capitana Larsen puso a Cheng Li una mano en el hombro.

—En cualquier caso, te ha amargado el día. Y sé, Cheng Li, que John no era simplemente tu superior, sino un buen amigo.

—Por favor —dijo el capitán Grammont—, no hables de John en pasado.

—¿Es realmente necesario corregir mi gramática en este momento? —ladró la capitana Larsen, no captando el mensaje.

—Claro que puedes venir con nosotros —dijo el capitán Grammont—. Cogeremos las lanchas de la academia.

—¡Esperad! —Era el capitán Platonov—. Siento discrepar, pero, ¿y si pasa algo aquí? Tomémonos en serio la posibilidad de que hayan atacado al comodoro Kuo. Creo que estaremos cometiendo un error si todos corremos a hacernos otra vez a la mar. ¿Y si hay un complot para atacar la academia? En ese caso, estaríamos ayudando a quien sea que haya urdido esto dejando la academia desprovista de todos sus capitanes con experiencia.

Sus palabras sorprendieron al resto de capitanes, pero el capitán Grammont volvió a asumir el mando.

—Como de costumbre, tus palabras son crudas pero sabias, Pavel. Sugiero que nos dividamos. Yo y los capitanes Larsen, Moscardo y Solomos nos haremos a la mar. Con Cheng Li, por supuesto. El resto esperaréis aquí.

—No solo esperaremos —dijo el capitán Platonov—. Si la academia está en peligro, necesitamos evacuarla o al menos prepararla para un posible ataque.

—No creo que haga falta evacuar a los alumnos —dijo el capitán Grammont—. Limítate a reunirlos en la Rotonda e intenta que no se pongan más nerviosos de lo necesario. Pavel, tú anunciarás nuestros planes al público. —Miró tristemente a Cheng Li antes de continuar—. Y me temo que será mejor que mandes a nuestros invitados a casa.

El capitán Platonov hizo un saludo militar al capitán Grammont. Acto seguido, el grupo de capitanes se dividió para poner en marcha su plan.

Al final, la función de informar al público recayó en la capitana Quivers, cuyas habilidades interpersonales se juzgaron algo más suaves que las del capitán Platonov. De todos modos, el pánico y las conjeturas cundieron entre el público.

Entre el angustioso murmullo de conversaciones, Connor buscó a Jacoby y Jasmine.

—Es horrible —dijo Jasmine.

Jacoby la reconfortó con un abrazo.

—A lo mejor no ha pasado nada, Min —dijo—. Podría haber miles de explicaciones para esto. Incluso en el caso de que el comodoro Kuo haya tenido problemas...

—Y Varsha y Zak —dijo Jasmine—. Parece que nadie hable de ellos.

—Sí —asintió Jacoby—. Pero son marineros fuertes, muy fuertes. Si no fuera así, el comodoro Kuo no los habría elegido, ¿no te parece?

—¿Qué crees que ha pasado? —le preguntó Connor.

Pero Jacoby se limitó a negar tristemente con la cabeza.

—No lo sé, tío. No tengo ni idea.

Al final, se decidió que sería más razonable reunir a los alumnos en el Refectorio que hacerlo en la Rotonda. Lo que había comenzado como un día festivo había terminado como una noche en vela. Los capitanes se habían quedado intentaron mantener alta la moral de los alumnos, pero, en conjunto, el ambiente era triste y claustrofóbico, mientras una tormenta tropical se desataba sobre la academia.

Todo el mundo hacía las mismas preguntas, constantemente: «¿Qué crees que ha pasado?» «¿Cuándo volverá el pelotón de búsqueda?»

Cada vez que uno de los capitanes entraba en la sala, los alumnos se callaban de inmediato, a la espera de oír alguna novedad. Pero no había noticias y, cuando hubieron pasado varias horas, la capitana Quivers tuvo que subir de nuevo al estrado para dirigirse al alumnado.

—Es tarde —dijo— y aquí ya no podemos hacer nada más. La búsqueda de Varsha, Zak y el comodoro Kuo proseguirá durante la noche. Volved a vuestros dormitorios e intentad dormir un poco. Llevadlos en el corazón. Rezad por que regresen sanos y salvos, quizá, pero intentad no dejaros llevar por el miedo. Hablo en nombre de todos los capitanes de la academia cuando digo que estoy segura de que mañana por la mañana tendremos buenas noticias para vosotros.

Los alumnos se fueron a sus dormitorios, agotados por los acontecimientos del día y la preocupación.

Connor, Jasmine, Jacoby y Aamir se dirigieron al muelle. Todo seguía mojado tras un breve pero violento aguacero. A su alrededor estaban el podio y las gradas vacías erigidos para la investidura de Cheng Li, ahora completamente empapados. A la luz de la luna, aquello parecía una ciudad fantasma. Pero los cuatro pares de ojos ni siquiera lo vieron, puesta toda su atención en las aguas del puerto, deseando, contra toda esperanza, que el pelotón de búsqueda regresara con buenas noticias en cualquier momento.

—Mirad. —Aamir señaló hacia el mar—. Ahí viene una de las lanchas.

Tenían el alma en vilo cuando la vieron cruzar el arco en dirección al muelle. La lancha estaba iluminada y otros alumnos y profesores que regresaban a la academia advirtieron su llegada. Cambiaron de dirección y corrieron de nuevo al puerto.

La lancha llevaba a los capitanes —René Grammont, Kirstin Larsen, Francisco Moscardo, Apostolos Solomos— y a Cheng Li. La palidez de sus rostros cuando desembarcaron contó la historia incluso antes de que abrieran la boca.

—No hay señales de ellos —anunció el capitán Grammont—. Y está demasiado oscuro para buscarlos como es debido. Los barcos exploradores van a pasar la noche en la isla. Reanudaremos la búsqueda por la mañana.

Connor miró a Cheng Li. De algún modo, su rostro parecía vacío. Pensó en lo feliz y relajada que había estado hacía unas horas, durante su investidura. Ahora, todo había cambiado.

—No puedo evitar temerme lo peor —dijo, incapaz de disimular ante Connor y los demás.

No había nada que ninguno de ellos pudiera decirle para consolarla. El capitán Grammont la cogió por el brazo y la condujo a la academia. Aquel no era en absoluto, reflexionó Connor, el modo como debería haber terminado su gran día.

El día siguiente amaneció soleado y cálido, con un cielo azulísimo. Connor se despertó temprano y, aunque había dormido poco, se sintió rebosante de energía y listo para levantarse y ponerse en movimiento. Jacoby, que dormía en la cama contigua, estaba roncando, todavía profundamente dormido. Aunque, por otra parte, Jacoby había competido en una regata de dos horas el día anterior, se recordó Connor mientras se vestía y salía de la habitación sin hacer ruido.

Mientras caminaba por los jardines de la academia, vio una figura diminuta en el podio erigido junto al puerto. Era Cheng Li. Estaba escudriñando el mar.

—Se ha echado todo a perder —dijo—. Hoy es mi primer día como capitana, pero estoy demasiado preocupada por el comodoro Kuo para pensar en nada más.

Connor le dio la razón, pensando en lo vulnerable que de pronto parecía sola en el podio. Estuvo tentado de subir para rodearla con el brazo, pero, como de costumbre, le costó saber cuál era el modo correcto de actuar con ella: en cuestión de segundos, Cheng Li podía dejar de ser una amiga vulnerable para convertirse en una altiva jefa.

—¡Señorita Li! ¡Señor Tempest! —les gritó el capitán Moscardo desde la terraza de la academia. Les estaba haciendo señas con mucho entusiasmo.

—¡Rápido! —dijo Cheng Li—. Debe de tener noticias. —Subieron la ladera corriendo.

El capitán Moscardo estaba sin aliento.

—He venido lo antes posible. ¡Corre el rumor de que el comodoro Kuo ha vuelto! Al parecer, está en su estudio.

Cheng Li sonrió y fue, pensó Connor, como el sol cuando asoma entre las nubes. Por muy frustrada que estuviera por su malograda investidura, él sabía que, por encima de todo, estaba preocupada por su amigo.

—¡Vamos! —dijo, tirando de él.

La puerta del estudio del director estaba abierta y Francisco Moscardo se apartó para dejar paso a Cheng Li y a Connor.

Al entrar, vieron que el capitán Grammont se les había adelantado. Estaba parado delante del escritorio del comodoro Kuo. No parecía alegre, sino profundamente afectado. Connor se quedó perplejo.

—No lo entiendo… —dijo Cheng Li, expresando en voz alta los pensamientos de Connor—. El capitán Moscardo nos ha dicho que el comodoro Kuo ha vuelto. Que estaba aquí, en su estudio.

—Así es, hasta cierto punto —dijo el capitán Grammont—. Él no podía saber de qué forma. Quiero que os preparéis para un golpe terrible.

¿Un golpe? ¿De qué estaba hablando? Todo se aclaró cuando se hizo a un lado. Detrás de él, el comodoro Kuo estaba, en efecto, sentado en su silla, igual que siempre. Salvo… salvo que no se movía y tenía los ojos vidriosos. Y le habían extraído toda la sangre del cuerpo.

—Lo siento —dijo el capitán Grammont, bajando la cabeza—. Ojalá hubiera podido prepararos mejor para esto.

Pero ¿cómo podía algo haberlos preparado para la escena horrible y absurda que tenían delante? El comodoro Kuo estaba muerto, de eso no cabía duda. Sin embargo, llevaba la misma ropa que había llevado en vida y estaba colocado en una postura natural, con la mano alargada hacia ellos, como si les quisiera enseñar alguna cosa.

—¿Qué es eso? —preguntó Cheng Li—. Tiene alguna cosa en la mano.

—Es un naipe —respondió Connor.

—Sí —dijo el capitán Grammont, confirmándolo—. Y bastante raro, además. ¿Lo veis? La dama de corazones, pero no es roja, sino negra.

21

Luz matutina

Era el quinto día de la travesía a Crescent Moon Bay. Grace estaba en la cubierta del *Nocturno*. En algunos aspectos, regresar al barco le había resultado la cosa más natural del mundo. Pero había sido un cambio hacerlo sin el capitán. Grace solo podía aferrarse a las esperanzas que Mosh Zu le había dado de que el capitán se estaba tomando el tiempo que necesitaba para curar bien sus heridas. Por otra parte, ahora veía el barco con otros ojos después de todo lo que Sally le había contado y mostrado. Era extraño, pero maravilloso, pensar que ella había estado allí, en aquella cubierta, compartiendo la crema para el sol con sus amigas y escuchando música de guitarra. Ahora, Sally parecía inmensamente frágil, pero Grace había visto cuán rebosante de vida estaba entonces.

Apoyándose en la borda, volvió a pensar en la primera vez que su madre vio a su padre, sentado en una roca sobre su toalla de rayas rojas y blancas. Mientras rememoraba la visión, reparó en algo. ¡Conocía aquella toalla! La había tenido en sus manos una vez mientras vaciaba el armario de la ropa blanca. El rojo se había convertido en un rosa palidísimo y las fibras estaban quebradizas debido a la sal marina. Grace la había puesto en el montón de ropa para tirar, pero, en cuanto su padre la había visto arrojada allí, la había recogido con la misma ternura que si estuviera acunando un bebé. «Creo que a esta toalla aún le queda un tiempo de vida», había dicho a Grace, guiñándole el ojo. Ella lo había mirado con desconcierto mientras él la doblaba cuidadosamente y volvía a dejarla en el estante, sin darle más explicaciones. Ahora, todo cobraba sentido.

Grace estaba tan ensimismada que no vio al joven que venía corriendo en su dirección. Cuando pasó por su lado, resbaló en un charquito de espuma de mar y chocó con ella. Los dos se cayeron al suelo.

—Lo siento mucho —dijo el joven, ayudándola a levantarse—. ¿Te has hecho daño?

—No —respondió ella—. Estoy bien. No te preocupes. Ha sido culpa mía… estaba un poco abstraída.

—Sí que parecías ensimismada —dijo él—. ¿En qué estabas pensando, si se puede saber?

—Es una larga historia —respondió ella.

—¡Son mis preferidas!

Grace se fijó mejor en el joven que tenía delante. Era guapo y esbelto, con el pelo cortado al rape y los ojos grises.

—¿Corres todos los días? —preguntó.

—¡Sin falta! —respondió él—. Bueno, les gusta que estemos en forma.

—¿«Estemos»? —repitió Grace.

—Los donantes —le aclaró el joven.

—¿Tú eres un donante? —le preguntó ella. «Como mi madre», pensó.

—Sí —respondió el joven—. Pero mi vampirata ha abandonado el barco hace poco para unirse a Sidorio y los rebeldes. —Se subió la camiseta, enseñándole la fea herida que tenía en el pecho—. ¡Eso no le impidió ponerse un poco desagradable antes de marcharse!

Grace frunció el entrecejo.

—Eso tiene que doler.

El donante se encogió de hombros.

—No es nada. A muchos donantes les fue peor que a mí. Me han dicho que se me curará con bastante rapidez.

Grace pensó en otra cosa.

177

—Si tu vampirata ha abandonado el barco, ¿dónde te deja eso a ti? —Pensó en Shanti—. ¿No es peligroso ser donante sin tener un vampirata como pareja?

El chico le dio la razón, pero sonrió.

—Por suerte, ya me han emparejado con otro vampirata. Y, esta vez, estoy seguro de que no me hará ningún daño. Es majísimo. Se llama Lorcan Furey.

—¡Lorcan! —exclamó Grace.

—¿Lo conoces?

Grace asintió.

—¡Espera un momento! —dijo el donante—. ¿A que adivino quién eres? Sin perder un segundo, exclamó—: Eres Grace, ¿verdad?

Ella se ruborizó.

—Así es. Soy Grace. ¿Y quién eres tú?

—Oh, lo siento. —El donante le tendió la mano—. Me llamo Oskar. Es un placer conocerte, Grace. Lorcan me ha hablado mucho de ti. —Sonrió—. Me encantaría que pudiéramos ser buenos amigos.

—Sí —dijo Grace, pensando en su tensa relación con Shanti—. Sí, estaría bien.

—Bueno, ¿qué estás haciendo ahora mismo? —preguntó Oskar—. ¡Me gustaría conocerte mejor, y no hay mejor momento que el presente!

Grace vaciló.

—¿Qué pasa? —preguntó Oskar—. ¿Tienes algo que hacer?

Grace tomó una decisión instantánea. A fin de cuentas, aún tardarían un rato en arribar a la bahía, y Sally seguía durmiendo.

—No, ahora mismo no tengo nada que hacer —respondió—. Pero debo advertirte una cosa, Oskar. ¡Yo no corro!

Él se rió a carcajadas.

—Tranquila —dijo—. Ya he corrido bastante por esta mañana. ¡Sentémonos a disfrutar de la brisa! Hace una mañana gloriosa, ¿no crees? ¡Un día para celebrar el mero hecho de estar vivos!

Grace sonrió. La presencia de Oskar era tan cálida y vigorizante como la luz matutina. Justo lo que necesitaba.

Grace pasó unas horas muy agradables con Oskar. De hecho, el donante era de trato tan fácil que, después de estar únicamente una mañana con él, tenía la sensación de conocerlo mejor de lo que jamás había llegado a conocer a Shanti.

«He hecho un nuevo amigo —pensó para sus adentros, con cierto placer—. Y, mejor aún, él estará despierto durante el día, con lo que ya no estaré sola.» Aunque, por otra parte, siempre había tenido la posibilidad de relacionarse con otros donantes del *Nocturno*. ¿Por qué no se le había ocurrido hacerlo hasta entonces? Era como si su fascinación por los vampiratas le hubiera nublado la razón. Sin duda, su determinación de ceñirse a los ritmos diarios de los vampiratas le había impedido estar igual de activa durante el día que durante la noche. Pero tal vez no fuera únicamente eso, reflexionó. Tal vez, en su fuero interno, si le dieran a elegir entre donantes y vampiratas, ella siempre se quedaría con los vampiratas, como había dicho Connor.

Movió la cabeza. Oskar la estaba mirando con curiosidad.

—¿En qué estás pensando? —preguntó. Grace no sabía si estaba totalmente preparada para decírselo, por lo que cambió de tema.

—Se me hace rarísimo que seas el donante de Lorcan —dijo.

Oskar enarcó una ceja.

—¿Raro en qué sentido?

—Es decir, que seas hombre y seas el donante de Lorcan —aclaró ella, ruborizándose—. Supongo que había dado por sentado que, porque Shanti era mujer, también iba a serlo quien la sustituyera.

Oskar se encogió de hombros.

—Muchos vampiratas están emparejados con donantes del mismo sexo.

Grace asintió. Ahora que lo decía, recordó haberlo visto con sus propios ojos en el Festín al que había asistido.

—Grace —dijo Oskar—. Sé que tú y Shanti no os llevabais bien. Lorcan me lo ha contado. Le preocupaba mucho encontrar un nuevo donante que se llevara bien contigo.

Grace se sorprendió.

—¿Ha dicho eso?

Oskar asintió.

—Eres muy importante para él, Grace. Y no, no me lo ha dicho en tantas palabras, pero no ha sido necesario. Lo que siente por ti está clarísimo. —Sonrió—. Grace, lo de ser amigos lo he dicho en serio. Lorcan es un tío genial y eso, pero, a la hora de la verdad, yo solo soy su RSA.

—¿Su «RSA»? —preguntó Grace, desconociendo el acrónimo.

Oskar sonrió.

—Reserva de Sangre Ambulante.

—No. —Grace disintió—. No te infravalores.

Oskar se encogió de hombros.

—Tranquila, Grace. Yo no me engaño. Sé cuál es mi lugar en este barco. Tengo mis razones para hacer esto y soy consciente de la transacción que estoy haciendo.

Grace lo miró fijamente.

—¿Por qué haces esto? —preguntó—. Si no es una pregunta demasiado personal. —Aunque estaba interesada en oír la respuesta, también tenía en mente las motivaciones de su madre. De lo único de que Sally rehusaba hablar con ella era de las razones que la habían conducido al barco.

—Tranquila —dijo Oskar, sonriendo—. Mira, Grace. No estoy nada mal, ¿vale? Y me han dado esta oportunidad de oro de ser inmortal. En otras palabras, ¡puedo viajar por todo el mundo y mantenerme así de joven y guapo eternamente! —Le guiñó el ojo.

Grace sonrió. Su primer impulso fue tachar sus opiniones de superficiales, pero quizá se estuviera precipitando. El mundo era un lugar duro. Ella lo sabía, habiéndose criado casi en la miseria en un pueblo sin futuro. ¿Acaso no se había quedado contemplando las aguas de la bahía desde el faro de su padre, deseando escapar y vivir aventuras? En su caso, las aventuras habían venido a su encuentro. Pero ¿y si las cosas hubieran sido distintas? Quizá las habría buscado de todas formas. Quizá hasta habría hecho el mismo pacto que Oskar, y que Sally antes que él. ¿Quién era ella para juzgarlos? A la hora de la verdad, ¿quién no quería ser eternamente joven y tener una vida apasionante y fácil? Una vez más, pensó en Sally. Las cosas no le habían salido como esperaba. Pero ¿por qué? ¿Por qué se habían torcido? ¿Fue por Dexter? ¿O por Sidorio? ¿O por ambos, quizá? Esperaba que aquel viaje fuera a darle algunas respuestas.

—De cualquier modo, ¿por qué te interesa tanto la relación entre vampiratas y donantes? —preguntó Oskar—. ¿Te estás planteando hacerte donante?

Grace negó con la cabeza, recordando la vez en que se había ofrecido a ser la donante de Lorcan.

—No, no me estoy planteando hacerme donante, pero mi madre lo fue. Supongo que me interesa saber más cosas de cómo es.

—¿Tu madre? —dijo Oskar, sorprendido—. ¿Sabes que me parecía que te conocía?

Grace sonrió alegremente.

—¡Tú la conocías! —De pronto, había caído en la cuenta—. ¡Tú eres Oskar!

—Sí, Grace. Eso ya te lo he dicho.

—Tocas la guitarra. ¡Llevabas el pelo mucho más largo, pero te reconozco!

Oskar movió la cabeza, perplejo.

—¿Me reconoces? Me estás confundiendo.

—Es complicado —dijo Grace—. Pero mi madre se llamaba Sally. Era amiga de Shanti y otra donante que se llamaba Teresa...

Oskar se quedó mirándola, boquiabierto.

—¡Claro! ¡Me acuerdo de Sally! Y tú eres clavadita a ella. No sé cómo no me he dado cuenta antes. ¿Cómo está? ¿Dónde está?

—Está en el barco —respondió Grace.

Una vez más, el rostro de Oskar dejó traslucir su confusión.

—¿Has oído hablar de las almas que portaba el capitán? —le preguntó Grace.

Oskar asintió, lleno de preocupación.

—Siempre me he preguntado qué le pasó. ¿Está bien?

—Bastante bien, dadas las circunstancias —respondió Grace—. Pero está débil, muy débil. —Hizo una pausa—. Seguramente ya lo sabrás, pero casi todas las otras almas que volvieron con ella ya se han desvanecido. —Notó un nudo en la garganta—. Pero, aunque está frágil, mi madre está aguantando. Nos dirigimos a Crescent Moon Bay para visitar la tumba de mi padre, Dexter. —Hizo otra pausa—. Lo ha pedido ella… creo que le ayudará…. —Fue incapaz de borrar la emoción de su voz.

—También me acuerdo de Dexter. —Oskar le sonrió—. Un tipo genial. Muy noble. —Se quedó callado—. ¿Estás llevando a Sally a casa? —le preguntó.

Grace se encogió de hombros.

—No es su casa. Ella no ha estado nunca allí. Ni siquiera estoy segura de que continúe siendo la mía. Es el lugar del que provengo, y guardo algunos buenos recuerdos de él. Pero allí ya no me queda nadie. Mi padre se ha ido. Connor está en el mar. Ya no tengo una vida a la que regresar. —Lo miró, notando la fría tenaza del miedo—. Oskar, creo que ya no tengo casa.

Oskar le sonrió.

—Comprendo que te sientas así —dijo—. Yo pensaba lo mismo. Pero puede que tu casa no sea un lugar. Puede que sea una sensación que tienes, dentro de ti, estando con las personas que te importan. Puede que tu casa esté justo aquí, a bordo de este barco.

Grace reflexionó sobre aquello.

—Sí —dijo por fin, sintiéndose súbitamente más tranquila—. Sí, creo que puedes tener razón.

Se quedaron sentados en amigable silencio durante un rato, mirando las olas y alzando el rostro para disfrutar de la suave brisa y la calidez del sol.

Entonces, Grace divisó algo en la lejanía.

—¡Oskar! —gritó, dando un respingo.

Oskar se rió y se agarró el pecho.

—¡Cuidado, Grace! Casi me matas del susto.

—Lo siento —dijo ella—. Lo siento, pero creo que ya casi hemos llegado. ¡Mira, es el faro! ¡Mi faro! —Le sorprendió notarse tan conmovida. Puede que Crescent Moon Bay tuviera más importancia para ella de lo que creía.

Un faro de rayas blancas y rojas se estaba perfilando en lo alto de los acantilados de la bahía siguiente.

—¡Tengo que ir a buscar a mi madre! Seguro que querrá ver esto. Ven conmigo… ¡deprisa!

Corrieron bajo cubierta y se internaron en el laberinto de pasillos. Grace estaba sin aliento cuando llamó a la puerta de Sally.

—¡Mamá! ¿Estás despierta? ¿Puedo entrar?

—¡Sí, sí! —gritó excitada Sally desde el interior.

Al entrar, Grace descubrió que su madre no estaba, como esperaba, acostada en la cama. Estaba sentada, completamente vestida, junto a la portilla, contemplando el mar. Miró a Grace y le sonrió.

—Hemos llegado, ¿verdad?

—Sí —dijo Grace—. ¿Ves el faro?

Sally asintió.

—Sí, cielo. ¡Sí!

—La vista es mucho mejor desde cubierta —dijo Oskar, asomando su hermoso rostro por la puerta.

—¡Oskar! —exclamó Sally, encantada de verlo.

—¡Sally! —Oskar se acercó y la besó en las mejillas—. Es estupendo volver a verte después de tanto tiempo. —Tenía lágrimas en los ojos.

—Veo que sigues siendo el mismo artista sensible de siempre —dijo Sally, sonriendo—. Oíd, si la vista es mucho mejor desde arriba, ¿por qué somos tan tontos de quedarnos aquí?

—¡Tienes razón! —exclamó Grace—. ¡Vamos!

Salieron a cubierta justo cuando el *Nocturno* rebasaba el último arrecife que los separaba de su destino.

Sally se quedó boquiabierta cuando apareció el pequeño pueblo costero. Apretó la mano a Grace.

—Así que este es. ¡Crescent Moon Bay!

22

La misión

El *Tigre* seguía anclado en el puerto de la Academia de Piratas, pospuesto su viaje inaugural por la tragedia acontecida en la Regata de los Capitanes. Connor, al igual que el resto de la tripulación, tenía una creciente sensación de claustrofobia. Ya era hora de que se hicieran a la mar. ¿De qué utilidad podían ser allí? Sin duda, lo que había sucedido era terrible. Horroroso. No podía describirse en palabras. Pero los piratas estaban hechos para surcar los mares, no para estar ociosos en el puerto de la academia. Aquel lugar le evocaba demasiados malos recuerdos para poder sentirse cómodo en él, incluso antes de la desgracia que había ocurrido el día de la investidura de Cheng Li.

—Tempest —oyó que decía un marinero—. ¿Está Connor Tempest por aquí?

—¡Aquí! —gritó él, saltando para que fuera más fácil verlo.

—La capitana Li quiere verte —dijo el pirata—. En su camarote. Lo antes posible.

—Sí, sí —dijo Connor, con una sonrisa de satisfacción. ¿Había alguna vez en que Cheng Li no esperara que sus órdenes se cumplieran lo antes posible?

Corrió por cubierta y tomó el pasillo que conducía al camarote de la capitana. Cuando llamó a la puerta, Cheng Li la abrió de inmediato.

—Connor —dijo—. ¿Qué te ha retrasado?

—¿Qué pasa? —preguntó él. Luego, recordó que probablemente debería dirigirse a ella con algo más de formalidad ahora que era capitana y él un mero alférez.

—Nos han convocado a una reunión —anunció Cheng Li.

—De acuerdo —dijo Connor—. ¿Dónde? ¿Cuándo?

—En la academia —respondió ella—. Dentro de tres minutos escasos. ¿Crees que puedes subir la montaña en ese tiempo?

—¡Claro! —Connor sonrió alegremente—. Pero ¿qué ocurre?

—Es un asunto de la Federación —dijo Cheng Li.

—Oh. —La exaltación de Connor menguó. Sus anteriores encuentros con la Federación no le habían insuflado mucho entusiasmo por la organización—. ¿No debería acompañarte Jacoby? Es tu segundo de a bordo. Yo soy un mero alférez.

—Soy muy consciente del rango de mis marineros —respondió tajantemente Cheng Li—. En circunstancias normales, me acompañaría Jacoby, pero resulta que esta mañana está ocupado.

—¿Así que yo suplo a tu suplente? —preguntó Connor, sonriendo—. ¿Me convierte eso en el tercero de a bordo?

—De hecho, me han pedido específicamente que asistas a la reunión —dijo Cheng Li—. Venga, pongámonos en marcha. No hay que hacerles esperar.

El tamborileo de los pasos de Cheng Li y Connor en el suelo de mármol advirtió de su presencia a la secretaria del director. La señorita Martingale alzó la cabeza y les sonrió débilmente. Su rostro, observó Connor, estaba surcado de lágrimas que le habían corrido el maquillaje. Cuando se acercaron a su mesa, ella cogió un pañuelo de papel y comenzó a corrérselo todavía más.

—Hola, Frances —dijo Cheng Li—. ¿Cómo estás?

—No muy bien —dijo la secretaria—. Ha sido muy inesperado.

—Sí —dijo Cheng Li—. Para todos. Kuo era un hombre excepcional: un pirata sin par, un mentor irreemplazable y un amigo maravilloso.

Sus palabras pretendían ser tranquilizadoras, pero surtieron el efecto contrario en la señorita Martingale, que cogió otro pañuelo. Cheng Li aguardó pacientemente. Luego, dijo en voz baja:

—Frances, siento hablar de trabajo en un momento como este, pero nos han convocado a una reunión con la Federación.

—Sí. —La señorita Martingale asintió—. Sí, me han informado de que vendrían. Voy a asomarme para ver si ya están listos.

Cuando la secretaria desapareció, Connor preguntó a Cheng Li:

—¿Sabes con quién exactamente nos reunimos?

—No —respondió Cheng Li—. John ha sido el cargo más alto de la Federación con el que he tratado nunca. Y era muy alto. Imagino que René Grammont lo ha sucedido. —Volviendo a oír los pasos de la señorita Martingale, añadió—: ¡Parece que estamos a punto de averiguarlo!

—Ya están listos —anunció la señorita Martingale—. Si son tan amables de seguir el pasillo… bueno, ya conocen el camino al estudio del… director. —Se interrumpió, entristecida.

—Sí —dijo Cheng Li—. No te preocupes. ¡Conocemos el camino! —Mientras se alejaba a buen paso seguida de Connor, se volvió y masculló—: Pobrecilla. Adoraba a John. Bueno, supongo que lo adorábamos todos. —Connor asintió, decidiendo que aquel no era el momento para decir lo que pensaba.

Cheng Li llamó a la puerta y, tras un breve intervalo, esta se abrió. Tras ella los recibió el conocido rostro del capitán René Grammont.

—Señorita… Perdón… «capitana» Li. Y señor Tempest. Entrad.

Al parecer, pensó Connor, Cheng Li había supuesto bien. Grammont había sucedido a Kuo en la Federación. Bueno, Grammont le caía mejor. Parecía más de fiar. Aun así, pensaba tener cuidado y cubrirse las espaldas en todo momento.

—Me alegro de volver a verle, capitán —dijo Cheng Li, saludándolo con un beso en la mejilla—. Incluso en estas funestas circunstancias.

—Sí —asintió él, tendiendo la mano a Connor para que se la estrechara—. Dime, ¿cómo lo lleva tu tripulación?

—Están todos un poco afectados —respondió Cheng Li—. Pero listos para zarpar. Creo que es lo que John y sus dos alumnos habrían querido.

—Muy cierto —dijo el capitán Grammont—. Bueno, estoy seguro de que el *Tigre* no va a quedarse aquí durante mucho más tiempo. De hecho, creo que podemos tener buenas noticias para ti a ese respecto.

—¿«Podemos»? —preguntó Cheng Li, enarcando una ceja con curiosidad.

En respuesta, el capitán Grammont les señaló una figura que ni Cheng Li ni Connor habían visto al entrar en el estudio. Había un hombre de espaldas a ellos, a la sombra de las puertas acristaladas que había detrás del escritorio. En ese momento, se volvió para escrutarlos. Llevaba un uniforme de color azul metálico. Cuando abandonó las sombras y salió a la luz, fue difícil determinar su edad. Tenía el rostro extrañamente terso, pero llevaba bigote y perilla. Un parche le tapaba el ojo izquierdo. La pupila del derecho era de una intensa tonalidad violeta.

—Capitana Li, señor Tempest, permitidme que os presente al comodoro Ahab M. Black.

Connor sabía que Cheng Li estaba tan sorprendida como él por aquel giro de los acontecimientos, pero, como de costumbre, ella no se inmutó.

—Comodoro Black. ¿Cómo está usted?

—Capitana Li —dijo él, estrechándole fríamente la mano—. He oído cosas muy buenas de usted.

—Gracias —dijo ella—. Ojalá pudiera devolverle el cumplido, pero me temo que nunca he oído mencionar su nombre. ¿Es nuevo en la Federación?

El comodoro Black la miró, pero no dijo nada. Fue el capitán Grammont quien tuvo que dar las explicaciones pertinentes.

—El comodoro Black era la persona de la Federación de Piratas ante la que respondía John. El hecho de que no hayas oído hablar de él hasta ahora se debe al deseo de la Federación de mantener a sus cargos más altos en el anonimato.

El comodoro Black asintió.

—Eso es todo, más o menos. Gracias, René. —No sonrió cuando volvió a mirar al anciano capitán—. Puedes irte. Seguiré solo a partir de ahora.

Connor supo, por la expresión de Grammont, que no se esperaba aquello, pero, con la diplomacia que lo caracterizaba, el capitán solo sonrió y murmuró:

—Por supuesto. —Sonrió a Cheng Li y a Connor—. A lo mejor me paso luego por el barco —dijo—. Quizá podamos tomar un té.

Cheng Li lo aprobó.

—Será un placer.

El capitán Grammont y el comodoro Black se hicieron sendos saludos militares y Grammont salió del estudio. Ahab Black, quien, en opinión de Connor, parecía incluso menos ducho en los principios básicos de la interacción humana que Cheng Li, volvió a darles la espalda y se dirigió a la ventana.

—¿Nos sentamos? —preguntó Cheng Li, poniendo los ojos en blanco con exasperación. Connor intentó no reírse.

—Como quieran —respondió el comodoro Black—. Voy a ser breve.

—Muy bien —dijo Cheng Li, sentándose en uno de los dos sillones de piel colocados delante del viejo escritorio del comodoro Kuo e indicando a Connor que lo hiciera en el otro.

—Los tiempos están cambiando. Y deprisa —anunció Ahab Black en su tono monótono cada vez más exasperante.

—Desde luego —asintió Cheng Li.

Súbitamente, Ahab Black se dio la vuelta, ensartándolos a los dos con su único ojo visible.

—La Federación tiene una misión para ustedes —dijo—. Desde hace ya algún tiempo, sabemos que existe un barco de piratas vampiro o «vampiratas». Creo que ustedes también están al corriente de este fenómeno.

—Sí —admitió Connor.

—He oído hablar de él —respondió Cheng Li, cubriéndose las espaldas. Connor la recordó vívidamente diciéndole sin dejar lugar a dudas que semejante barco no podía existir. Había que reconocer que podía cambiar de postura sin ningún esfuerzo.

—En general, los vampiratas nos han causado muy pocos problemas en tiempos recientes —continuó Ahab Black—. Algún que otro incidente, pero nada que haya sido difícil de contener. Por nuestra parte, hemos adoptado una postura tolerante. Hemos, por así decirlo, hecho la vista gorda.

Quizá una expresión poco afortunada para alguien que llevaba un parche en un ojo, reflexionó Connor.

—¡Todo ha cambiado! —Ahab Black echó fuego por su único ojo y su voz destiló ácido sulfúrico—. El ataque al comodoro Kuo y sus jóvenes ayudantes ha sido una afrenta directa a la autoridad de la Federación de Piratas.

—¿Y cree que los responsables han sido los vampiratas? —preguntó Cheng Li.

—Así es —respondió Black—. Ha sido una salva disparada para herirnos a muy alto nivel. Pues bien, hemos captado el mensaje y vamos a responder.

El comodoro había captado toda la atención de Cheng Li y Connor.

—Se nos ha agotado la paciencia —dijo—. A partir de ahora, la Federación adoptará una política de agresión directa con los vampiratas. Erradicaremos esta plaga de nuestros mares y eliminaremos la amenaza que supone a esta y a las futuras generaciones de piratas. —Golpeó fuertemente el escritorio con los puños cerrados—. Limpiaremos los mares.

—¿Cuál va a ser nuestro papel en esto? —preguntó Cheng Li.

—Ustedes van a estar a la vanguardia de esta nueva política —respondió Black—. El *Tigre* va a ser el primer barco con una tripulación especializada en matar vampiratas. Y su primera misión va a ser eliminar al asesino de John Kuo y sus alumnos.

—Tengo una pregunta —dijo Connor.

—Y yo. —Cheng Li se le adelantó. El entusiasmo le había encendido la mirada—. ¿Cuánto apoyo obtendremos para esta iniciativa?

—Un apoyo total —anunció Black—. Lo que necesiten, lo tendrán. Usted ya tiene una tripulación de elite. Si quiere aumentarla, no hay problema…

—¿Presupuesto? —inquirió Cheng Li.

—Abierto —respondió Black—. Lo que sea necesario para cumplir la misión.

—Necesitaremos espadas nuevas —dijo Cheng Li.

Connor pensó en el cargamento de espadas que habían traído recientemente del taller del espadero Yin. Hasta el momento, las armas solo se habían utilizado para prácticas de combate.

—Ahora combatiremos contra vampiratas —dijo Cheng Li, como si le hubiera leído el pensamiento—. Necesitaremos nuevas armas y tendremos que investigar tanto en armamento como en estrategias de ataque.

—Hecho. —El comodoro Black estuvo de acuerdo con ella—. Pensamos del mismo modo, capitana Li. Veo que es, en efecto, la capitana idónea para este trabajo. —Sonrió, por fin—. Acaba de decir que van a tener que investigar. En eso podemos ayudarle. —Rodeó el escritorio. Abriendo un cajón, sacó un octógono de mosaico y se lo dio.

—Este rompecabezas es la llave para poder acceder a un archivo secreto. En dicho archivo se guardan todas las investigaciones que hemos realizado hasta la fecha acerca de los vampiratas. Creo que usted, concretamente, las encontrará muy instructivas —dijo, sonriendo a Cheng Li—. El archivo está oculto bajo el suelo de la Rotonda.

Cheng Li asintió, haciendo girar el extraño octógono de mosaico entre los dedos.

—¡Pensar que el archivo secreto lleva aquí todo este tiempo, justo debajo de nuestras narices! —Miró a Ahab Black—. Entonces, ¿la Federación lleva varios años controlando a los vampiratas?

—Así es. Como he dicho, ya hace bastante tiempo que los estamos vigilando. Y las cosas nos han ido relativamente bien. Pero, ahora, han cruzado la línea. Es hora de recordarles quién gobierna los mares.

Connor tenía ganas de vomitar. Debía decir algo.

—¡Un momento! —comenzó a decir. Lo dijo con más ímpetu del que pretendía y consiguió captar la atención tanto de Cheng Li como de Ahab Black.

—Lo siento —dijo—. No es mi intención ser irrespetuoso, con ninguno de los dos. Pero yo he tenido cierto contacto con los vampiratas.

—Sí —dijo Black—. Por eso te he hecho venir. Tú encabezaste el ataque. Fuiste todo un héroe, según mis fuentes. Incendiaste su barco y los ahuyentaste.

—No fue tan sencillo —objetó Connor—. Destruimos a algunos de ellos. Pero no a todos. El principal, Sidorio, sobrevivió.

—Es normal —dijo Black—. Llámalo novatada. Curva de aprendizaje. Pero, a partir de ahora, esperamos un índice de éxito del ciento por ciento.

—Incluso si podemos encontrar formas… —comenzó a decir Connor.

—Encontraréis formas —dijo Black—. No me cabe ninguna duda.

—Incluso así —insistió Connor—. No todos los vampiratas son tan crueles. Hay una tripulación rebelde, sí. Pero son la excepción, no la regla. Los demás, bueno, usted mismo lo ha dicho, llevan mucho tiempo compartiendo los mares con ustedes.

Estaba sudando, demasiado consciente de lo mucho que había en juego. Pensó en Grace, desconocedor de su paradero exacto, pero seguro de que estaba con los vampiratas. Y pensó también en el capitán vampirata, en aquel encuentro en el local de Ma Kettle, cuando le había ordenado que atacara a los vampiratas rebeldes con fuego. Había funcionado. Tal vez no en un ciento por ciento, pero había funcionado. Y recordó algo más. La extraña sensación que había tenido al estrecharle la mano; de que, de algún modo, ya se la había estrechado antes, de que, a algún nivel, también él tenía un vínculo con los vampiratas.

La voz de Ahab Black lo trajo de vuelta al presente.

—Comprendo lo que dices, Tempest, pero, como ya te he dicho, hemos cambiado nuestra política. La Federación está decidida.

—El caso es este. —Connor hizo un último intento—. No todos los vampiratas son malvados… —Sus palabras lo sorprendieron. Finalmente, Grace lo había convencido. Apenas se lo podía creer, pero ahora sabía que ella tenía razón. Aunque no había ninguna posibilidad de que la Federación de Piratas fuera a estar de acuerdo con ninguno de los dos.

—Será mejor que te reserves esa clase de pensamientos, hijo —gruñó Black—. De hecho, será mejor que te los quites por completo de la cabeza. Eres un joven pirata con una misión importante. Y, mientras trabajes para la Federación de Piratas, en lo que a ti respecta, los únicos vampiratas buenos son los que están muertos. Hay que eliminarlos a todos, empezando por el jefe de la manada. El tipo que ha asesinado a John Kuo y a sus alumnos, tus compañeros.

Connor podría haber objetado que, en verdad, jamás había sido alumno de la academia, pero era consciente de que no le serviría de nada. Como Black había recalcado, él era un joven pirata que, contra todo pronóstico, ya había dejado de trabajar para un capitán. Ahora tenía un nuevo empleo, un empleo que había buscado vigorosamente, y la mismísima Federación de Piratas le había encargado una misión. Tendría que estar orgulloso y entusiasmado.

En cambio, tenía muchísimas ganas de vomitar. Debía de haber alguna salida, pensó. ¿Y si ayudaba a Cheng Li a cumplir la misión de la Federación y destruía a los vampiratas rebeldes? Eso le daría más tiempo, e influencia para convencer a la Federación de que había vampiratas buenos, como el capitán y Lorcan Furey. Sí, y también le daría tiempo para convencer a Grace de que tenía que romper con los vampiratas de una vez por todas. Podía lograrlo. Lo único que necesitaba era tiempo.

—Tengo una pregunta para ti —dijo el comodoro Black. Estaba mirándolo a él, no a Cheng Li—. ¿Sabes qué vampirata ha matado a John y a los alumnos de la Academia de Piratas?

—Eso creo —respondió Connor—. Yo diría que Sidorio. Ninguno de los otros… Bueno, estoy seguro de que ha sido Sidorio.

—Bien —dijo Black—. Entonces, ya tenéis el primer objetivo. Eliminad a ese Sidorio y luego ya veremos.

—No le defraudaremos —dijo Cheng Li, deseosa de reafirmar su papel en la misión.

—Eso espero, capitana Li. Háganos saber qué necesita y se lo conseguiremos.

—¿Y me pondré en contacto con usted aquí o en la sede de la Federación?

Black volvió a sonreír.

—Nos mantendremos en contacto, capitana Li. No abrigue ningún temor en ese sentido. Esto es demasiado importante para que la Federación obre de cualquier otro modo. Triunfe en esta misión y le garantizo un ascenso meteórico. Fracase y... bueno, el fracaso no es realmente una opción.

—La palabra «fracaso» no existe en mi vocabulario —dijo Cheng Li, sonriendo.

Sin decir nada, Ahab Black se dirigió a la ventana, volviendo a darles su ancha espalda.

Connor y Cheng Li se quedaron en los sillones, no sabiendo qué hacer a continuación. Por fin, Black volvió la cabeza, los miró y se rascó la perilla, levemente irritado.

—¿Qué siguen haciendo aquí? —preguntó—. La reunión ha concluido.

23

El baño de sangre de lady Lola

En el *Vagabundo* era costumbre que el cambio de guardia se efectuara a la hora en punto y así fue que, justo a las doce, Marianne y Angelika salieron a cubierta para empezar su turno. Intercambiaron los mínimos cumplidos con Jessamy y Camille antes de que ellas, aligeradas de sus faroles y obligaciones, regresaran abajo.

—¿Prefieres babor o estribor? —le preguntó Marianne a su compañera.

Angelika se lo pensó un momento.

—Tú ve a babor y yo iré a estribor.

Marianne asintió y se dirigió al lado izquierdo del barco.

Entretanto, Angelika lo hizo al derecho. La brisa meció sus faroles como si fueran luciérnagas.

—¡Angelika! —Al oír el inesperado chillido de su camarada, Angelika se dio instantáneamente la vuelta y volvió sobre sus pasos. Llegó justo a tiempo de ver a un hombre grande y fornido encaramándose a la borda. Desde allí, saltó pesadamente a cubierta. Aunque tenía que haber salido del agua, su ropa y su pelo cortado al rape estaban completamente secos.

—¡Alto, forastero! —gritó Marianne. Su farol iluminó la ancha sonrisa del hombre y sus colmillos de oro.

—¿Quién eres? ¿De dónde vienes?

—Deja de disimular —dijo él—. Sabes perfectamente que soy Sidorio, rey de los vampiratas. Venga, llévame con tu capitana.

Marianne y Angelika se miraron. Luego, volvieron a encararse con el intruso.

—No puede ver a la capitana ahora —replicó Marianne—. Está ocupada.

Sidorio se encogió de hombros.

—Esperaré —dijo.

Angelika frunció el entrecejo.

—Nos ha dado instrucciones muy claras. No le espera, ¿no?

Sidorio se rió.

—Que no me espere no significa que no vaya a querer verme —dijo.

—Es un poco pronto para hacer visitas —dijo Marianne, con educación pero también con firmeza—. Quizá quiera dejar su tarjeta de visita y nosotras le pasaremos el mensaje…

Decidido a no perder más tiempo, Sidorio pasó por su lado y se dirigió resueltamente a las escaleras.

—¡Esto es intolerable! —se quejó Marianne.

—¡Vuelva! —gritó Angelika.

Pero Sidorio hizo caso omiso a sus palabras. En vez de eso, fue bajo cubierta y se puso a andar por el pasillo, abriendo puertas y suscitando gritos de sorpresa y preocupación en el interior de los camarotes. Varias marineras asomaron la cabeza con curiosidad.

—¡¿Qué está pasando?! —gritó una.

—¡¿Quién es?! —chilló otra. Por norma, los hombres tenían prohibido entrar en el *Vagabundo*.

—¡Se llama Sidorio! —gritó Marianne mientras corría tras él.

—Dice que está aquí para ver a la capitana —añadió Angelika.

Justo entonces, una voz, tan diáfana como el cristal, resonó en el pasillo.

—¿Quién dice que está aquí para verme?

Marianne y Angelika abrieron la boca a la vez, pero fue una retumbante voz más grave la que respondió.

—¡Sidorio, rey de los vampiratas!

Por fin, Sidorio dejó de andar, deteniéndose al final del pasillo ante un par de puertas doradas.

Detrás de las puertas oyó una sonora carcajada.

—¡Qué sorpresa tan estupenda! ¡Bienvenido al *Vagabundo,* Sidorio! Espere un momento. Me coge poco preparada.

La voz mantuvo a Sidorio clavado al suelo, dando a Marianne y Angelika ocasión de alcanzarlo al fin. Después de un minuto o dos, las puertas dobles se abrieron.

—¡Adelante! —gritó lady Lockwood desde dentro.

Sidorio entró en el camarote a oscuras, arrugando la nariz al percibir el fuerte olor que lo impregnaba. Dentro no había ningún farol encendido, solo velas, centenares de velas. Olían a flores. No era un olor al que estuviera habituado ni que le gustara particularmente.

—Lo siento mucho, capitana —dijo Angelika, entrando detrás de Sidorio.

—Hemos intentado detenerlo —añadió Marianne—. Pero ha sido muy insistente.

—Tranquilas —dijo lady Lockwood, abandonando la oscuridad—. Ya me ocupo yo. —Sonrió a sus ayudantes. Luego, concentró toda su atención en el forastero—. Sidorio —dijo, alzando la mano—. Ha mantenido su palabra. ¡Volvemos a vernos!

—Sí —dijo él—. He venido a darle las gracias por sus regalitos. Deduzco que la Bodega del Corazón Negro es suya.

—Exacto —dijo lady Lockwood—. ¿No quiere pasar? Hace un poco de frío aquí en la entrada.

Fue entonces cuando Sidorio advirtió que lady Lockwood solo llevaba puesta una bata de seda. Captando su azoramiento, ella sonrió.

—Debe disculpar mi salto de cama, señor. No esperaba compañía y usted ha llegado a mi hora del baño.

Señaló la bañera del rincón del camarote. Estaba llena de agua rosa. O, seguramente, de algo que no era agua. Una vez más, Sidorio arrugó la nariz. Mezclado con la fragancia a flores de las velas, detectó un olor familiar.

—Sí. —Lady Lockwood asintió—. Es sangre. Me baño en ella todas las noches. ¿Cómo si no cree que he mantenido este buen color de piel durante tanto tiempo? —Le puso una mano en el brazo—. Pero, por favor, no se lo diga a nadie. ¡Una chica tiene que guardarse uno o dos ases en la manga!

Sidorio sonrió, con cierta incomodidad.

—El… hummm…, vino estaba riquísimo —dijo, un poco desconcertado.

—¡Eso es! Le envié unas cuantas botellas de nuestras últimas cosechas, ¿verdad? Pensé que le vendrían bien después de nuestro pequeño roce. —Volvió a sonreír—. Bueno, dejémonos de formalismos. ¿Quiere sentarse?

Lo cogió del brazo y lo condujo a un par de sillas plateadas, bastante parecidas a tronos. Mientras Sidorio tomaba asiento, ella cogió un decantador de cristal y vertió el líquido que contenía en dos copas. Colocó una en la mesa delante de Sidorio y sostuvo la otra en su delicada mano.

—Deberíamos brindar, ¿no cree? —dijo.

Sidorio se encogió de hombros, oliendo el líquido que ella le había servido.

—No se preocupe, señor. Es una de nuestras mejores combinaciones. Joven y afrutado. A ver, ¿por qué brindamos? ¿Por la amistad? No, eso quedaría un poco soso, dadas las circunstancias. ¿Por la grandeza? No, yo creo que eso ya lo tenemos resuelto, ¿usted no? ¡Oh, ya lo sé! —Alzó la copa y la entrechocó con la de Sidorio—. ¡Por la eternidad!

Se llevó la copa a los labios y le dio un sorbo.

—Por la eternidad —masculló Sidorio—. Vació la copa de un solo trago. Se lamió los labios.

—Vaya, vaya —dijo lady Lockwood, sonriendo—. ¡Había sed! Bueno, hay más, pero esta vez quizá quiera saborearlo un poco más. —Cogió el decantador y le llenó la copa hasta arriba.

—¿Le apetecen unos dulces? —Ofreció a Sidorio una bandeja de lo que parecían pequeñas bolitas de gelatina roja y oscura, espolvoreados con azúcar.

—Soy un vampirata —dijo, bastante innecesariamente dadas las circunstancias—. No necesito comer.

—No es cuestión de necesidad, señor. Solo son exquisiteces. Y todos necesitamos regalarnos el paladar de vez en cuando. Pruebe uno. Le aseguro que son deliciosos.

Con bastante cautela, Sidorio cogió un dulce y se lo metió en la boca.

—¿Le gusta? —preguntó lady Lockwood, enarcando una ceja.

Él asintió, yendo ya a coger un segundo dulce.

—Sí, tome otro —dijo ella—. En mi experiencia, un dulce de sangre nunca es suficiente. —Se rió infantilmente antes de añadir, casi de pasada—: ¿Se ha enterado de las últimas noticias? ¿El asesinato del director y dos tiernos alumnos de la Academia de Piratas? Una salvajada.

Sidorio cayó en la cuenta mientras cogía otro dulce.

—Los mató usted, ¿verdad?

Lady Lola se rió y alzó las palmas de las manos.

—Me declaro culpable. ¿Qué puedo decirle? Estaba un poco aburrida. Francamente, soy un peligro para mí misma cuando me aburro, y para todos los que me rodean. —Le sonrió alegremente—. Pero ahora la Federación de Piratas está enfadadísima y me temo que todos los dedos lo señalan a usted. Se rumorea que están reuniendo un ejército de mercenarios para ir en su busca.

—¡Que lo intenten!

—¡Así me gusta! —exclamó lady Lockwood—. Bueno, me alegra ver que se lo toma con tanta calma. Es muy amable por su parte, debo decir.

—¿Amable? —Sidorio parecía desconcertado.

—Que usted cargue con la culpa de mis travesuras, cuando parece que yo he burlado todos los radares, por así decirlo.

Sidorio se encogió de hombros.

—Los mortales y sus fútiles preocupaciones no me interesan.

—Tiene toda la razón. —Lady Lockwood sonrió—. He aquí mi filosofía: si uno tiene menos de ciento cincuenta años, ¿qué puede tener que decir en tu favor? Me temo que, en estos tiempos que corren, la juventud está sobrevalorada.

Sidorio sonrió.

—Me gusta —dijo—. Me gusta cómo habla.

—Es usted una dulzura —dijo lady Lockwood—. Me alegra mucho que haya venido esta noche. Tratemos de vernos un poco más a menudo, pese a nuestros apretados calendarios. —Se llevó la copa a los labios y le dio un sorbo. Los ojos oscuros le brillaron a la luz de las velas.

Sidorio lanzó una mirada a la bañera, llena hasta los topes de su glutinoso contenido.

—Debería irme —dijo—. Se le está enfriando el baño.

—¡Oh, al diablo con el baño! —exclamó lady Lockwood—. Hacía décadas que no me reía tanto. Además, la sangre mantiene la temperatura durante horas. Venga, cuéntemelo todo sobre usted. Me muero por conocer los detalles.

Sidorio sonrió.

—Bueno, provengo de la época romana —comenzó a decir—. ¿Ha oído hablar de César? ¿Julio César?

—Claro, querido. Claro que sí. —Lady Lockwood le sonrió—. E imagino que usted habrá oído hablar de Cleopatra.

Sidorio asintió.

—Magnífico —dijo lady Lockwood, volviendo a sonreír—. Tengo la sensación de que, para desgracia de muchos, vamos a llevarnos notoriamente bien.

24

El reto del comodoro

—Capitana, ¿qué es exactamente esa cosa que te ha dado el comodoro Black? —preguntó Jacoby a Cheng Li.

Dirigiéndose enérgicamente a la Rotonda, flanqueada por los miembros más jóvenes de su tripulación, Cheng Li movió la cabeza.

—Es una llave —respondió—, para acceder a un archivo secreto. La puerta está en el suelo de la Rotonda. Debajo del mosaico del Pulpo, diría yo.

—No se parece a ninguna llave que haya visto —dijo Jacoby—. Y nunca he oído nada sobre una puerta secreta.

—¡Pues claro que no has oído nada! —exclamó Cheng Li—. Si lo supieras, ya no sería un secreto, ¿no?

—¿Por qué no nos ha dado el comodoro Black toda la información? —preguntó Connor.

—O bien no sabe dónde está la puerta —respondió Cheng Li— o nos está poniendo a prueba.

—¿Te refieres —dijo Jasmine— a que, si descubrimos cómo funciona la llave, tendrá la seguridad de que estamos preparados para la próxima parte de la misión?

Connor no estuvo de acuerdo.

—No me parece que sea momento para juegos, cuando tenemos tres asesinatos sin resolver con los que lidiar.

Pero Cheng Li miró a Jasmine y asintió con la cabeza.

—A veces —dijo—, los caminos de la Federación son inescrutables.

—¿Puedo echar un vistazo a la llave, capitana? —preguntó Jasmine.

Cheng Li volvió a asentir y le lanzó el octógono de mosaico. Ella lo cazó hábilmente al vuelo. Mientras caminaba, comenzó a girar las caras, redistribuyendo su alineación.

—¿Habéis oído hablar del cubo de Rubik?

Jacoby la miró sin comprender.

—La reina de los rompecabezas eres tú. —Se dirigió a Connor y a Cheng Li—. A Jasmine le pirran los retos intelectuales —dijo, sonriendo—. ¡Ahí radica el secreto de nuestra relación!

Jasmine estaba girando furiosamente las partes móviles del octógono.

—Está hecho de piezas engranadas —explicó—. Está diseñado para cambiarlas de posición.

—Pero es una llave, Min —protestó Jacoby—. ¿No tendrías que haberla dejado como la has encontrado? ¿Como estaba cuando el comodoro Black se la ha dado a la capitana Li?

Sin vacilar, Jasmine ejecutó una precisa secuencia de movimientos.

—¡Ya está! —dijo, devolviendo la llave a Cheng Li—. ¡Como nueva!

Cheng Li, Connor, Jacoby y Jasmine siguieron su camino hacia la Rotonda, en muchos aspectos, el corazón de la Academia de Piratas. Todos ellos tenían intensos recuerdos de aquella sala. Cheng Li, Jacoby y Jasmine se habían reunido allí muchas veces mientras eran alumnos de la academia —escuchando las clases de los capitanes, oyendo fascinantes historias de sus antepasados piratas—. Connor solo había estado unas pocas veces en aquella sala, siempre como invitado. Para él, su rasgo dominante era la maraña de espadas encerradas en urnas de cristal que pendían de la bóveda central. Cuando entró detrás de los otros, sus ojos volvieron a verse atraídos por las espadas en sus urnas.

En su primera visita, una espada le había llamado la atención más que el resto, la espada de Toledo del comodoro Kuo. Ahora, aquella espada brillaba por su ausencia y el comodoro Kuo, cuya presencia había dominado la Academia de Piratas durante tanto tiempo, estaba muerto. Fuera cual fuera la opinión personal que Connor tuviera del comodoro Kuo, su asesinato había sido un duro golpe. El modo como lo habían asesinado había sido un golpe incluso más duro. En el universo pirata se estaba produciendo un movimiento sísmico y Connor parecía hallarse atrapado en su mismo epicentro.

—Muy bien —dijo Cheng Li—. Miremos este suelo de mosaico con otros ojos.

Hasta entonces, Connor no se había fijado bien en el mosaico, debido a su interés en las espadas. Pero ahora, mientras iba a reunirse con Cheng Li, lo vio. Estaba justo debajo del centro de la bóveda y el caleidoscopio de espadas. El borde del mosaico era un ancho círculo de azulejos azules. Cada azulejo parecía tener una tonalidad distinta, remedando quizá los colores cambiantes del mar. Dentro de aquella esfera estaba la intrincada representación de un gran pulpo. Sus ojos de lapislázuli casi parecían estar mirándolo. Connor se sorprendió pensando en Molucco Wrathe. Se lo quitó de la cabeza, apartando la mirada de los hipnóticos ojos del pulpo y posándola en sus ocho poderosos tentáculos, que se extendían ávidamente hacia los bordes del círculo.

Cheng Li giró la «llave» octogonal en sus manos.

—Es un rompecabezas, efectivamente —dijo—. Parece como si fuera una pieza del mosaico…

—¡Pero al mosaico no le falta ninguna pieza! —exclamó Jacoby.

—Sí. —Cheng Li le dio la razón—. Ya me he dado cuenta.

Connor se agachó para observar el suelo con más detenimiento. Pasó los dedos por los azulejos. Los otros estaban en lo cierto. No faltaba ninguna pieza. Era un misterio. Fue a levantarse. Jacoby pasó por su lado y él se desequilibró. Al poner la mano en el suelo para no caerse, ocurrió algo extraño. El suelo se movió. O, más bien, el mosaico lo hizo. Solo un milímetro, pero lo bastante para que Connor supiera que no se lo había imaginado.

—Lo siento, tío —dijo Jacoby.

Connor negó con la cabeza.

—No te preocupes —respondió entonces, que volvía a estar de pie, y apoyó las manos en un lado del mosaico y empujó—. ¡Mirad! —dijo, entusiasmado—. El mosaico gira. ¡Venga, echadme una mano! —El mosaico era demasiado grande para que Connor pudiera girarlo solo, pero, con la ayuda de los otros, este realizó una rotación completa de ciento ochenta grados, revelando una segunda cara.

—No vamos bien —dijo Jacoby—. Fijaos, en este lado no hay ningún dibujo. Solo un batiburrillo de distintos…

—¡Sí que vamos bien! —lo interrumpió Jasmine—. ¡Fijaos, hay un hueco! Debe de ser para la llave. —Miró a Cheng Li—. Capitana, ¿quieres insertarla?

Pero Cheng Li sonrió y le dio el octógono.

—Haz tú los honores, alférez Peacock —dijo.

Conteniendo la respiración, los otros observaron mientras Jasmine insertaba el octógono en el hueco. Este se acopló con un satisfactorio chasquido. Justo después, los centenares de azulejos que formaban el mosaico comenzaron a darse la vuelta.

—¡Bien hecho, Jasmine! —gritó Jacoby.

Se quedaron mirando el mosaico hasta que los azulejos dejaron por fin de moverse. Ahora, tenían ante ellos la misma imagen del pulpo que había en la otra cara. La llave estaba ubicada en el centro de su ojo derecho.

—¿Y ahora qué? —preguntó Connor.

Jacoby se encogió de hombros.

—Debo admitir que estoy un poco decepcionado. —Miró a Cheng Li, que estaba escrutando el mosaico, buscando otra pista.

—Creo que la llave no está configurada correctamente —dijo Jasmine, sacando el octógono del hueco. Comenzó a girar otra vez sus caras—. ¡Esto está mejor! ¿Veis que ahora los cuadrados de color combinan mejor? Las tonalidades de azul están ordenadas de la más clara a la más oscura.

—Muy bonito, Min —declaró Jacoby—. Pero ¿funcionará?

—Vamos a verlo, ¿no? —Jasmine volvió a insertar la llave en el hueco, devolviendo el ojo al pulpo.

De pronto, los azulejos del mosaico comenzaron otra vez a darse la vuelta. Los piratas se quedaron mirándolos.

—¿Creéis que solo están volviendo a colocarse como estaban antes? —preguntó Jacoby.

—No —le contestó Connor—. ¡Es el mismo pulpo de la otra cara!

—No del todo —dijo Cheng Li—. Fíjate en los tentáculos. Antes se extendían todos hacia el borde del mosaico, como una estrella. Ahora están emparejados, entrecruzándose.

—¡Tienes razón! —dijo Jasmine, emocionada—. ¿Y oyes ese ruido? ¡Creo que está empezando a moverse!

Se quedaron observando y escuchando. Efectivamente, la totalidad del mosaico comenzó a hundirse poco a poco bajo el suelo de la Rotonda.

—¡¿A qué estamos esperando?! —gritó Jacoby, saltando a la plataforma y tirando de Jasmine—. ¡Min, eres un genio!

—Buen trabajo, alférez Peacock —dijo Cheng Li sonriendo mientras ella y Connor se subían a la plataforma móvil. A medida que esta se hundía, comenzó a levantarse polvo. No parecía que nadie hubiera hecho aquel trayecto en mucho tiempo.

Al cabo de un momento, los piratas tenían la cabeza al nivel del suelo de la Rotonda. Los rodearon ocho barrotes de hierro, con lo cual tuvieron la impresión de estar en una jaula, pero, pese a ello, el descenso fue suave y constante.

Por fin, la plataforma de mosaico se detuvo.

—Parece que ya hemos llegado —dijo Cheng Li, colándose entre los barrotes e internándose en la oscuridad que los circundaba.

Sus ojos tardaron unos momentos en habituarse a la oscuridad cuando se bajaron de la plataforma. Jacoby fue el último en hacerlo. En ese momento, el improvisado ascensor volvió a ponerse en movimiento y comenzó a subir.

—Eh —dijo Jacoby—. El podio se está moviendo.

—Claro —dijo Jasmine—. Tiene que hacerlo, para que nadie note nada si entra en la Rotonda.

—Ya veo —dijo Jacoby—. Pero ¿cómo saldremos? Y, antes de que lleguemos a eso, ¿cómo vamos a ver algo aquí abajo?

Su pregunta enseguida obtuvo respuesta cuando los bañó una acuosa luz azul. Mirando arriba, Connor vio que la cara inferior de la plataforma también tenía el dibujo del pulpo y que sus ojos estaban encendidos. Cuando el podio volvió a encajarse en el suelo de la Rotonda, la luz iluminó el mundo subterráneo. Descubrieron que estaban en mitad de un pasillo con una serie de puertas idénticas cerradas a cada lado.

—El archivo debe de estar dentro de alguna de estas habitaciones. —Connor probó la puerta más próxima a él. No cedió. Probó la siguiente. Tampoco lo hizo—. Están todas cerradas —dijo—. ¿Cómo se supone que vamos a encontrar el archivo?

—Las puertas están numeradas... —reflexionó Jasmine.

—¿Y qué? —dijo Jacoby—. ¿De qué nos sirve eso?

—¿Qué te juegas a que lo sé? —respondió Jasmine, alejándose por el pasillo. Se colocó delante de la puerta elegida y giró el picaporte. Se abrió a la primera—. Justo lo que pensaba —dijo, mirándolos con una ancha sonrisa—. La llave octogonal era una pista. Está en la habitación número ocho.

25

El archivo secreto

—¿Qué hay dentro? —preguntó Connor, colocándose al lado de Jasmine mientras ella permanecía en el umbral de la habitación número ocho.

—No veo mucho —respondió ella—. Dentro está oscuro, y huele claramente a cerrado.

—¡Qué miedo! —exclamó Jacoby.

—No te preocupes —dijo Jasmine, sonriendo—. Te cogeré de la manita si estás asustado.

—En ese caso, ¡estoy asustadísimo! —exclamó Jacoby, alargando la mano.

—¡Esperad! —dijo Cheng Li, uniéndose a ellos delante de la puerta. Se cruzó de brazos, mirándolos con expresión severa—. Debo recordaros que estamos aquí por un asunto muy serio. —Los atravesó con sus ojos oscuros—. Estamos aquí para resolver un asesinato. El asesinato de nuestro director, un miembro prominente de la Federación de Piratas y... y un buen amigo. Esto no es ninguna aventurilla. Ya no sois unos escolares. Sois piratas profesionales de mi tripulación. Me he arriesgado mucho asignándoos cargos de tanta responsabilidad. No hagáis que me arrepienta.

—Lo siento mucho, jefa —dijo Jacoby—. Creo que el hecho de haber podido descifrar el código quizá nos ha subido a todos un poco la adrenalina.

—Jacoby tiene razón —añadió Jasmine—. Comprendemos la seriedad de la misión. Varsha era una de mis mejores amigas—. Tenía lágrimas en los ojos cuando continuó—. Ni siquiera puedo pensar en lo que debieron de pasar ella, Zak y el comodoro Kuo…

Cheng Li miró a Connor. Él supo que estaba esperando a que hiciera su intervención. Respiró hondo y dijo:

—El comodoro Kuo y yo no nos teníamos mucha simpatía. Sería un hipócrita si fingiera lo contrario. Pero nadie merece morir de esa forma.

Cheng Li volvió a escrutar a sus marineros.

—Está bien —dijo—. Me alegro de que hayamos tenido esta conversación. Ahora, prosigamos de una manera más apropiada.

Se apartaron a un lado para hacerle sitio y ella terminó de abrir la puerta del archivo secreto. Como había observado Jasmine, dentro reinaba la penumbra, pero entraba suficiente luz azul del pasillo para alumbrar una mesa sobre la que había cuatro candiles, velas y una caja de cerillas.

—¡Venga! —exclamó Cheng Li—. Alumbremos esto. —Encendió los candiles con la ayuda de Connor. Pasaron uno a Jasmine y otro a Jacoby y retrocedieron mientras la luz de los candiles les revelaba la habitación. Era larga y estrecha, con estantes en ambos lados, llenos de cajas. Al final de la avenida de estantes había un par de escritorios y varias sillas. Dos librerías atestadas de libros se erigían detrás de los escritorios. En la pared, había varios mapas, salpicados de chinchetas de colores.

Cheng Li miró uno de los mapas.

—Fascinante —murmuró.

Connor se unió a ella.

—Estos mapas —dijo— documentan los avistamientos del barco vampirata, ¿verdad?

Cheng Li asintió.

—¿Quién lo habría imaginado?

Connor sonrió para sus adentros. Cheng Li no, desde luego, pensó. Recordó haberle contado su propio avistamiento del *Nocturno* cuando se habían conocido. Su tajante respuesta había sido que era imposible que existiera semejante barco de piratas vampiro. Pese a su confusión, Connor había sabido que ella se equivocaba. Ahora, parecía que otras personas del mundo pirata conocían la verdad desde el principio.

—Mirad esto —dijo Jasmine, dejando una caja de archivos de aspecto aburrido en el escritorio y levantando la tapa—. Está llena de notas, algunas escritas a mano, otras a máquina, por las personas que han visto a los vampiratas y su barco.

Cheng Li metió la mano en la caja y sacó una hoja de papel. La leyó.

—Pensar que este archivo ha estado siempre aquí —dijo—, bajo el mismo suelo de la academia… —Movió la cabeza con gesto incrédulo. Luego, dejó la hoja y cogió otra.

—La palabra «archivo» suena profundamente árida y aburrida —observó Jacoby, abriendo lo que parecía una taquilla más grande de lo normal—. ¡Pero esto no tiene nada de aburrido!

—¡¿Qué has encontrado?! —gritó Cheng Li.

—¡Unas cuantas de mis cosas favoritas! —respondió Jacoby—. ¡Venid a echar un vistazo! —Cuando se dieron la vuelta, lo vieron apuntándolos con un par de amenazadoras espadas.

—¡Espadas! —exclamó Connor—. ¿Qué hacen aquí abajo?

—¡Jacoby! —El tono de voz de Cheng Li fue una advertencia clara para el segundo de a bordo.

—Lo siento… —dijo él. Dejó las espadas y volvió a mirar en la taquilla—. ¡Tío, esto es como el armario de un aprendiz de brujo! —Sacó un par de frascos donde ponía PELIGRO: TÓXICO, y se los enseñó al resto.

—¡Haz el favor de tener cuidado! —dijo Cheng Li.

Connor consiguió por fin echar un vistazo al interior de la taquilla.

—Esto parece el laboratorio de un profesor chiflado —dijo—. ¡Probetas, frascos y un montón de cosas raras más!

—Claro —dijo fríamente Cheng Li—. Estuvieron experimentando.

—¿Experimentando? —preguntaron los otros al unísono.

Cheng Li asintió.

—¿No es evidente?

Jasmine habló en voz baja.

—Estuvieron intentando averiguar cómo matar a un vampirata.

Cheng Li le dio la razón.

—Exactamente, Jasmine. Gracias a Dios que uno de vosotros tiene el cerebro encendido. Pero no concluyeron su trabajo. Y ahora nos han entregado el testigo a nosotros.

—Ah, ¿sí? —exclamó Jacoby.

Cheng Li asintió.

—Es nuestra misión —dijo—. El *Tigre* no va a ser un barco de la Federación como los demás. Nos han asignado un proyecto único. Nuestro barco abrirá camino como el primer barco de la Federación tripulado por asesinos de vampiratas.

—¿Asesinos de vampiratas? —repitió Jacoby, con los ojos como platos—. ¡Vamos a asesinar vampiratas!

Cheng Li lo confirmó.

—Sí. Empezando por el que mató al comodoro Kuo.

—¿No va a ser peligroso? —preguntó Jasmine—. ¿Cómo vamos a combatir con vampiratas?

—Igual que combatiríamos con cualquier otro enemigo —respondió Cheng Li, más fría que el hielo—. Nos prepararemos. No dejaremos nada al azar. Nos leeremos hasta la última hoja de notas de esta habitación. Asimilaremos hasta la última pizca de información que la Federación ha reunido con el paso de los años. Nos pondremos al día en cada uno de sus experimentos y luego los continuaremos. Necesitamos averiguar cómo matar a un vampirata. Pero antes de eso, necesitamos pensar en cómo los atacaremos.

A Jacoby se le salieron los ojos de las órbitas.

—¿Y esta es una misión oficial de la Federación? ¡Cómo mola! Oh, lo siento, jefa.

—No hace falta que te disculpes —dijo Cheng Li—. Está bien acometer una misión con entusiasmo. —Y añadió, con cierta satisfacción—: Mi barco ha sido el escogido.

—¿Cuál es el plazo de ejecución? —preguntó Jasmine.

—Buena pregunta, alférez Peacock —dijo Cheng Li—. Esta misión tiene prioridad máxima. En otras palabras, la Federación la quiere cumplida ayer. Pero —recalcó la palabra— debemos estar totalmente preparados. Y lo estaremos. —Tenía los ojos brillantes cuando continuó—. No perdamos tiempo. Jasmine, tú te ocuparás de las cajas de archivos. Léete todo lo que hay y resúmemelo en un informe.

—¡Sí, capitana! —Jasmine le hizo un saludo militar antes de sentarse al escritorio con la primera caja de documentos, abriendo los cajones y hallando un cuaderno y un bolígrafo.

Viendo las interminables hileras de cajas, Jacoby pareció angustiadísimo.

—No te preocupes, Jacoby —dijo Cheng Li—. Para ti tengo pensado algo distinto. Quiero que examines todas las armas y material científico de la taquilla. Parece que también hay cuadernos. Tú nos pondrás al corriente de los experimentos realizados hasta la fecha. Y luego los continuaremos.

—¡Sí, jefa! —exclamó Jacoby.

Cheng Li hizo una mueca.

—Deja de llamarme «jefa» —dijo—. Con «capitana» o «Cheng Li» es suficiente.

—Sí, jef…, o sea, capitana —dijo Jacoby, saliendo disparado hacia la taquilla.

Cheng Li miró a Connor. Él le sostuvo la mirada, intentando parecer resoluto, esperando a que le dijera cuál era su papel en aquella importante misión única. Pero, cuando le habló, su voz era distinta, más dulce.

—Tienes sentimientos encontrados, ¿verdad? —preguntó.

Él asintió, aliviadísimo.

—Sí. Sé que lo que le pasó al comodoro Kuo fue horrible. Y no me malinterpretes, no soy ningún enamorado de los vampiratas. —Suspiró, apoyándose con una mano en uno de los estantes repletos de archivos—. Pero Grace tiene un vínculo con ellos, y algunos se han portado muy bien con ella.

—Tienes que volver a hablar con ella —dijo Cheng Li—. Debe romper ese vínculo.

Connor negó con la cabeza.

—Se está haciendo cada vez más fuerte —dijo.

Cheng Li frunció el entrecejo.

—Es ese vampirata, ¿verdad? Me habló de él. Lorcan Furey, se llama así, ¿no? Grace se está enamorando de él, ¿verdad?

Ojalá fuera ese todo el problema, pensó Connor. Sería difícil de resolver, sin duda, pero ni por asomo tan complicado como la situación real. No podía explicar a Cheng Li la última novedad, el verdadero motivo de que hubiera dejado a su hermana para regresar al mundo pirata. Que Grace había empezado a creer que ella, que los dos, tenían sangre vampirata en las venas. Cheng Li creería que estaban locos. Y, seguramente, tendría razón.

—¿Y bien? —Cheng Li seguía esperando una respuesta.

—Así es —respondió Connor—. Es Lorcan. Lo que Grace siente por él es muy hondo. Y también el capitán... aunque, obviamente, lo que siente por él es distinto.

—Lo entiendo —dijo Cheng Li—. Y esto no va a ser fácil. Nos han ordenado que ataquemos a los vampiratas. Para mí, ya no hay marcha atrás. Debo obedecer las órdenes de la Federación. Y quiero hacerlo, para honrar a mi amigo John Kuo. Pero, si tú quieres marcharte, no te preocupes por tu juramento de lealtad. Puedes irte ahora mismo. Mi concepto de ti no cambiaría.

Connor no estuvo de acuerdo.

—No quiero marcharme —dijo.

—¿Estás seguro? —Cheng Li se quedó callada—. Mi ofrecimiento no va a volver a repetirse.

Connor asintió.

—Hablo en serio. No quiero marcharme. Solo querría que pudiéramos hacer entender al comodoro Black que no todos los vampiratas son iguales.

—Quizá podamos —dijo Cheng Li—. Quizá encontremos algo en este archivo que nos ayude a convencerlo de eso.

—Pero, si hubiera algo aquí —objetó Connor—, ¿no lo sabría ya?

Cheng Li pasó un dedo por los estantes. Cuando lo retiró, tenía la yema embadurnada de polvo.

—Mira esto, Connor —dijo—. Es polvo. ¿Te parece el comodoro Black la clase de hombre que se ensucia las manos?

Connor sonrió.

—Yo también aprecio a Grace —dijo Cheng Li—. Y no solo porque es tu hermana. Jamás haría nada que la pusiera en peligro. Tienes que fiarte de mí en ese punto. Sé que hemos tenido nuestros… «momentos de dificultad» en el pasado. Pero tenemos que pasar página.

Parecía tan fácil dicho así… Cheng Li no siempre había sido enteramente sincera con él en el pasado. Ahora, pese a su franqueza, ¿seguía guardándole secretos? El instinto le dictaba que era con Cheng Li con quien debía estar. Juntos encontrarían el modo de apartar a Grace de Lorcan y los demás antes de que ocurriera algo malo. En ese punto, iba a fiarse de ella.

Le tendió la mano. Cheng Li se la estrechó.

—Muy bien —dijo—. Ahora, pongámonos a trabajar.

26

Un día perfecto

—¿Seguro que estaréis bien? —preguntó Lorcan.

—Sí —respondió firmemente Grace—. Estaremos bien, ¿verdad, mamá?

—Sí —dijo Sally, cogiéndose a su brazo—. Las dos solas.

Mosh Zu asintió.

—Como tiene que ser. Hace un día precioso. Disfrutadlo, queridas amigas. —Aunque estaba sonriendo y sus palabras habían sido afectuosas, todos supieron lo que insinuaban.

Grace estaba impaciente por marcharse.

—Entonces, ¿quedamos en el cementerio justo cuando se haga de noche? —preguntó.

Lorcan miró a Mosh Zu, que estuvo de acuerdo.

—Sí —dijo—. Allí estaremos.

Grace y Sally tomaron el camino costero que conducía al faro. Había pájaros revoloteando a su alrededor y el sendero estaba bordeado por hermosas flores silvestres.

—Creo que voy a coger unas cuantas flores para ponerlas en la tumba de papá —dijo Grace. Esperaba que, ante la mención de su padre, Sally empezara a rememorar, pero ella se quedó callada, conservando su energía para la caminata.

Durante toda la subida, Grace se estuvo preguntando quién sería el nuevo farero. ¿Sabría de ella y su familia? ¿La recibiría bien? No estaba segura de si Sally tendría fuerzas para subir hasta la linterna, pero si, por una de esas casualidades, las tenía, sería estupendo contemplar las vistas con ella y compartir los recuerdos de todas las noches en las que Grace había oteado el mar en compañía de su padre y Connor.

Pero, cuando estuvo cerca del faro, se quedó clavada al suelo. Delante de ellas, la puerta estaba cerrada con una gruesa cadena.

—Es extraño —dijo— y decepcionante. Quería enseñarte las vistas desde la linterna. Es el mejor sitio para ver la bahía.

—Me habría encantado subir —dijo Sally—. Dexter solía hablarme de las vistas. Y me habría gustado verlas a través de tus ojos, y de los de Connor.

Grace cogió la cadena, preguntándose si sería capaz de romperla. Ojalá las hubiera acompañado Connor; su fuerza bruta quizá lo habría logrado. Pero ella no tenía tanta fuerza. Era imposible que pudiera romper la gruesa cadena metálica.

Entonces se le ocurrió otra cosa. Tal vez no tuviera la fuerza física de Connor, pero tenía otros poderes con los que había comenzado a conectarse durante el tiempo que había pasado a bordo del *Nocturno* y en Santuario. Hasta el momento, le habían permitido leer el pensamiento y efectuar viajes astrales, pero a lo mejor podía utilizarlos también de otras maneras.

—¿Qué estás haciendo, cielo? —preguntó Sally, viendo la concentración de su hija.

Pero Grace no respondió. Tenía toda su atención puesta en la cadena, que le pesaba como un ancla en la mano. ¿Había una posibilidad, solo una posibilidad, de que pudiera convencerla para que se abriera? «Convencerla» era la palabra. No la obligaría, sino que la convencería para que se abriera por voluntad propia. Como si no fuera una cadena metálica inanimada sino un gran insecto o un alacrán. Mientras formulaba aquel pensamiento, dejó de ver la cadena oxidada. En su lugar, al mirarse las manos, vio un alacrán rojinegro.

«Ábrete —le instó—. Por favor, ábrete para mí.»

Vio que la criatura empezaba a mover las pinzas… ¡Se estaba abriendo! Casi…

—¡Grace! —De nuevo la voz de su madre.

Tenía que seguir concentrada en el alacrán. Para convencerlo de que abriera las pinzas. Solo un poco más…

Pero, por mucho que se lo pidió, el alacrán siguió negándose a abrir completamente las pinzas. Finalmente, Grace suspiró y admitió la derrota mientras el alacrán desaparecía y ella volvía a sostener una cadena oxidada.

Sally la rodeó con el brazo.

—¿Estabas intentando romper la cadena?

—Sí. —Grace asintió—. Pero no he podido. —Los ojos se le estaban llenando de lágrimas. Le habría gustado tanto llevar a Sally al faro y subir con ella a la linterna…

—Tranquila —dijo Sally—. No necesitamos entrar en el faro para sentirnos cerca de tu padre.

Su voz fue como un bálsamo para los nervios destrozados de Grace.

—No, no lo necesitamos —dijo, soltando por fin la cadena—. Tienes razón.

—Bueno —dijo Sally—, está claro que la cocinera se ha esmerado, ¿no?

Estaban sentadas en la playa, inspeccionando la abundancia de bocadillos, frutas y otros tentadores manjares que tenían para comer.

—Sí —asintió Grace, abriendo dos botellas de gaseosa y pasándole una.

—¡Chinchín! —dijo Sally, entrechocando su botella con la de Grace.

—¡Chinchín! —repitió ella.

—No, no, cielo —dijo Sally—. No se hace así. ¡Cuando dices chinchín, tienes que mirar a los ojos de la persona con la que estás chinchineando! ¡Vuelve a intentarlo!

—¿Chinchineando? —Grace se rió—. No creo que eso sea una palabra, mamá.

—No seas terca —dijo Sally—. Que no la hayas oído no significa que no sea una palabra. —Volvió a alzar su botella y la miró a los ojos. Grace le devolvió la mirada y repitió su gesto. Sus ojos verdes se quedaron trabados.

—¡Chinchín! —exclamaron madre e hija al unísono mientras volvían a entrechocar las botellas. Luego, ambas tomaron un delicioso sorbo de gaseosa, que el sol ya había calentado.

No pudieron terminarse la abundante comida y metieron en la cesta lo que les había sobrado. Luego, se tumbaron en la playa.

—Tendríamos que haber traído una manta —dijo Grace.

—No. —Sally negó con la cabeza—. Me gusta tumbarme en la arena.

Grace arrugó la nariz.

—¡Pero la arena se mete por todas partes! —exclamó.

—Cielo —dijo Sally, sonriéndole—. Esa es la idea.

Grace se rió. Se lo estaba pasando maravillosamente bien. ¿Era así como se lo pasaban madres e hijas? Ella no tenía nada con qué compararlo. Era como estar con una buena amiga, aunque su única buena amiga era Darcy y aún no había comido al aire libre con ella.

—¿En qué estás pensando? —le preguntó Sally.

Grace se protegió los ojos del sol.

—En lo especial que es esto. En lo maravilloso que es pasar este tiempo contigo.

—También lo es para mí —dijo Sally. Vaciló, como si se estuviera conteniendo para no hablar. Luego negó con la cabeza y volvió a abrir la boca—. Estoy intentando no sacar ningún tema desagradable —añadió—, porque no quiero que ninguna de las dos se disguste y estropee este día tan especial.

—Yo también —dijo Grace.

—Pero, aun así —continuó Sally—, quiero decirte cuánto lo siento, Grace. Tú te mereces mucho más que esto. Muchas más comidas al aire libre y caminatas por los acantilados. Te mereces una madre mucho mejor que yo.

—No —dijo Grace, mirándola a los ojos—. No, tú eres todo lo que siempre he deseado que fuera una madre.

—¿De veras? —preguntó Sally, con una lágrima en el ojo.

—Sí —respondió Grace, abrazándola—. De veras.

Dejaron la cesta en una roca y pasearon del brazo por la playa. No había un alma y tenían el largo tramo de arena para ellas solas. Iban descalzas, habiendo dejado sus sandalias junto a la cesta.

—Nuestra única tarde juntas —dijo Sally, entristecida, mientras caminaban por la orilla del mar— y tenemos que pasarla hablando del pasado…

Grace estuvo de acuerdo. Sabía que no les quedaba mucho tiempo para decirse todo lo que querían.

—¿Qué pasó después de que papá se alistara en la tripulación del *Nocturno*? —preguntó, con suavidad.

—Bueno —comentó Sally, en voz baja—, al principio, las cosas siguieron igual que siempre. Yo continuaba siendo la donante de Sidorio, y Shanti la de Lorcan. Confieso que a veces deseaba que Sidorio se pareciera un poco más a Lorcan. Shanti me contaba cosas que él le explicaba y yo veía claramente que entre ellos había una verdadera amistad, a diferencia de lo que teníamos Sidorio y yo.

Grace no pudo evitar fruncir el entrecejo al oír aquello. Sally negó con la cabeza.

—No era una relación sentimental, Grace. En absoluto. Pero Lorcan y Shanti eran amigos. Hablaban. Para él, ella era algo más que su suministradora de sangre…

Grace recordó la terminología que había utilizado Oskar: RSA, Reserva de Sangre Ambulante.

—Sidorio —continuó Sally— se mantenía distante, correcto. —Se encogió de hombros—. Pero, con el tiempo, eso fue importándome cada vez menos. Cada vez pasaba más tiempo con Dexter, mi queridísimo Dexter.

Grace sonrió.

—¿De qué hablabais papá y tú cuando estabais juntos?

—¡De todo! Era un hombre interesantísimo. Muy distinto a todos los otros hombres que había conocido hasta entonces. Ellos eran unos fanfarrones, no tenían nada dentro, estaban huecos. Tu padre era distinto. Dexter tenía un montón de cosas dentro. Jamás nos quedábamos sin temas de conversación.

Sally se quedó callada, cogiendo un puñado de arena y dejando que se le escurriera entre los dedos.

—Pero, cada vez más —prosiguió—, hablábamos de un tema por encima de todos los demás. De nuestro futuro. —Suspiró—. Dexter era tan optimista, tan soñador… Quería llevárseme del barco, que comenzáramos una nueva vida juntos. Pero yo no me cansaba de decirle que me había comprometido con el barco, con el capitán y con Sidorio. Él ya sabía eso cuando se alistó en la tripulación. Y, desde entonces, yo se lo había estado repitiendo continuamente. Dexter sabía dónde se estaba metiendo, las decisiones que yo había tomado.

—¿Qué decía él a eso? —preguntó Grace.

Sally sonrió.

—Decía que ninguna decisión era irreversible. Decía que deberíamos ir a hablar con el capitán para ver si estaba dispuesto a exonerarme de mis obligaciones.

Grace tenía los ojos como platos.

—¿Y eso fue lo que hicisteis?

—Yo siempre intentaba convencerlo de lo contario —respondió Sally—, pero Dexter era muy persuasivo y, al final, pensé: «Pues tiene razón. No pasa nada por preguntar, ¿no?». Y, sí, fui, eso sí, sola, a ver al capitán.

Le falló la voz. Grace la miró. Tenía el cansancio grabado en todos los poros de su piel. La caminata debía de haberla agotado. Tendría que dejarla descansar. Suspiró y le apartó de los ojos una rebelde mecha caoba.

—¿Por qué no descansas, mamá? —dijo, conduciéndola de regreso al lugar donde habían dejado la cesta y las sandalias.

Sally cerró los ojos agradecida, cogiéndole la mano. Se la apretó débilmente y luego dejó que el cuerpo se le relajara. Al cabo de poco tiempo, su respiración se había espaciado y suavizado.

Grace estuvo viendo a su madre dormir durante un rato, asombrada de sentirse tan unida a ella y, no obstante, saber tan poco de su vida. Finalmente, se sentó. Contempló el mar, acordándose de cuando era pequeña y paseaba con Connor por la playa, recogiendo conchas y echando guijarros al agua; volviéndose y saludando a su padre en el faro. De pronto, se apoderó de ella un irresistible deseo de ver a su hermano.

Procurando no molestar a su madre, volvió a mirar el faro.

—Connor —susurró—. Connor, ¿dónde estás? No puedo hacer esto sola.

27

La visitante

El día había sido largo y Connor se moría por bajar a su camarote y derrumbarse en la cama. Pero, pese a su agotamiento, al acostarse descubrió que seguía teniendo una infinidad de cosas en la cabeza. Cosas que no le dejaban conciliar el sueño. Se esforzó por no pensar en ellas, ahuecó la almohada y volvió a intentarlo. Pero el sueño seguía sin visitarlo. Cogió un libro y se puso a leer. Pero, pese a todo su empeño, seguía acosándolo un montón de preocupaciones. Dejó el libro, exasperado.

—¿Connor?

La voz le resultó instantáneamente familiar. Y próxima. Al alzar la vista, vio a Grace de pie junto a su cama, con aspecto de estar casi tan sorprendida como él.

—¡Grace! —exclamó—. ¿Cómo has venido? ¿Cómo sabías dónde encontrarme? ¿Y cómo te has colado en el camarote sin que nadie te vea? —Se incorporó, apoyando la espalda en la almohada—. Supongo que he debido de quedarme dormido —añadió.

—No —dijo Grace—. Aunque parezca que estoy aquí contigo, no lo estoy.

Connor sonrió.

—Oh, ya lo entiendo. Estoy soñando. Es lógico. Llevo todo el día pensando en ti, queriendo verte. Por eso estoy soñando contigo.

Grace negó con la cabeza.

—No, Connor. No estás soñando. Creo que estoy haciendo un viaje astral. —Sonrió—. Pero me alegra saber que has pensado en mí. Yo también he pensado en ti. Adivina dónde estoy.

Connor frunció el entrecejo.

—¿Qué clase de pregunta es esa? ¡Estás aquí, en mi camarote!

—No —dijo ella—. Esto es una proyección astral de mí. Mira, te lo demostraré. —Se acercó y se sentó a su lado en la cama. Connor se quedó desconcertado. Parecía que su hermana no pesara nada.

—¿Lo ves? —dijo ella—. No te asustes. Anda, cógeme la mano. —Se la tendió. Connor alargó la suya para ponerla sobre la mano más pequeña de su hermana. No palpó nada; su puño se había cerrado en vacío. No obstante, al mirar, vio que la mano de Grace aún parecía estar bajo la suya. Ahora fue él quien negó con la cabeza.

—De veras que no lo entiendo —dijo.

—Como ya te he dicho, esto es una proyección astral de mí —repitió Grace—. Soy yo. Estoy aquí contigo, y puedo hablar. Pero mi cuerpo físico no está aquí. Está separado de mi mente. Es algo que me ha enseñado Mosh Zu. Me ha debido de salir instintivamente.

Connor estuvo tentado de pellizcarse para comprobar que no estaba soñando. Pero, de algún modo, lo que Grace decía parecía razonable y él advirtió que era otra prueba de su inmersión en el otro mundo, el mundo del cual él necesitaba convencerla para que se separara. Independientemente de cómo hubiera llegado a su camarote y de qué la hubiera traído hasta él, aquella visita era un regalo. Advirtió que la principal causa de su insomnio había sido Grace: lo mucho que lo preocupaba y su necesidad de hablar con ella. Bueno, ahora tenía ocasión de hacerlo.

—Me alegro de que estés aquí —dijo—. Tengo que hablar contigo.

Grace asintió.

—Lo he presentido, Connor. Siempre hemos estado unidos, ¿no? Creo que, en cierta medida, podemos percibir nuestros respectivos estados de ánimo; saber lo que el otro piensa.

—Quizá —dijo Connor con cautela.

—Solo tenemos que perfeccionar la técnica, fortalecer la conexión —continuó Grace—. Para poder comunicarnos incluso cuando estemos separados físicamente. —Sonrió—. Venga, ¡responde mi pregunta!

—¿Qué pregunta?

—La que te he hecho antes. ¿Dónde estoy?

Connor volvió a fruncir el entrecejo.

—¿Quieres decir aparte de aquí?

—Sí —respondió Grace—. ¿Dónde está mi cuerpo físico?

—Dímelo —dijo él— Es tarde. Ha sido un día duro. No estoy de humor para acertijos.

Grace arrugó la frente, pero luego volvió a sonreír.

—Estoy en Crescent Moon Bay, en la playa.

—¡En Crescent Moon Bay! —A Connor se le agrandaron los ojos—. ¿Lo dices en serio? ¿Has vuelto a casa?

—Solo estoy de visita —respondió Grace—. Mamá quería ver dónde nos criamos. Oh, Connor, hemos pasado un día increíble. Ha sido un día perfecto. Me lo ha contado todo sobre cómo conoció a papá. Me equivoqué, cuando te dije que creía que nuestro padre era un vampirata. Se conocieron en el barco vampirata, el *Nocturno*. Pero él no era un vampirata. Se alistó en la tripulación para trabajar en las cocinas, ¡solo para estar con mamá! ¡Estuvo intentando convencerla para que abandonara el barco!

Iba a continuar, pero Connor alzó la mano.

—Espera, Gracie —dijo—. Frena. Estás yendo demasiado deprisa.

—Lo siento —se disculpó ella—, pero es que tengo tanto que contarte… Y esto de viajar astralmente tiene sus inconvenientes. No sé durante cuánto tiempo podré quedarme.

—Grace —dijo Connor—, oye, si el tiempo es limitado, tienes que dejarme decirte una cosa. —Fue a cogerle la mano, pero recordó que era inútil—. Es muy importante.

—Está bien —dijo ella, conformándose con mucha más facilidad de lo que él esperaba—. Dime, Connor.

—¿Te acuerdas del comodoro Kuo? —preguntó.

—Sí, claro —respondió ella—. El director de la Academia de Piratas.

—Exacto —dijo él—. Pues lo han asesinado.

—¿Asesinado?

—Él y dos alumnos de la academia fueron asesinados por vampiratas durante una regata para señalar la investidura de Cheng Li como capitana… —contestó Connor.

A Grace se le ensombreció la cara.

—Dices que lo asesinaron vampiratas. ¿Cómo lo sabes?

—Encontramos su cadáver. Lo mataron en el mar, creemos. Pero, quien fuera que lo hizo, lo llevó a la academia. Grace, estaba sin una gota de sangre.

Grace se mordió el labio.

—Tienen que ser vampiratas, Grace. Eso debes de verlo.

Ella no puso objeciones.

—Parece obra de Sidorio —dijo—. Es obvio que está engrosando sus filas. ¿Quién sabe cuándo se detendrá?

—Yo voy a detenerlo —dijo Connor.

—¡No! —exclamó Grace—. Ya lo has intentado una vez, ¿recuerdas? Incendiaste su barco. Pero el fuego no lo mató, solo lo hizo más fuerte. Fue como si se hubiera alimentado de él.

—Ahora es distinto —dijo Connor—. Formo parte de una misión.

—¿Una misión?

—Sí. La Federación de Piratas ha encargado una misión especial a la tripulación de Cheng Li. Vamos a convertirnos en asesinos de vampiratas.

—¿Asesinos? —Grace parecía consternada—. ¿Vais tras los vampiratas?

—Sí. De eso es de lo que necesitaba hablarte. —Una vez más, fue a cogerle la mano, incapaz de contenerse—. Tienes que alejarte de ellos. No quiero que te veas atrapada en esto.

Grace se rió, pero fue una risa hueca.

—¿No quieres que me vea atrapada en esto? ¿Me dices que tienes la misión de asesinar a personas que aprecio y luego me dices que no me vea atrapada en esto? Eso es imposible, Connor. ¿Cómo puedes ser tan duro de mollera? No voy a quedarme de brazos cruzados viendo cómo atacáis al capitán, a Lorcan y a Darcy. ¡Son amigos míos!

—¡Espera! —exclamó él—. ¡Cálmate! De eso quería hablarte. Sé el fuerte vínculo que te une a Lorcan y a los demás. Eso lo veo. Y no vamos tras ellos. De momento. Naturalmente, tienes razón. El asesino del comodoro Kuo debe de ser Sidorio. Todo indica que es obra suya. Iremos tras él y su creciente tripulación y los exterminaremos.

—¡Exterminarlos! —exclamó Grace.

—Grace —imploró Connor—. Lo he pensado mucho. También lo he hablado con Cheng Li. Le he dicho que no todos los vampiratas son iguales.

—¡Cheng Li! —exclamó Grace—. ¿Puedes confiar en ella después de todo lo que te ha hecho?

Connor volvió a fruncir el entrecejo.

—Ahora es mi capitana, Grace. Además, hubo un tiempo en que tú también confiabas en ella.

—Sí —dijo Grace— ¡y mira dónde me llevó eso! Ella no se limitará a atacar a Sidorio y su tripulación. Irá por los demás vampiratas. Sé qué lo hará.

Connor asintió.

—Espero que eso no llegue a ocurrir, pero me preocupa que lo haga. Grace, haré todo lo que pueda para convencerlos a ella y a la Federación de que el capitán y la tripulación del *Nocturno* son… buenas personas, de que no son peligrosos. Pero tenemos que ser realistas. No sé si verán la diferencia. Y me da muchísimo miedo que te veas atrapada en el fuego cruzado. Te ruego que abandones el barco. Quédate en Crescent Moon Bay. Puedo ir a recogerte. Hablaré con Cheng Li por la mañana…

—No. —Grace negó con la cabeza.

—Oye —dijo Connor en tono de urgencia—. Iré a hablar con ella ahora mismo. Podría salir esta noche. Podría estar allí al amanecer.

—No —repitió Grace—. No los abandonaré. No ahora.

—¿De qué estás hablando, Grace? —Connor estaba enfadado—. Oye, estoy intentando cuidar de ti. Llevo toda la vida intentando cuidar de ti. He consentido tu extraña fascinación por ellos. Pero debería haberla cortado de raíz.

—Basta, Connor. ¡No me hables así! No necesito que «cuides de mí». Sé cuidarme perfectamente sola, gracias. Y, para tu información, tú no me has dejado hacer nada. Eso no dependía de ti.

Por su expresión, era evidente que Grace estaba tan enfadada como él. Más enfadada de lo que la había visto nunca.

—Grace, solo quiero que estés segura.

—¿De veras? —dijo ella—. ¿No quieres que sea feliz? Porque eso es lo que soy; aquí, con Lorcan y Sally. Al menos, lo era. Hoy me he sentido más feliz de lo que me había sentido en muchísimo tiempo. Lo único que me faltaba eras tú. Pero ahora lo has estropeado todo.

—Grace —dijo Connor—, estamos atrapados en algo que nos supera. Cuando nos hicimos a la mar, cuando naufragamos en aquella tempestad, no podíamos saberlo. Pero se avecina algo. Es grande e implacable, como un tsunami. Nada puede pararlo. Todos vamos a vernos atrapados en ello.

Grace suspiró y negó con la cabeza.

—Lo sé, Connor —dijo—. Pero el hecho es que ya es demasiado tarde. Si crees que hay una forma fácil de salir de esto, te equivocas.

—¡No! —gritó Connor. La imagen de Grace se estaba desvaneciendo. En aquel momento, pudo apreciar claramente que solo era una visión. Empezó a sentir pánico, deseando haber abordado aquello de un modo distinto. Pero ¿cómo?—. ¡Grace! ¡Te estás desvaneciendo! ¡No te vayas!

—¡Tengo que hacerlo! —Su voz iba y venía, como si hubiera interferencias en la conexión—. Ya he dicho que no sabía durante cuánto tiempo…

Luego solo hubo silencio. La imagen de Grace había desaparecido tan súbitamente como había llegado.

28

Reunión de almas

Grace volvía a encontrarse en la playa. Junto a ella, vio que su madre había empezado a despertarse. No sabía qué hacer. ¿Debería advertir a Lorcan y a Mosh Zu de lo que Connor le había dicho? Pero era tan poco el tiempo que le quedaba con Sally… No le parecía que pudiera permitirse desaprovechar ni un solo momento. Connor le había dicho que no había ningún peligro inminente, por lo que quizá fuera seguro esperar.

—Hay tantas cosas que quiero decirte, Grace —dijo Sally, interrumpiendo los pensamientos de su hija. Se sentó y la rodeó por la cintura—. Nunca creí que fuera a tener ocasión y ahora me parece que tengo que condensar en un solo día las conversaciones de toda una vida. —Suspiró y negó con la cabeza—. Si pudiera dejarte con un mensaje, Grace, ¿sabes cuál sería? —La miró fijamente—. No te des nunca por vencida. Pase lo que pase. Sean cuales sean las dificultades a las que te enfrentas. No pierdas nunca la fe en ti.

Grace se quedó aturdida. Era como si su madre le estuviera leyendo el pensamiento. Asintió.

—No lo haré —dijo—. No te preocupes.

—A mí me mereció la pena, ¿sabes?, cuando fui a ver al capitán.

Grace respiró hondo. Quizá había llegado el momento de saber qué había sucedido realmente entre su madre y Dexter. De pronto, todo lo demás le pareció poco importante.

—El capitán me recordó que la decisión de convertirse en donante no era una que se pudiera tomar a la ligera. Yo le dije que ya lo sabía. Le dije que tenía que preguntárselo, pero que comprendía que la suerte estaba echada. Pero él negó con la cabeza. Dijo que haría una excepción en mi caso. Que me dejaría abandonar el barco, con Dexter, en cuanto encontraran otro donante para Sidorio.

Grace sonrió, aliviada.

—Así que papá tenía razón.

—Sí —convino Sally—. Dexter tenía razón. El capitán es un hombre verdaderamente extraordinario. —Sonrió. Luego, volvió el rostro hacia el horizonte—. Mira —dijo—, nuestro día ha terminado. El sol se está poniendo.

Grace también miró el mar, donde las negras aguas habían empezado a engullir el sol y el cielo parecía estar en llamas.

—Ojalá pudiéramos quedarnos simplemente aquí —dijo—, aferrarnos para siempre a este momento. —Y detener el conflicto que ella sabía que se avecinaba.

—A mí también me gustaría —asintió Sally—. Pero tenemos una cita. Hemos dicho que iríamos al cementerio.

Grace asintió. No lo había olvidado. La amenaza de que el tiempo se les acababa les había ensombrecido la mayor parte de la tarde. Pero, aun así, deseó que la arena pudiera levantarse mágicamente y enterrarles los pies a ella y a su madre, encadenándolas a la playa e impidiéndoles tener que marcharse nunca de allí.

—Venga, cielo —dijo Sally, ya de pie. Llevaba las sandalias en la mano y Grace pensó que irradiaba una nueva energía: fuerte, pero serena. Tal vez fuera aquello lo que les ocurría a todas las almas cuando por fin se despojaban de sus últimas ataduras. Alcanzaban un momento ideal de paz y felicidad. Mientras se levantaba a regañadientes, volvió a mirar a su madre. A la dorada luz del sol poniente, Sally parecía más viva y hermosa que nunca.

Esta vez, no tardaron mucho en subir por el sendero que bordeaba el acantilado, pasaba por delante del faro y llegaba al pequeño cementerio donde Dexter reposaba en paz. Grace abrió la verja y condujo a su madre entre las tumbas dispersas hasta la sencilla lápida que llevaba el nombre de su padre. Era un bloque de granito rosado grabado con su nombre y sus fechas de nacimiento y defunción. Grace reflexionó sobre algunas de las ideas que últimamente se le habían pasado por la cabeza. Que Dexter podía no estar muerto. ¡Que podía ser un vampirata! Negó con la cabeza, enojada consigo misma. Ahora sabía que habían sido fantasías. Allí era donde había terminado la historia de su padre. Contempló la lápida oblonga de granito, serenándose con su solidez. Le recordaba a su padre.

Se arrodilló y dejó el ramillete de flores que había recogido en la base de la lápida.

—Son para ti, papá —dijo—. Espero que te gusten.

Se retiró, viendo cómo la brisa marina acariciaba las flores, agitando los pétalos y liberando su aroma. De ese modo, su padre podría olerlas mejor. Sonrió.

—¿Quieres estar un rato a solas con él? —preguntó a su madre.

Sally asintió.

—Sí, cielo. Si no te importa, creo que eso es exactamente lo que quiero.

Grace sonrió y se dio la vuelta para alejarse. En ese momento, vio que la puerta del cementerio había vuelto a abrirse. Habían llegado los demás.

—¡Espera un momento! —gritó Sally. Cuando Grace se volvió, su madre la estrechó entre sus brazos—. Gracias —dijo—. Gracias por traerme aquí, por traerme junto a él. —La mantuvo abrazada, su aliento una brisa fresca en su oído—. Gracias por todo, hijita mía. Cuánto me alegro de haber tenido esta oportunidad para conocerte.

Grace notó los brazos de su madre soltándola a regañadientes, como el mar obligado a retirarse de la orilla por la marea. No la retuvo. Sabía lo que tenía que hacer: mantener su parte del trato. Se alejó, buscando a sus compañeros con la mirada, que se habían quedado al otro lado de las tumbas.

—Grace —dijo Lorcan, adelantándose rápidamente cuando ella se acercó y abrazándola—, ¿estás bien?

Ella asintió.

—Está preparada —dijo, mirando a Mosh Zu—, ¿verdad?

El gurú le dio la razón.

—Eso creo.

—¿Qué pasará ahora? —preguntó Grace.

—Esperemos un momento aquí —dijo Mosh Zu.

Lorcan siguió abrazando a Grace mientras los tres observaban a Sally desde lejos. Estaba arrodillada ante la tumba de Dexter, su silueta claramente perfilada sobre el bloque de granito rosa. La luna ya había salido y, mientras ganaba altura, la lápida pareció brillar cada vez con más intensidad. Se tornó casi luminosa. Grace estuvo a punto de preguntar a Lorcan por aquello, pero algo la impulsó a no despegar los ojos de la tumba, ni tan solo un momento.

Había una segunda figura delante de la lápida. Un hombre. ¿Quién era? ¿De dónde había salido? El corazón comenzó a palpitarle cuando vio que tendía la mano a Sally y que ella lo miraba. Percibió que su madre estaba sonriendo. Y, de pronto, supo por qué. Supo quién era la figura.

—¡Papá! —exclamó. Al oírla, Lorcan la abrazó con más fuerza. Grace lo miró—. Es mi padre —dijo.

Lorcan asintió.

—Su alma quizá ha venido para ayudar a tu madre a irse.

Grace sonrió, pese a tener lágrimas rodándole por las mejillas. Ya no le hacía falta preocuparse por que su madre fuera a estar sola en su tránsito.

En la tumba, Sally volvía a estar de pie. Dexter la había abrazado y la estaba besando en la frente. Sally le ofreció el ramillete de flores y él lo cogió y se lo llevó a la nariz, sonriendo y asintiendo. Luego le susurró algo al oído. Ella volvió a sonreír y le cogió la otra mano. Comenzaron a alejarse.

—¿Adónde van? —preguntó Grace. Pero su pregunta no obtuvo respuesta. La creciente oscuridad de la noche no tardó en engullir a las dos figuras que caminaban por el cementerio cogidas de la mano, dos almas por fin reunidas.

Cuando se hubieron ido, Grace se quedó un rato en el cementerio, rodeada de los demás, sin decir nada. Era como si siguieran esperando, mirando. Pero ¿qué?

De pronto, vio un rayo de luz barriendo la playa. La luz tenía una calidad distinta a la suave luz lunar. Miró el faro desierto, su antiguo hogar. Había estado a oscuras, pero ahora la linterna estaba de nuevo encendida.

En la cúspide del faro, vio dos figuras. Supo que eran Sally y Dexter. Fueron a hasta la ventana para contemplar la bahía. Dexter parecía estar señalando cosas a Sally. Una vez más, Grace se consoló pensando que sus padres volvían a estar juntos. Ahora, ya no se separarían jamás.

Por fin, ellos se volvieron y Grace supo que la estaban mirando. Vio que su padre abrazaba a su madre con más fuerza. Luego, los dos alzaron la mano y comenzaron a moverla.

Al principio, creyó que le estaban pidiendo que se uniera a ellos, pero luego advirtió que le estaban diciendo adiós. Alzó la mano, aunque, de pronto, se la notaba tan pesada como el plomo, y les dijo también adiós.

Mientras se despedía de ellos, oyó la voz de su madre en su cabeza. «Recuerda lo que te he dicho, hija mía.»

Asintió. Luego oyó la voz de su padre, más clara que el agua. «Estoy muy orgulloso de ti, Gracie. Cuida de tu hermano. ¡Y confía en la corriente!»

Volvió a asentir. Honraría cada una de aquellas promesas.

Seguía asintiendo cuando la linterna comenzó a girar. Su rayo barrió la playa y siguió trazando un arco por la bahía. Al cabo de un rato, la luz alcanzó el mismo cementerio. Brillaba tanto que Grace no solo tuvo que cerrar los ojos, sino también tapárselos. Esperó un momento, dando tiempo al rayo para que siguiera su avance, y se destapó los ojos. Cuando miró de nuevo la linterna, vio que volvía a estar sin luz. La sala estaba vacía, y el faro, desierto. Sus padres habían seguido su camino.

Temblando, se separó de Lorcan y comenzó a correr hacia la tumba de su padre.

—¡Espera! —le gritó Lorcan, pero ella fue rápida. La tumba de su padre la atraía como un imán, emitiendo un brillo rosado a la luz de la luna. Al detenerse ante ella, no pudo dar crédito a sus ojos.

Había una nueva inscripción bajo las fechas de su padre. Antes no estaba; de eso estaba segura. Pero ahora había, claramente grabadas en el granito, las palabras: «y Sally, amada madre y compañera. Por fin en casa».

El corazón le latía muy deprisa. Tan deprisa que no estaba segura de poder contenerlo. Notó vértigo, calor y náuseas y creyó que iba a tener que sentarse. La lápida rosada se desdibujó ante sus ojos. Se notó el cuerpo tan informe como la gelatina. Alargó una mano para apoyarse, pero no le sirvió de nada. Se desplomó en la fresca tierra delante de la tumba. Lo último de lo que fue consciente fue de la hierba yendo a su encuentro. Luego, todo se volvió negro.

Los otros no tardaron mucho en llegar hasta ella. Mosh Zu fue el primero en hablar.

—Una cosa se acaba —dijo—. Y otra comienza. —Miró a Lorcan—. Tenemos que llevarla de vuelta al barco.

—Ya la llevo yo —se ofreció él, agachándose para cogerla en brazos.

—¿Necesitas ayuda? —preguntó Mosh Zu.

Lorcan negó con la cabeza.

—No —dijo, acunando el desmadejado cuerpo de Grace—. No, es tan liviana como una pluma. —Sonrió a Mosh Zu—. Casi tan liviana como la primera vez que la tuve en brazos. —Volvió a mirarla, pensando en lo serena que parecía. Era una buena señal, pensó, un buen augurio ahora que se estaba embarcando en la siguiente etapa de su viaje.

29

Cómo matar a un vampirata

Cheng Li había asignado a cada uno de sus jóvenes oficiales una labor de investigación distinta, que debían completar en cinco días. Al final del quinto día, la capitana Li regresó al archivo secreto para interrogarlos sobre lo que habían averiguado. Mientras descendía en la plataforma de mosaico, se preguntó cómo les habría ido. Se esperaba un análisis concienzudo y bien meditado de Jasmine y una variedad de ideas desordenadas pero potencialmente brillantes de Jacoby.

La incógnita era Connor. El hecho de que su hermana tuviera unos lazos tan fuertes con los vampiratas seguía preocupándola. Debía contemplar la posibilidad de que, en un determinado punto, él se replanteara las cosas. Le había asegurado que no les tenía ninguna simpatía a los vampiratas, pese a la relación de Grace con ellos. Pero sabía algo sobre ellos y su mundo. Los había visto como «individuos». Aquello iba a traerle problemas conforme progresara la misión. En combate, era necesario saber lo máximo posible del enemigo, pero, luego, había que dejar de verlo como nada que no fuera una barrera para lograr el objetivo. Una barrera que debía ser destruida. ¿Era Connor capaz de hacer aquello?

Jasmine, Jacoby y Connor estaban esperándola en la habitación número ocho. Sin apenas ningún preámbulo, Cheng Li se sentó detrás del estropeado escritorio del rincón.

—¿Quién va a empezar? —preguntó.

—Las damas primero —dijo Jacoby, sonriendo.

—Vale —dijo Jasmine, levantándose y alzando una pila de papeles encuadernados—. He hecho una copia completa de mi informe para cada uno —añadió, repartiéndolas.

Cheng Li sonrió. Cuando encargabas un proyecto a Jasmine Peacock, ella siempre cumplía lo prometido, con eficiencia, a conciencia y puntualmente. Así había sido mientras estudiaba en la Academia de Piratas, y Cheng Li se alegró de comprobar que nada había cambiado ahora que ya era una pirata hecha y derecha.

—Impresionante —dijo, sonriéndole. Dejó el informe en el escritorio para leerlo con detenimiento más tarde—. Te pedí que revisaras los numerosos informes de avistamientos del barco vampirata de este archivo. Dime, Jasmine, ¿cuáles han sido tus hallazgos más sobresalientes?

—El hecho es —respondió Jasmine— que abrigo serias dudas acerca del valor de casi todo lo que he leído. —Intrigada, Cheng Li enarcó una ceja. Jasmine continuó con calma y confianza—. Muchos de estos informes son, bueno, sería generoso tildarlos de «poco científicos». Muchos de ellos más bien parecen rumores, rayando en historias de fantasmas. —Suspiró—. He incluido en el informe algunas de las descripciones más coloristas por si te interesa echarles un vistazo, pero creo que estarás de acuerdo en que no hay que tomárselas al pie de la letra. —Hizo una pausa—. No obstante, hay una serie de avistamientos más coherentes, que hablan de un galeón tradicional, pero con varias marcas distintivas. En particular, velas hechas de un material desconocido. Pocos se acercaron lo bastante para identificarlo de un modo definitivo, pero varios testigos hablan de velas con una textura correosa que emiten luz y se mueven como si fueran alas.

Mientras Jasmine hablaba, Connor pensó en sus propios encuentros con el *Nocturno*. Hasta el momento, nada de lo que Jasmine había dicho superaba lo que él sabía del barco. A fin de cuentas, él había estado a bordo en dos ocasiones. Ya sabía eso, y también Cheng Li, pero no tenía ninguna intención de boicotear la investigación de Jasmine.

—Otro rasgo distintivo del barco vampirata —continuó ella— es el mascarón de proa, que revive después de que oscurezca. Varios testigos lo han visto lanzándose al mar cuando ya se ha puesto el sol y subiendo de nuevo a cubierta.

Mientras escuchaba a Jasmine, Cheng Li miró brevemente a Connor. A él, eso le bastó para recordarle que ella sabía que había visto aquello con sus propios ojos. Pensó en Darcy Pecios, el mascarón de proa hermoso pero, aun así, sobrenatural que tanta amistad había trabado con su hermana. Frunció el entrecejo, pensando en la extraña visita que Grace le había hecho hacía varias noches. No por primera vez, aquella misión le estaba afectando demasiado. Cheng Li le había asegurado que había tiempo para poner a Grace a salvo, que no era su barco de vampiratas el que pronto sería atacado. Pero él no podía evitar sentir que, en cuanto se desatara el conflicto, todo iría muy deprisa y sería difícil de controlar.

—Este barco ha demostrado ser muy escurridizo —continuó Jasmine—. Casi todos los informes más fiables refieren que llega envuelto en un velo de niebla marina y que se marcha rodeado de una niebla similar. Por tanto, no podemos establecer a qué velocidad puede navegar. Parece muy posible que lo haga a una velocidad distinta, y de un modo fundamentalmente distinto, a una embarcación tradicional. —Dio unos golpecitos en el mapa que tenía detrás—. Podría desaparecer literalmente en la niebla en el punto A, aquí —añadió, moviendo la mano por el mapa hasta señalar un punto muy distante— y reaparecer poco después en el punto B, aquí.

Cheng Li intervino con una pregunta.

—Pareces estar hablando de un único barco de vampiratas, Jasmine. ¿Es correcto?

Jasmine asintió.

—Basándome en lo que he leído, parece que históricamente estamos hablando de un único barco de vampiratas. Creo que Connor puede darte más información sobre cómo ha podido cambiar esa situación últimamente. Pero, desde luego, según los informes que he leído, los avistamientos, aunque incompletos, tienen un denominador común. Lo cual me lleva a creer que, o estamos tratando con un único barco, con velas parecidas a alas y un mascarón de proa que revive por la noche, o, como una posibilidad remota, con una flota de barcos que son idénticos y operan también de una forma idéntica.

—¿Una flota? —dijo Cheng Li, intrigada—. ¿Tienes algo que respalde ese hilo de pensamiento?

Jasmine negó con la cabeza.

—No, aún no. Lo he deducido sola, basándome en varias descripciones de avistamientos hechos en múltiples lugares en rápida sucesión. Ninguna embarcación normal podría cubrir los mares de ese modo. —Se encogió de hombros—. Pero supongo que la cuestión es esa, ¿no? No estamos tratando con una embarcación convencional.

—No, en efecto —dijo Cheng Li. Asintió—. Gracias, Jasmine. Tengo interés en leerme tu informe completo más tarde.

Jasmine asintió, le sonrió modestamente y volvió a sentarse.

—¿Sigo yo? —Jacoby parecía casi incapaz de contenerse.

Cheng Li sonrió.

—Jacoby, tú has estado investigando los experimentos que se han realizado hasta la fecha sobre cómo herir y, en último término, matar a un vampirata.

—Así es —dijo Jacoby, asumiendo el protagonismo. No tenía ningún informe pulcramente encuadernado que poder ofrecer al grupo, pero había reunido una diversidad de objetos en el otro escritorio.

—Bueno —dijo, con el entusiasmo brillándole en los ojos—, el armario de aprendiz de brujo contenía unas cosas divertidísimas. —Se puso a coger varios de los artículos más próximos a él—. Tenemos los crucifijos, que varían desde los sencillos hasta los ornamentados. Este es una pieza de plata especialmente bonita, ¿no os parece? Hablando de lo cual, ¡fijaos en estas balas de plata! ¡Pum! Efectivas con los licántropos, y posiblemente también con los vampiratas. —Dejó las balas en el escritorio y pasó a los objetos contiguos—. Luego están los objetos sagrados, como el rosario o este frasco de agua bendita. Y luego tenemos a nuestro viejo amigo el ajo. —Súbitamente, metió la mano detrás del escritorio y sacó un ramo de flores toscamente atado—. ¡Min, son para ti! —Arrojó las flores a Jasmine, que las cogió al vuelo y sonrió, oliéndolas.

—Rosas silvestres —dijo—. ¡Mis favoritas!

—No si eres un vampirata —dijo Jacoby, riéndose—. Según una leyenda que he leído, puedes encadenar a un vampirata a su tumba con rosas silvestres. Pero ninguno de los objetos que os he enseñado hasta el momento mata realmente a un vampiro. Todos ellos se consideran objetos «apotropaicos». —Pronunció la palabra con lentitud. Luego, como un profesor joven y algo chiflado, la escribió y la subrayó varias veces en el rotafolio próximo—. El propósito de objetos como estos es proteger contra los vampiratas, pero, según todo lo que he leído, cuando se trata de atacarlos, hay que recurrir a la creatividad.

Cheng Li lanzó una mirada a Connor. Su expresión era difícil de interpretar. ¿Estaba pensando en los vampiratas que había conocido personalmente? ¿O había logrado distanciarse mentalmente de ellos? Decidió no perderlo de vista mientras se dirigía a su segundo de a bordo.

—Buen trabajo, Jacoby —declaró—. Pero ahora centrémonos en cómo matar a un vampirata.

—Desde luego —dijo Jacoby—, pero, recuerda, capitana, que, de hecho, nuestro objetivo no es «matar» a un vampirata.

—Ah, ¿no? —Una vez más, Cheng Li enarcó una ceja.

Jacoby negó con la cabeza.

—De hecho, los vampiratas ya están muertos, o son no muertos, como prefieras. Nuestro objetivo no es matarlos, sino «destruirlos».

—Una distinción acertada —admitió Cheng Li—. Muy bien. Entonces, dinos cómo destruirlos.

Jacoby volvió la primera página del rotafolio para mostrarles una segunda página llena de desordenadas notas.

—Nuestros antepasados han enumerado centenares de posibles formas. Por ejemplo, colocar una moneda en la boca de un vampiro y decapitarlo con un hacha. O hervir su cabeza en vinagre.

O verter aceite hirviendo sobre él y agujerearle el ombligo con un clavo.

—Eso es lo que yo llamo un *piercing* del ombligo —dijo Jasmine, estremeciéndose.

Jacoby le sonrió.

—En Rumania, prefieren arrancar el corazón, partirlo por la mitad, meter ajo en la boca del vampiro y luego insertarle un clavo en la cabeza. Pero en Serbia optan por clavárselo en el cuello y cortarle luego los dedos de los pies…

Una vez más, Cheng Li miró a Connor por el rabillo del ojo. Esta vez, él la sorprendió y le sostuvo la mirada. A lo mejor tenía la piel más gruesa de lo que ella creía.

Jacoby continuó con entusiasmo, claramente ajeno a tales lides.

—Como digo, había centenares de ideas en el armario de aprendiz de brujo. Pero he recopilado una lista de las tres mejores. —Volvió la página para revelar otra serie de notas:

> 1. Fuego
> 2. Luz del sol
> 3. Estaca en el corazón

—Bien. —Jacoby dio unos golpecitos al rotafolio—. Número uno. ¡Fuego!

Mientras Jacoby seguía hablando, Connor pensó en la noche en que había recurrido al fuego para atacar a los vampiratas renegados. Era el propio capitán vampirata quien le había dicho qué arma utilizar. Y había dado resultado… hasta cierto punto. El incendio había destruido a varios vampiratas. Pero no a todos, pensó Connor, cerrando momentáneamente los ojos. Aquellos recuerdos eran dolorosos. Había tenido que volverse contra Jez o, mejor dicho, contra la cosa en que se había convertido, y lanzar fuego contra él. Aquella había sido una de las cosas más duras que había tenido que hacer en su vida. Y casi había sentido alivio al enterarse de que Jez no había perecido en el incendio.

—¿Connor? —dijo Cheng Li.

Él abrió los ojos, sobresaltado.

—Sé que es tarde y has trabajado mucho, pero ten la amabilidad de no dormirte mientras tus compañeros exponen sus hallazgos.

—Sí, capitana —dijo Connor. Él podría haberle dicho, justo en ese mismo instante, que el fuego no era un método seguro para poder destruir a un vampirata, que tanto Jez Stukeley como Sidorio habían sobrevivido al incendio. Pero, por el momento, decidió dejarlo pasar.

Mantuvo los ojos abiertos, pero, mientras Jacoby seguía explicando los pormenores de exponer a los vampiratas a la luz del sol y atravesarles el corazón con una estaca, él tuvo la cabeza en otro sitio. Estaba volviendo a pensar en el capitán vampirata y en cómo le había dado la información que necesitaba para atacar a Sidorio y a los rebeldes. Aquello le interesaba en dos aspectos. En primer lugar, porque el capitán había estado dispuesto a volverse contra los otros vampiratas. En el conflicto que se avecinaba, ¿seguiría actuando del mismo modo? ¿O, esta vez, las diversas fuerzas vampiratas se unirían frente a un enemigo común? Lo segundo que le interesaba del consejo del capitán era que había sido incorrecto. O, si no exactamente incorrecto, sí inapropiado. El fuego no había resultado letal para determinados vampiratas. ¿Habían evolucionado más allá de lo normal, más allá incluso de los conocimientos y poderes del propio capitán vampirata? ¿O lo había aconsejado mal a propósito? Connor no lo creía. Rememoró la ceremonia de sanación para devolverle la vitalidad después de lo mucho que lo había debilitado sacrificarse para salvar a tantos otros. ¿Cómo se encontraba en aquel momento? Grace no le había hablado de él. ¿Significaba eso que seguía ausente, como lo había estado cuando Connor se había ido de Santuario, o volvía a estar al timón del barco, de nuevo al mando de los vampiratas «buenos»?

Connor perdió el hilo de sus pensamientos cuando Jacoby dio finalmente por terminada su presentación. Cheng Li estaba claramente impresionada.

—Jacoby, has hecho un trabajo excelente. Creo que nuestro próximo paso está más claro que el agua. Tenemos que agenciarnos unos cuantos vampiratas para experimentar con ellos antes de ultimar nuestra estrategia de ataque.

—¿Te refieres a secuestrar a un vampirata? —preguntó Jasmine.

—Uno no bastará —respondió Cheng Li, negando con la cabeza—. Creo que, para empezar, necesitaremos al menos tres.

—¡Tres! —exclamó Jasmine—. ¿Durante cuánto tiempo los retendremos? ¿Y dónde?

—Todo está bajo control —respondió Cheng Li—. He ordenado la construcción de una serie de jaulas en la cubierta del *Tigre*. Los retendremos ahí. En cuanto al tiempo… bueno, lo que tardemos en obtener resultados.

—Quieres decir hasta que consigamos matar a uno —dijo Connor.

—No —lo corrigió Jacoby—. «Matarlo» no, tío. Hasta que consigamos «destruirlo». —Miró a Cheng Li—. Pero ¿dónde vamos a encontrar a esos vampiratas?

Cheng Li sonrió.

—Connor ha estado trabajando en esa parte de la misión, ¿no es así?

Connor asintió, aclarándose la garganta.

—Como ha apuntado la investigación de Jasmine, es difícil seguir la pista al principal barco vampirata, el *Nocturno*. —Hizo una pausa—. Pero el *Nocturno* ya no es el único barco vampirata. Sidorio y los vampiratas rebeldes se han apoderado de un barco prisión. Y, mientras que el *Nocturno* parece desplazarse de un modo muy misterioso, el barco rebelde, el *Capitán Sanguinario,* se desplaza a lo largo de la costa de un modo imprevisible pero, aun así, rastreable.

—¿Cómo sabes eso? —preguntó Jacoby.

—Ellos no son como los vampiratas del *Nocturno* —respondió Connor—. El *Nocturno* lleva a bordo su propia tripulación de donantes. —Advirtió que acababa de echar por tierra las industriosas investigaciones de sus dos compañeros. Pero le dio igual. Él tenía dos misiones que cumplir: dar a Cheng Li lo que ella necesitaba para perseguir a Sidorio y proteger a Grace durante el mayor tiempo posible—. Como digo, hay donantes a bordo del *Nocturno,* que suministran sangre a los vampiratas. Eso significa que el barco no necesita nunca atacar. Pero el *Capitán Sanguinario* está mucho menos organizado. Su tripulación está aumentando rápidamente y sus miembros están desbocados y fuera de control. Eso los hace peligrosos, pero también vulnerables.

—¿Vulnerables? —dijo Jasmine, estremeciéndose—. No parecen muy vulnerables.

Connor la miró.

—Necesitan sangre —dijo—. No tienen reservas a bordo del barco, de manera que necesitan bajar a tierra para cazar. Han dejado un rastro de destrucción a lo largo de la costa. No ha sido difícil de seguir. —Sacó su propio mapa, donde había trazado el rumbo del barco, apropiadamente en rojo—. Creo que la dirección en la que va está bastante clara.

—Excelente trabajo, Connor —dijo Cheng Li.

—No he terminado —dijo Connor. Se había guardado su mejor carta para el final, literalmente—. Metió la mano en su bolsillo trasero y sacó un puñado de naipes. Se inclinó sobre el escritorio y los colocó uno a uno delante de Cheng Li.

—¿Notáis algo raro? —preguntó a sus compañeros.

—Están salpicadas de sangre —dijo Jacoby—. ¡Qué asco!

—Están mal —dijo Jasmine—. Son todas del mismo palo, corazones. Pero los corazones son rojos. Y estos son negros. Jamás había visto una baraja de cartas como esta.

Cheng Li miró a Connor.

—¿De dónde las has sacado? —preguntó.

—Fueron halladas en las víctimas de los últimos ataques. Había muchos centenares más.

Cheng Li cogió una carta.

—Es idéntica a la que John Kuo tenía en la mano cuando lo encontramos —dijo—. ¿Te acuerdas?

Connor asintió sombríamente. Aquella era una imagen que seguramente no podría borrar nunca de su memoria.

—Eso demuestra que estamos sobre la pista de sus asesinos —dijo Cheng Li, mirando a Connor con inmensa admiración—. Bueno —continuó—, debo decir que no me habéis defraudado. Todos vuestros informes han sido, a su modo, enormemente esclarecedores y reveladores. —Se recostó en la silla—. Voy a quedarme aquí esta noche para pensar en esto un poco más. Vosotros tres podéis volver al barco. Aún tenéis tiempo de cenar en el segundo turno.

No necesitaron que los persuadiera. Había sido un día largo y llevaban muchas horas encerrados en aquel cuartucho subterráneo mal ventilado.

Ya estaban en el pasillo cuando Jasmine se detuvo.

—Perdonad, chicos. Se me ha olvidado decir una cosa a Cheng Li. Seguid. Ya os alcanzaré. —Se dio la vuelta y, llamando a la puerta, volvió a entrar en el archivo.

Cheng Li ya estaba profundamente enfrascada en su trabajo. La miró, claramente contrariada por la intrusión.

—¿Se te ha olvidado algo? —preguntó.

—Sí —dijo Jasmine—. Está en el cajón de tu escritorio. Un cuaderno. Lo he encontrado antes, en la última caja de archivos. He pensado que preferirías que no comentara nada hasta haber tenido ocasión de verlo tú.

Cheng Li se quedó intrigada. Dejó el bolígrafo y abrió el cajón. Efectivamente, dentro había un viejo cuaderno. Lo sacó y lo dejó en la mesa. Volviendo a alzar la mirada, vio que Jasmine ya se había marchado. ¡Qué raro!

Al abrir el cuaderno, le dio un vuelco el corazón. La letra era inconfundible. Fue un golpe terrible. Instintivamente, lo cerró. Luego, respiró hondo antes de volver a abrirlo. No cabía ninguna duda. La pulcra letra. La característica tinta turquesa. Supo qué tenía en las manos incluso antes de leer la portada.

Diario de Chang Ko Li, enero de 2495

Era el diario de su padre. Había comenzado a escribirlo en enero de 2495, solo unos pocos meses antes de morir. Cheng Li frunció el entrecejo. ¿Por qué no había visto ella nunca aquel cuaderno? ¿Por qué estaba allí, en el archivo secreto? ¿Qué revelaciones contenía? ¿Y arrojarían alguna luz sobre la muerte de su padre? El comodoro Kuo le había dicho que Chang Ko Li había muerto en una trifulca de taberna. Aquella era la versión oficial de los hechos. Pero ¿cuál era la verdad?

Cheng Li comenzó a volver furiosamente las páginas repletas de escritura turquesa. Le llamaron la atención algunas palabras y frases...

«Primer avistamiento...»

«Un mascarón de proa que revive después del crepúsculo...»

«¡No un velo sino una máscara!»

«Una segunda tripulación a quienes ellos llaman donantes...»

Comenzó a rodarle la cabeza. ¡Su padre había pasado sus últimos meses de vida persiguiendo a los vampiratas!

De pronto, advirtió otra presencia en la habitación. Esta vez no habían llamado a la puerta, o ella había estado demasiado absorta para advertirlo.

—Jasmine —dijo—, gracias. ¡Es un hallazgo increíble!

Pero, cuando alzó la vista, no era Jasmine quien estaba ante ella. Era un joven, con la tez blanquísima y el pelo tan negro como el ala de un cuervo.

—¿Quién es usted? —preguntó, aunque ya tenía sus sospechas.

—Me llamo Lorcan —respondió él—. Lorcan Furey. —La atravesó con sus ojos celestes antes de continuar—. He venido a transmitirle un mensaje de los vampiratas.

30

El enigma

«Cautivador.» No era una palabra que a Cheng Li se le pasara muy a menudo por la cabeza, pero era la palabra ideal para describir al joven que tenía delante.

—El legendario Lorcan Furey —dijo.

Él enarcó una ceja.

—¿Legendario?

—He oído hablar mucho de usted —le contestó ella, sonriéndole—. Y, por lo que veo, rebasa con creces la publicidad que le han hecho.

En realidad, por supuesto, él no era joven. ¡Ese era el truco! Llevaba varios siglos vagando por tierra y mar. Su palidez insinuaba aquel hecho, pero, a la vez, resaltaba su rara belleza —como el mármol traslúcido de una estatua antigua o la fina piel con un matiz violáceo de una cabeza de ajo—. Qué ironía, pensó Cheng Li, dado lo que se decía sobre el ajo.

Sus largas pestañas negras le hicieron sombra en los prominentes pómulos cuando bajó modestamente la mirada.

—Esto no es una visita de cortesía, capitana Li —dijo—. Tengo un mensaje para usted. De Mosh Zu, gurú de los vampiratas.

—¿Mosh Zu? —preguntó ella—. Nunca he oído hablar de él.

—Hay muchas cosas que no sabe de nosotros —respondió Lorcan.

—Pero estoy deseosa de aprender —dijo Cheng Li—. ¿Por qué no toma asiento? —Le señaló la silla que había delante de su escritorio—. Es decir, si le apetece.

—Imaginando que no tiene a mano un ataúd forrado de terciopelo para que me acueste en él, esta silla me vendrá bien —dijo Lorcan, sentándose enfrente de ella.

—¡Humor vampirata! —Cheng Li sonrió—. No me esperaba esto. Por lo que Grace me contó, lo tenía por uno de esos tipos «misteriosos y melancólicos».

Lorcan sonrió.

—Estoy seguro de que tengo mis buenos momentos.

—Estoy segura de que los tienes, Lorcan Furey —dijo ella, notando mariposas en el estómago—. Segurísima.

«Estoy coqueteando con un vampirata» pensó Cheng Li. ¿Cuál era la expresión? «Coquetear con el peligro.» Bueno, no podía haber nada mucho más peligroso que estar encerrada en un espacio reducido con un chupasangre confirmado, aunque tuviera el aspecto reservado habitualmente para las estatuas de mármol. ¿Y si le entraba hambre? ¿O era sed? Daba igual: todo se reducía a lo mismo. A él inclinándose sobre su escritorio y mordiéndola…

—Será mejor que vayamos al grano —dijo Lorcan, su marcado acento irlandés arrancándola de su monólogo interior.

—Desde luego —dijo Cheng Li, esperando que él no hubiera advertido el efecto que su presencia estaba surtiendo en ella—. Has dicho que tenías un mensaje para mí. De ese tal Mosh Zu. —Clavó sus ojos almendrados en el rostro de Lorcan.

—Es muy simple, en realidad —dijo él—. No empecéis nada que no podáis terminar.

Oír aquellas palabras le aceleró el corazón. Una descarga de adrenalina le electrizó el cuerpo. Lo primero que pensó fue que podía ser miedo, dado que los vampiratas acababan de hacerle una advertencia. Pero sabía que no era miedo. Entonces, ¿qué? ¿Atracción? Bueno, innegablemente, se sentía atraída por el joven sentado delante de su escritorio, con sus ojos azules, largas pestañas y prominentes pómulos. Sí, en otro momento y lugar, las cosas podrían haberse puesto muy interesantes entre ellos dos. Pero aquella sensación, aquel sentimiento, era más fuerte que el miedo o la atracción. De pronto, advirtió qué era, identificando por fin aquel cúmulo de sensaciones.

Era el hecho de que Mosh Zu, claramente el vampirata con más poder, le hubiera enviado un mensajero a ella. ¡A ella! No a René Grammont, un respetadísimo miembro de la vieja guardia de la Federación. Ni al comodoro Ahab Black, el misterioso y ambicioso recién llegado. No, Mosh Zu le había enviado a Lorcan a ella, a Cheng Li. No podría haber pedido una señal más clara de que su poder iba en aumento.

Lorcan se aclaró la garganta.

—¿Comprendes el mensaje? —preguntó.

Ella asintió.

—Sabéis lo de mi misión. —Lo miró, esperando a que volviera a hablar. Él le sostuvo la mirada, sin dar ninguna muestra de que aquel silencio le importara. Estuvo tentada de decir algo más, pero debía ser cauta. Lorcan Furey tenía algo que la desconcertaba. Habitualmente, ese era el efecto que ella surtía en los demás. Qué extraño, y no del todo agradable, que las tornas se hubieran vuelto. Existía un grave riesgo de que él le sonsacara más información de la que ella quería darle, o de lo que toleraría la Federación.

Lorcan se levantó. Evidentemente, se disponía a marcharse.

—¿Ya está? —preguntó Cheng Li.

—Te he transmitido el mensaje —dijo Lorcan—. Mi misión aquí ha terminado.

—Espera —dijo Cheng Li. Sus palabras consiguieron interrumpir su rápida salida. Pero, luego, no estuvo segura de cómo continuar—. ¿Cómo has entrado? —preguntó—. De hecho, ¿cómo sabías dónde encontrarme?

—¿Importa eso? —preguntó él—. He llegado hasta aquí. Te he encontrado. Te he dado el mensaje de Mosh Zu.

Cheng Li se estaba devanando los sesos. Quería retenerlo, aunque no sabía exactamente por qué y en ese momento no tenía tiempo para preguntárselo.

—¿No debería mandar yo un mensaje a tu señor? —dijo.

Lorcan se dio la vuelta, pero negó con la cabeza.

—No es necesario.

—Comprendo —dijo Cheng Li, con cierta amargura—. Así que, más que un mensaje, esto ha sido una advertencia.

Lorcan se encogió de hombros.

—Te agradezco tu tiempo. Y tu atención. Espero que tengas en cuenta lo que te he dicho.

—Sí —dijo Cheng Li—. Sí, lo haré.

Lorcan asintió y volvió a darle la espalda, salvando la poca distancia que le quedaba hasta la puerta. Mientras se alejaba, Cheng Li vio que se le caía un papel de entre los pliegues de la capa. Alumbrado por el candil, el papel fue cayendo trémulamente hasta posarse en el suelo, blanco y frágil como una pluma.

—¡Espera! —gritó ella. Luego, se habría dado una patada.

Lorcan ya estaba en la puerta. Se volvió, buscándola con sus ojos celestes y encontrándose con su mirada.

—¿Sí?

Cheng Li intentó con todas sus fuerzas no mirar, o tan siquiera pensar en el papel del suelo. Con un esfuerzo supremo, adoptó un tono informal.

—Me preguntaba cómo le va a Grace.

—Está muy bien —respondió Lorcan, su voz más dulce que antes—. Le diré que has preguntado por ella, si tú quieres.

—Hazlo, por favor —dijo Cheng Li.

—¿Hay algo más que quieras decirme? —preguntó él. Ya tenía la mano en el picaporte. Al cabo de un momento, saldría por la puerta y se perdería en la noche. Aquella era la última oportunidad de Cheng Li.

Pensó en el papel del suelo. Probablemente, no era nada importante. Pero, aun así.

—No —dijo—. No, no hay nada más.

Lorcan no se movió. ¿Había percibido que le ocultaba algo? ¿Había dejado caer el papel a propósito? ¿Acaso la estaba poniendo a prueba?

—Y dime, ¿cómo vas a salir? —preguntó—. ¿Vas a convertirte en humo? ¿O simplemente a evaporarte?

Él le sonrió.

—Por muy mal que me sepa aguarte la fiesta, creo que voy simplemente a salir por la puerta. —Dicho aquello, la abrió y salió al pasillo.

Cheng Li oyó sus pasos alejándose. No se entretuvo en pensar si cogería el extraño ascensor hasta la Rotonda o encontraría una vía totalmente distinta para salir de la academia. Tal como él había dicho, ¿qué importaba eso?

Se quedó sentada a su escritorio, afectada aún por su encuentro con Lorcan Furey y la extraña mezcla de miedo y excitación que su visita, su advertencia, pero sobre todo su presencia, le había provocado. Durante un rato, reprodujo mentalmente su conversación, pensando en cuán mejor podría haberla llevado, cuán más inteligentemente. Pero Lorcan Furey era un hueso duro de roer —durísimo, de hecho—. Recordó a Grace hablándole de su carácter esquivo cuando lo había conocido a bordo del *Nocturno;* de su capacidad para hablar sin decir nada, de andarse siempre con misterios. «Es un enigma —pensó—. Un enigma indescifrable.»

No pudo evitar pensar en Grace y en su relación con Lorcan. Por el modo como ella se lo había contado aquella noche en la academia, parecía un intenso enamoramiento. Ella no era la primera joven, ni sería la última, en pirrarse por aquel forastero rebelde. Pero Lorcan era más que un forastero rebelde, se recordó. Era un demonio, aunque lo hubieran bendecido con la belleza de un semidiós.

Mientras formulaba aquel pensamiento, bajó la vista y vio el rectángulo de papel que se le había caído a Lorcan antes de salir. Cogió el candil y fue hasta él, arrodillándose. Cuando bajó el candil al suelo, vio que no era, como al principio había creído, una hoja de papel, sino un sobre. Estaba cara abajo. Lo cogió y le dio la vuelta, viendo un solo nombre escrito en él.

Grace

Por lo abultado que estaba, el sobre debía de contener varias cuartillas, sin duda escritas. Se preguntó qué dirían, no queriendo abrirlo precipitadamente, sino posponer ese placer. ¿Era una declaración de amor del vampirata a su amada mortal? ¿O tal vez, más probablemente, estaba a punto de romper su relación y aquel sobre contenía la explicación completa de por qué lo hacía? Cheng Li sopesó el valioso sobre, sonriendo ante aquel intrigante regalo que había caído literalmente en sus manos.

Era hora de salir de aquella leonera mal ventilada, regresar a su cómodo camarote del *Tigre* y reflexionar sobre los tesoros que aquel día le había traído. Estaba cansada pero eufórica. Tenía mucho acerca de lo que reflexionar.

Miró el cuaderno de su padre. No pudo resistirse a cogerlo y hojear brevemente sus páginas, escritas todas con la inconfundible letra de Chang Ko Li y su tinta turquesa igual de característica. Pero no iba a leerlo allí. Se lo reservaría para más tarde.

Puso la carta de Lorcan dentro del diario, se lo metió en su bolsa, cerró la cremallera y se la echó al hombro. Volviendo a coger el candil, salió al pasillo. Cerró la puerta del archivo y se adentró en la oscuridad, deseando llegar a su camarote lo antes posible para sacar el contenido de su bolsa. Aquella noche no iba a faltarle qué leer, ¡eso era seguro! De pronto, se sentía reanimadísima.

31

Contraataque

Otra noche. Otro pueblo costero a punto de ser masacrado.

Stukeley y Johnny supervisaban su aproximación desde el puente de mando del *Capitán Sanguinario*. Por debajo de ellos, la chusma hambrienta se estaba mentalizando para entrar en acción. Otra noche de gula, desenfreno y caos total.

En el camarote del capitán, Sidorio estaba delante de su espejo de cuerpo entero, poniéndose su nueva capa. Era una prenda muy trabajada confeccionada con diversos tipos de pieles y adornada con huesos engarzados y hombreras provistas de púas metálicas. Huelga decir que estaba hecha a medida. Lola le había recomendado un sastre y, aunque al principio Sidorio se había mostrado escéptico, ella lo había convencido fácilmente de que *a)* estaría increíblemente irresistible y *b)* como rey de los vampiratas, necesitaba con urgencia un vestuario apropiado para su creciente fama. Había adquirido también las botas nuevas, con púas a juego, de otro de los contactos de Lola. Sonrió. En poco tiempo, Lola se le había hecho indispensable.

Se acercó más al espejo para ver si tenía algo incrustado entre los dientes. Luego, se pasó la mano por el pelo cortado al rape.

—Perfecto —declaró, sonriendo a su reflejo. Se dio la vuelta, advirtiendo con satisfacción el frufrú de su capa nueva, y salió del camarote para reunirse con sus alféreces en el puente.

Mientras recorría el pasillo, la multitud de vampiratas rasos se dividió como el mar Rojo. El agudo griterío se trocó en un respetuoso silencio cuando pasó entre ellos y subió las escaleras del puente de mando. Abrió bruscamente la puerta para anunciar su presencia. El fuerte ruido metálico surtió el efecto deseado. Johnny y Stukeley se volvieron simultáneamente.

—Buenas noches, muchachos —dijo.

—Buenas noches, capitán —dijo Johnny.

Stukeley lo saludó con la cabeza, saltándosele los ojos al ver su suntuoso atuendo.

—¡Qué elegancia! —exclamó—. ¿Es la capa, por un casual, una nueva adquisición?

Sidorio asintió orgullosamente.

—Lola me ayudó con el diseño. —Hizo una pose, permitiéndoles ver su atuendo en toda su gloria—. ¿No os parece que sea demasiado...? —Vaciló, buscando la palabra.

—¿Ostentoso? —sugirió Stukeley.

—¿Discreto? —bramó Sidorio.

Stukeley negó con la cabeza, muy despacio.

—No, capitán. Creo que puede estar completamente seguro de que no es demasiado discreto.

—Excelente —dijo Sidorio, frotándose las manos—. ¿Tenéis hambre? Yo estoy famélico.

—¡Yo tengo un hambre lobuna! —exclamó Johnny, imitando con bastante acierto el aullido de un lobo.

—Muy bien, vaquero —dijo Sidorio, sonriendo.

—De hecho —intervino Stukeley—, me alegro de verle, capitán. Como aún nos quedan unos minutos para desembarcar, ¿podríamos tener una conversación con usted sobre un asunto?

—Vale —dijo Sidorio, su expresión aburrida indicando una clara falta de entusiasmo.

El capitán, al cual no le gustaba hablar sobre estrategia ni en sus mejores momentos, parecía más inquieto de lo habitual aquella noche. Pero Stukeley no se podía permitir el lujo de aplazar aquella discusión.

—¿Se ha enterado de que los piratas están reuniendo un ejército para atacarnos directamente?

—¿De veras? —La ceja enarcada de Sidorio indicó un interés moderado.

—Sí —dijo Stukeley, asintiendo—. El motivo es el asesinato del comodoro Kuo, el director de la Academia de Piratas, y de dos alumnos suyos…

Sidorio sonrió.

—Obra de Lola.

Stukeley volvió a asentir.

—Sí, en efecto. Obra de lady Lockwood y la tripulación del *Vagabundo.*

Sidorio volvió a sonreír.

—¡Qué traviesa es esta Lola!

Stukeley frunció el entrecejo.

—El caso es, capitán, que todas nuestras informaciones indican que lady Lockwood ha logrado escabullirse y que los piratas van, en cambio, por usted. Recuerdan cómo masacró a Porfirio Wrathe y su tripulación y creen que lo hizo usted.

Sidorio sonrió.

—Creo que a él sí lo maté.

—Sí, lo hizo —dijo Stukeley—. Yo estaba con usted. —Se quedó un momento callado—. Lo que quiero decirle, capitán, es que la situación está cambiando rápidamente. Necesitamos prepararnos.

—¿Para qué? —preguntó Sidorio—. ¿Para un ataque de unos cuantos piratas fanfarrones? —Pasó los dedos por las púas de sus hombreras—. ¡Que ataquen! ¡Los haremos picadillo! —Hizo una pausa—. O a lo mejor ponemos en marcha nuestra propia bodega, como…

—Es magnífico verle tan optimista —continuó Stukeley—. ¿Recuerda cuando hablamos de establecer una nueva estructura de mando? —Sidorio miró a su segundo de a bordo sin comprender—. ¿Similar a la legión romana? —Al oír aquello, Sidorio dio indicios de saber a qué se refería.

—Necesitamos más capitanes —dijo Stukeley, decidiendo ir al grano—. Uno para cada barco.

—El capitán soy yo —declaró Sidorio, su voz atronadora resonando en el puente de mando y en el pasillo.

—Sí —dijo Johnny, echando una mano a su compañero—. Usted está al mando de todo. Nadie cuestiona eso. Pero, dada la combinación de esta amenaza y la rapidez con que nos estamos expandiendo, necesitamos más barcos, y un capitán y un segundo de a bordo para cada uno de ellos. Necesitamos empezar a valorar quién de nuestros marineros tiene dotes de mando.

Sidorio bostezó, dejando a la vista sus relucientes colmillos de oro. El aliento, advirtió Stukeley, le olía de una forma poco habitual. A menta. Arrugando la nariz, volvió a concentrarse en la conversación.

—Sé que estas cuestiones pueden parecerle demasiado burocráticas, capitán, pero debemos atenderlas. Ya llevamos un tiempo con esta situación.

Sidorio se encogió de hombros, aunque no estuvo claro si lo hizo porque no sabía qué responder o por puro aburrimiento. Viendo un espejo en la otra pared, se alejó de sus alféreces y fue hacía él pavoneándose.

Stukeley y Johnny se miraron.

—Yo que tú lo dejaría —dijo Johnny entre dientes—. Esta noche tiene la cabeza en otro sitio.

—¡Ni que lo jures! —siseó Stukeley, haciendo una mueca.

—¿Queréis hacer el favor de relajaros? —dijo Sidorio, volviendo la cabeza—. Nos estamos convirtiendo en un ejército imbatible. Que los piratas nos ataquen si quieren. Si creen que pueden impedir nuestro avance, están equivocados. Completamente equivocados. —Se miró de nuevo en el espejo. Sacó pecho, levantando un pectoral y luego el otro, como si estuviera compitiendo en un campeonato privado de halterofilia—. ¿Nos queda mucho? —preguntó—. No quiero llegar tarde a la cita.

—¿Qué cita? —preguntaron al unísono sus dos ayudantes, con la voz cargada de preocupación.

Sidorio se volvió, sonriendo afablemente.

—¿No he mencionado que esta noche iban a venir con nosotros lady Lockwood y su tripulación? Pensamos que sería divertido cazar juntos.

Stukeley frunció el entrecejo, volviéndose para mirar la playa.

—Oh, sí —dijo, en un tono totalmente carente de entusiasmo—. Su barco acaba de llegar.

—Excelente —declaró Sidorio, oliéndose las axilas—. Muy bien, muchachos. Hora de echar el ancla e ir marchándonos.

—Antes de que se vaya —insistió Stukeley—, ¿podemos al menos terminar nuestra conversación?

—Creía que ya lo habíamos hecho —dijo Sidorio.

Stukeley recurrió a la última gota de paciencia que le quedaba.

—Capitán, este problema no va a resolverse solo. Si los piratas están pensando en atacarnos, y parece que así es, tenemos que estar preparados.

—Muy bien —dijo Sidorio, en tono afable—. ¿Qué sugieres?

A veces, Stukeley se preguntaba si el capitán, pese a sus muchos y considerables poderes, tenía la memoria de un pez.

—Las legiones… un capitán para cada barco.

—Sí, sí —dijo Sidorio—. Lo hablaré con Lola. Ahora tengo que irme. No quiero hacer esperar a esa espléndida criatura. —Ya estaba en la puerta.

—Capitán —dijo Stukeley—, discúlpeme, pero lady Lockwood no forma parte de nuestra cadena de mando. ¿Debería tratar estos asuntos con ella?

Sidorio lo fulminó con la mirada.

—¿Necesito recordarte quién manda aquí? Hablaré con quien me apetezca sobre lo que me apetezca.

—¡Sí, señor! —dijo Stukeley, cayendo en la cuenta de que se había pasado de la raya. A veces, lo más prudente era saber cuándo cerrar la boca.

Pero Sidorio no había terminado aún.

—Por cierto —dijo—, lady Lockwood y yo estamos planteándonos una fusión.

—¿Fusión? —exclamó Johnny.

Sidorio asintió.

—Así es, vaquero. Le he pedido que se una a nosotros. Me gusta su estilo. Creo que va a revolucionarlo todo por aquí. ¿Cuál es la expresión? —Sonrió y dio un puñetazo al aire—. ¡Un toque femenino! —exclamó. Dicho aquello, se volvió y salió enérgicamente al pasillo, no queriendo posponer su cita ni un minuto más.

Johnny miró a Stukeley.

—¿Un toque femenino? —repitió—. ¿De qué está hablando, hermano?

Stukeley frunció el entrecejo.

—El capitán no sabe si viene o va, tío. Ese es el estado en que lo ha puesto lady Lockwood. Hemos intentado imbuirle un poco de sentido común, pero le entra por un oído y le sale por el otro. No es que alguna vez haya tenido mucha fijeza, pero desde que ha aparecido esa mujer...

—¿Y qué hacemos? —preguntó Johnny.

—Hacernos cargo de la situación —respondió Stukeley—. Dejar que el capitán se comporte como un tortolito hasta que se aburra de su amiguita y encuentre otro juguete. Y, entretanto, hacernos con el control de esto. Antes de que se derrumbe ante nuestros propios ojos.

A Johnny le brillaron los ojos oscuros.

—Estoy contigo, hermano. Pero ¿de veras crees que podemos hacerlo?

—Tenemos que intentarlo —dijo Stukeley—. Yo no veo otra opción. ¿Y tú? —Salió resueltamente del puente de mando, haciendo una seña a Johnny para que lo siguiera.

Sidorio estaba con lady Lockwood y sus marineras, vestidas todas con capas negras idénticas, cuando Stukeley y Johnny llegaron a la playa.

—¡Ah, aquí están por fin! —gritó afablemente Sidorio—. Muchachos, venid. ¿Os acordáis de lady Lockwood?

—Como si la pudiéramos olvidar —masculló Stukeley, haciendo una artificiosa reverencia.

—Buenas noches, capitana Lockwood. —Johnny le cogió la mano y se la besó.

Lady Lockwood les sonrió dulcemente antes de dirigirse a Sidorio.

—Tus ayudantes son un verdadero encanto —dijo—. Señaló a un lado—. Y seguro, chicos, que os acordáis de Jessamy y Camille.

Las dos mujeres se adelantaron para saludar a los alféreces de Sidorio. Stukeley y Johnny parecieron incómodos, recordando demasiado bien cómo se había burlado aquel dúo de ellos durante varias noches.

—No os preocupéis, muchachos —dijo lady Lola—. Esta noche prometen jugar limpio, ¿verdad, chicas?

—Sí, capitana —coreó dulcemente la pareja.

Stukeley miró a Sidorio.

—¿No es hora ya de que empiece el espectáculo, capitán?

—Desde luego. —Sidorio estuvo de acuerdo. Tendió la mano a lady Lockwood.

—Ven conmigo —dijo—. Cazaremos en pareja.

—¿Sabes? —adujo ella—, yo tengo gente que caza por mí, querido. Normalmente, prefiero beberme la sangre en una copa antigua de cristal veneciano.

Sidorio se quedó momentáneamente abatido. Al advertirlo, lady Lockwood le cogió la mano.

—Pero siempre estoy abierta a probar nuevas experiencias. Venga, toro mío. —Se volvió para dirigirse a su tripulación—. ¡Vamos a divertirnos todos!

Sidorio condujo a lady Lockwood al centro de la multitud y, juntos, dieron la orden.

—¡Es hora de cazar!

Stukeley y Johhny vieron cómo se alejaba su ejército. Permanecieron en la playa, rodeados de la tripulación de lady Lockwood, la cual Johnny no pudo evitar advertir que estaba compuesta enteramente por hermosas mujeres.

—¿Y bien? —dijo Jessamy, enarcando una ceja—. Esperábamos que vosotros fuerais delante, caballeros.

Johnny asintió.

—¡Chicas, seguidme! —Echó a correr por la playa, encabezando el elegante enjambre de marineras de lady Lockwood con sus capas negras ondeando al viento.

Cuando hubieron saciado su apetito, Johnny y Stukeley regresaron a la playa con la tripulación de lady Lockwood. Tras su escepticismo inicial, Stukeley se lo había pasado en grande. Ahora que Jessamy y Camille habían dejado de intentar engañarlos e inducirles una amnesia transitoria, eran, de hecho, una compañía bastante agradable. Había, reflexionó, peores cosas que pasarse la noche cazando en compañía de un pelotón de despampanantes vampiratas.

Poco después, se unieron a ellos los dos capitanes, Sidorio y lady Lockwood. Sidorio llegó corriendo con lady Lockwood en brazos, cuyas largas faldas iban arrastrando por la arena. La capitana gritaba animadamente.

—¡Bájame! ¡Bájame ahora mismo! —Por fin, él la dejó, suavemente, en la arena. Ella recobró el aliento y miró a los demás, ligeramente sonrojada—. Bien. Nosotros hemos pasado una noche estupenda. ¿Qué tal os ha ido a vosotros?

Sus marineros les respondieron con entusiastas comentarios y asentimientos de cabeza.

Lady Lockwood se cogió al brazo de Sidorio.

—Parece que nuestras tripulaciones son muy compatibles, ¿no?

Él hizo un gesto dándole la razón y sonriéndole alegremente.

—¿Voy a tocar la sirena? —preguntó Johnny al capitán.

—Todavía no —dijo Sidorio, negando con la cabeza—. Aún es de noche. Nosotros nos hemos divertido, pero deberíamos dejar que los demás lo hagan durante un rato más.

De pronto, un grito espeluznante atravesó la noche.

—¿Qué es eso? —gritó Jessamy.

Pero todos sabían la respuesta. Todos conocían el sonido de los gritos humanos. Aquel había sido distinto. Aquel pertenecía a uno de los suyos.

—Está empezando —dijo Stukeley, con calma—. El pueblo está contraatacando.

—¿Qué hacemos, capitán? —Johnny miró a Sidorio, esperando órdenes.

Sin decir nada, Sidorio se alejó por la playa, mirando el pueblo. Sus dos alféreces lo siguieron.

—¿Nos quedamos para pelear? —le preguntó Stukeley—. ¿O quiere que levemos anclas?

El primer grito fue seguido de otro. En lo alto de la colina, había fuego. Un río de fuego. Antorchas. Antorchas encendidas.

—Vámonos de aquí —declaró Sidorio.

—Tocaré la sirena —dijo Johnny.

—¡No! —Sidorio negó con la cabeza—. No hace falta. No vamos a esperar a los rezagados.

—¿Rezagados? —repitió Stukeley—. Capitán, hace un momento, estaba diciendo que deberíamos dejar que se divirtieran…

—Las cosas cambian —dijo Sidorio—. Los que lleguen, bien. Y el resto… —Se encogió de hombros—. Las cosas, como vienen, se van.

Stukeley y Johnny se quedaron clavados al suelo, asombrados de la actitud de su capitán.

—¡¿No me estoy expresando con suficiente claridad?! —gritó Sidorio—. ¡Volved al barco y levad anclas!

—¡Sí, capitán! —respondió Stukeley, activándose.

—¡Ahora mismo, capitán! —gritó Johnny.

—Supongo que lo mejor será batirnos rápidamente en retirada —dijo lady Lockwood, dirigiéndose a su tripulación—. ¡Venga, chicas! —Al oír la orden, sus marineras echaron a correr por la arena.

Lady Lockwood mandó un beso a Sidorio.

—Buenas noches. Gracias por invitarnos a participar de la diversión. Me lo he pasado estupendamente, Sid, de veras. ¡Y estoy segura de que volveremos a vernos muy pronto!

Mientras lady Lockwood y su tripulación huían en una dirección, Sidorio y la suya corrieron hacia el otro extremo de la playa, donde les aguardaba el *Capitán Sanguinario*.

Aún había vampiratas trepando por el flanco del inmenso barco cuando este comenzó a virar. Aparecieron otros en la playa. Los últimos rezagados supervivientes habían por fin regresado. Stukeley los miró. Estaban hechos una pena. Uno tenía el pelo ardiendo y estaba intentando desesperadamente apagar las llamas. A otro le habían clavado una estaca y estaba mirando lastimeramente el extremo que le sobresalía del pecho.

—¡Esperadnos! —gritó uno de ellos.

—¡Nadad! —gritó Stukeley.

—¡No puedo! —gritó el vampirata de la estaca.

Sidorio no se inmutó. El barco, tal como él había ordenado, ya estaba zarpando.

—¡No puede abandonarnos! —gritó el vampirata quemado.

—Yo puedo hacer lo que me venga en gana —dijo Sidorio, en tono de aburrimiento.

—¡Es nuestro capitán! —gritó otro—. Debería velar por nosotros. ¡El capitán del *Nocturno* jamás nos habría tratado así!

Sidorio puso los ojos en blanco.

—De eso se trata, ¿no? —Miró desdeñosamente a los marineros rezagados—. Vosotros sois vampiratas, ¿no? Tened agallas. Yo podría tomar ese pueblo solo y destrozarlo… si quisiera tomarme la molestia. —Bostezó—. Pero ahora, voy a acostarme un rato. ¡Hasta la vista! —Se dio la vuelta y se alejó de la borda.

En la playa, los vampiratas rezagados continuaron gritando amargamente mientras el *Capitán Sanguinario* se perdía en la oscuridad. A sus espaldas, una furiosa muchedumbre de lugareños corría hacia ellos por la playa.

La turba enardecida blandía antorchas encendidas, estacas, atizadores y cualquier otra cosa parecida a un arma con que hubiera podido hacerse en mitad de la noche.

Pero en ese momento, otro barco se aproximó a la playa. Su capitana estaba en la proa, inspeccionando la playa.

—Qué lástima —dijo, dirigiéndose a su segundo de a bordo—. ¿Has visto eso? Ese otro barco ha dejado abandonados a estos pobres vampiratas.

—Sí —dijo el segundo de a bordo—. No ha sido muy caballeroso, ¿no?

La capitana negó con la cabeza.

—Creo que tendríamos que bajar a ayudarlos, ¿tú no?

Jacoby sonrió a Cheng Li.

—Sí —dijo—. Creo que en el barco tenemos sitio para al menos tres de esos pobres vampiratas.

Se volvieron para mirar las tres jaulas que se habían construido en la cubierta principal precisamente con ese propósito.

Cheng Li movió la cabeza.

—Esto sí que es huir del fuego para caer en las brasas —dijo. Luego, se dio de nuevo la vuelta y comenzó a hacer señas a las desesperadas criaturas de la playa.

32

Forzar la máquina

—Grace, siento entrar de esta forma. He llamado a la puerta, pero no has contestado.

Grace abrió los ojos, aturdida. Tenía la visión borrosa y tardó un momento en identificar la figura que había entrado en la habitación.

—¿Oskar?

—Sí —dijo él alegremente, acercándose—. ¿Cómo te encuentras hoy?

Grace seguía viendo borroso.

—Bien… supongo. —Pero, mientras hablaba, le entraron ganas de vomitar. El camarote parecía estar dando vueltas a su alrededor.

—Tranquila —dijo Oskar, sentándose junto a ella. Grace notó que le cogía la mano. La suya estaba fresca, como las manos de todos los vampiratas… pero no, Oskar no era un vampiro. Era un donante. Se le había disparado el pensamiento. Oskar tenía la mano fresca porque ella estaba ardiendo. Debía de tener fiebre.

—Oh, Oskar —dijo—. No me encuentro bien.

—Tranquila, Grace —dijo él—. Lo sé, lo sé. —Siguió cogiéndole la mano. Se quedaron así durante un rato, sin decir nada más.

Cuando hubieron transcurrido unos minutos, Grace notó que la respiración comenzaba a tornársele más lenta y la fiebre empezaba a bajarle. La visión se le estaba aclarando. Se sentó en la cama.

—Bueno —dijo Oskar—, desde luego, tienes mejor aspecto que ayer.

—¿Ayer? —repitió Grace, aturdida—. ¿Viniste a verme ayer?

Oskar asintió y sonrió pacientemente.

—Y anteayer, y hace dos días. ¿No te acuerdas?

Ella negó con la cabeza y le entró pánico.

—No, Oskar, no me acuerdo. Ni siquiera sé cuánto tiempo llevo aquí. —Suspiró—. Supongo que he estado mucho más enferma de lo que pensaba.

Oskar sonrió y le apretó la mano.

—Llevas cinco días así, Grace. Cinco días y cinco noches. Desde que zarpamos de Crescent Moon Bay. —Hizo una pausa—. ¿Te acuerdas de lo que pasó allí?

—Sí —respondió ella—. ¡Claro! Murió mi madre. Se reunió con mi padre, por fin, sus almas volvieron a unirse. Se marcharon juntos.

—Exacto —dijo Oskar—. ¿Y te acuerdas de lo que pasó a continuación?

Grace rememoró su día en la bahía. Se recordó en el cementerio, arropada en los brazos de Lorcan, presenciando la reunión de sus padres junto a la tumba de Dexter. Y luego los recordó alejándose y… La visión se estaba desvaneciendo, pero se aferró tenazmente a ella. El faro había proyectado un rayo de luz y ella los había visto en la linterna, mirándola y diciéndole adiós con la mano. Y, luego, el rayo de luz había comenzado a barrer la playa y la bahía hasta que ella había tenido que cerrar los ojos. Oscuridad. Oscuridad total. Pero, antes de eso había ocurrido otra cosa. La tumba, la tumba de su padre, había emitido un brillo rojo… no, rosado. Fue como si la estuviera llamando, convocándola. Grace había corrido hacia ella. Y había visto una nueva línea grabada en el granito, el epitafio de Sally. Y había sido entonces cuando todo se había vuelto negro. Había leído aquellas nuevas palabras, la vista se le había nublado y había perdido el conocimiento.

—Creo que debí de desmayarme en el cementerio —dijo.

Oskar asintió.

—Eso es exactamente lo que pasó —dijo—. ¿Ves?, ¡te acuerdas! Los otros te trajeron al barco, a tu antiguo camarote. —Le señaló la habitación y Grace comenzó a recorrerla con la mirada. Hacía tiempo que no estaba allí, tras su prolongada estancia en Santuario, pero sí, aquel era su camarote, el que le habían asignado la primera vez que estuvo a bordo del *Nocturno,* cuando ni siquiera conocía el nombre del barco.

Estaba recostada en almohadas en la cama de dosel, con sus postes de madera intrincadamente tallados. A su derecha estaba el pequeño baño, con su lavabo de porcelana y una toalla doblada junto a él. Continuó recorriendo el camarote con la mirada hasta llegar a la silla donde estaba su ropa pulcramente doblada. Cerca de la silla, vio el escritorio. Como de costumbre, estaba lleno de plumas, lápices, tinta y cuadernos, incluidos los que ella había utilizado para escribir las historias de cómo habían cruzado al otro lado vampiratas que había conocido en el barco y en Santuario. Detrás del escritorio estaba la cómoda lacada, decorada con extraños caracteres y con un cepillo de plata y un espejo. Recordaba aquel espejo. No tenía cristal.

Apretó la mano a Oskar.

—¿Cuánto tiempo has dicho que llevo aquí? —repitió, comenzando a preguntarse si todo había sido un sueño: la ceguera de Lorcan, su viaje a Santuario, la ceremonia de sanación del capitán, el regreso de su madre y todo lo que había sucedido después.

—Cinco días —dijo Oskar—. Desde que tu madre falleció y tú te desmayaste en el cementerio. Mosh Zu te trajo aquí. Lorcan te llevó en brazos.

De manera que no había sido un sueño. Había sucedido. ¿Por qué lo recordaba tan vagamente?

—Lo siento. ¿Has dicho que ya habías venido a verme?

Oskar asintió.

—Todas las tardes —respondió—. Lorcan y Mosh Zu me dijeron que podía. Pensaron que te gustaría estar acompañada.

—Te lo agradezco mucho —dijo Grace—. De veras. Solo que es rarísimo que no me acuerde. Es como si todo lo que pasó después del cementerio se hubiera perdido. Y todo lo que ocurrió antes está mezclado. Me cuesta distinguir qué es real y qué es producto de mi imaginación.

Oskar se dirigió a ella en su tono más tranquilizador.

—No te tortures, Grace. Te han pasado muchas cosas en las últimas semanas. Es normal que tu cuerpo haya terminado reaccionando. Has estado sometida a demasiada tensión. Tenía que salirte por alguna parte.

Grace oyó sus palabras, procesándolas como si estuviera hablando de otra persona. Lo que decía parecía razonable, aunque ella no lo hubiera visto así desde su perspectiva.

—Supongo que tienes razón —admitió—. Puede que haya estado forzando la máquina. Y eso me ha pasado factura. Puede que esto sea como un resfriado, una gripe o algo parecido.

—Exactamente —dijo Oskar—. De cualquier modo, estoy seguro de que no es nada de lo que haya que preocuparse. Lo más importante es que descanses. Ya verás como pronto te encontrarás mejor. Estoy seguro.

—Gracias —dijo Grace.

Oskar le sonrió. Volvieron a llamar a la puerta.

—Adelante —dijo Grace.

—Bueno, se te oye mejor… —comenzó a decir Lorcan, entrando en el camarote. Se interrumpió—. Oh —añadió—. Oskar. No sabía que estabas aquí.

—No pasa nada, ¿verdad? —preguntó Oskar—. Me dijisteis que podía venir a ver a Grace, ¿te acuerdas?

Por un momento, Lorcan pareció ausente. Instantes después, le dio la razón.

—Sí, sí. Claro que me acuerdo. Es solo que no esperaba verte aquí en este preciso momento. —Se quedó callado. Parecía un poco agitado.

—¿Quieres que os deje solos? —le preguntó Oskar.

Lorcan asintió.

—Si no te importa… —respondió.

Oskar negó con la cabeza.

—No, claro que no. Además, tengo que ir a prepararme para el Festín de esta noche.

—¿Es hoy la noche del Festín? —preguntó Grace.

Ambos asintieron. Aquello explicaba por qué parecía tan distraído Lorcan. Al igual que el resto de vampiratas, cuando estaba más débil era justo antes del Festín. Era entonces cuando tenía menos sangre corriéndole por las venas, y también tenía menos energía.

—Iré a prepararme —dijo Oskar. Sonrió a Grace—. Pero mañana vendré a ver cómo estás, ¿vale?

—Sí, por favor —dijo ella, sonriéndole—. Por cierto, gracias por lo que me has dicho. Ya me encuentro mucho mejor.

—Bien —dijo Oskar, sin dejar de sonreír. Luego, saludó a Lorcan con la cabeza y salió.

—¿Cómo te encuentras? —preguntó Lorcan a Grace, sentándose en el mismo lugar que Oskar.

—Un poco rara, para serte franca —respondió ella—. No recuerdo nada después de haberme desmayado en el cementerio. Oskar me ha dicho que tú me trajiste aquí.

Lorcan asintió.

—Gracias —dijo ella—. De un modo u otro, parece que siempre me estés rescatando.

Lorcan se encogió de hombros y le sonrió con ternura.

—Bueno, si sigues naufragando y desmayándote en cementerios, alguien tiene que cuidar de ti —observó.

—Bueno, me alegro de que seas tú —dijo Grace, cogiéndole la mano. Estaba fría, como de costumbre. Pero era normal. A fin de cuentas, era un vampirata.

—Parece que tú y mi nuevo donante sois carne y uña —dijo Lorcan—. ¿De qué habéis estado hablando?

Grace se quedó callada.

—¿O es un secreto? —preguntó Lorcan.

—No. —Grace negó con la cabeza—. No, solo hemos hablado de lo que me ha estado pasando. Y de cómo me siento ahora. Oh, Lorcan, ha sido extrañísimo. Tengo una mezcolanza de síntomas. De repente, me entra muchísimo calor, después me entran muchísimas náuseas, y luego supongo que debo de estar agotada, porque estoy durmiendo un montón.

—Lo sé —dijo él—. Pero estate tranquila, Grace. Pasará.

Grace asintió.

—Es lo que también me ha dicho Oskar. Él cree que solo es la tensión a la que he estado sometida, pasándome factura. Una especie de gripe, supongo… —Dejó de hablar, advirtiendo que Lorcan la estaba mirando con mucha atención—. Lorcan —dijo—. ¿Qué pasa?

Él siguió mirándola. Luego, le cogió la mano con más fuerza.

—Grace —dijo—. Mi dulce y querida Grace. Tengo algo que decirte. —Se quedó callado.

—Lorcan, ¿qué es? Me estás asustando. Por favor, dime qué es.

—Ya iba siendo hora. Llevo mucho tiempo intentando protegerte, todos lo llevamos, pero tienes que saberlo —le contestó él.

Grace lo miró con asombro. ¿De qué diablos estaba hablando?

33

Un trío peligroso

Cheng Li estaba mirando el retrato de su padre cuando oyó que llamaban a la puerta de su camarote. Se dio la vuelta y se serenó antes de gritar:

—¡Adelante!

La puerta se abrió y entraron Jacoby, Jasmine y Connor.

Cheng Li enarcó una ceja.

—¿Ya está? —preguntó.

—Ya está. Los experimentos han concluido esta mañana. Estamos preparados para informarte de lo que hemos descubierto —contestó Jacoby.

—Excelente —dijo Cheng Li—. Coged sillas. —Los condujo a la mesa redonda situada junto a la portilla y ellos tomaron asiento. Sus tres oficiales habían traído cuadernos, que abrieron, listos para comentarle sus hallazgos y oír sus próximas órdenes.

—Bien —dijo ella—, hace tres noches os traje tres ratas de laboratorio. Explicadme vuestros experimentos y decidme qué habéis averiguado.

Jacoby asintió.

—¡Por supuesto, capitana! Bueno, primero colgamos guirnaldas de rosas silvestres y cabezas de ajo en las jaulas…

—Qué decorativo —lo interrumpió Cheng Li.

Jacoby le sonrió.

—Y recordarás que ambas plantas tienen propiedades apotropaicas; es decir, ayudan a proteger contra los vampiratas. O eso nos han dicho. Queríamos comprobarlo.

—¿Y? —inquirió Cheng Li.

Jacoby asintió.

—Yo diría que es correcto. Desde luego, no hemos visto ningún intento de fuga. Naturalmente, es difícil confirmarlo, pero yo diría que las guirnaldas han surtido un cierto efecto repelente. ¿Tú no, Min?

Jasmine le dio la razón. Cheng Li tomó nota e instó a su segundo de a bordo a que prosiguiera.

—A continuación —dijo animadamente Jacoby—, comprobamos los efectos de la luz solar. Queríamos determinar el alcance exacto de los daños que les causaría eso. Por supuesto, anecdóticamente sabemos que el sol cegó de forma transitoria a un vampirata que Connor conoce.

—¿Cómo les fue a estos tres? —inquirió Cheng Li.

—Claramente, la idea les dio pánico —respondió Jacoby—. Cuando destapamos las jaulas la primera noche y les dijimos que iríamos a verlos por la mañana, los tres se pusieron como locos. —Hizo una pausa—. Por supuesto, no nos fuimos del todo, sino que nos quedamos observándolos desde lejos. Cuando salió el sol, se angustiaron todavía más.

—Empezaron a gritar —intervino Jasmine. También ella parecía angustiada—. Fue horrible, francamente horrible.

—Pero —dijo Jacoby— el sol pareció ser otro apotropaico. Los debilitó, pero no pareció infligirles daños importantes. En conjunto, diría que surtió un efecto más que nada sedante.

—Interesante —dijo Cheng Li, volviendo a tomar nota. Miró a Connor—. Puede que los vampiratas reaccionen al sol de formas distintas.

Connor asintió.

—Es posible —dijo—. Además, por lo que me ha dicho mi hermana Grace, no creo que la ceguera de Lorcan Furey estuviera causada únicamente por una exposición a la luz del sol. Parece que había otras causas subyacentes.

Cheng Li asintió, mirando de nuevo a Jacoby.

—¿No hay ninguna posibilidad de que estuvieran fingiendo ese efecto sedante para engañaros?

El segundo de a bordo lo negó.

—No —respondió—. Créeme, capitana. No estaban fingiendo.

—Al cabo de un rato —dijo Jasmine—, tuvimos que tapar las jaulas para minimizar su malestar y prepararlos para el próximo experimento.

Al oír aquello, Jacoby se sacó un objeto del bolsillo y lo dejó en la mesa.

—Una estaca de madera —dijo—. Probamos esta en el primer sujeto de estudio. A lo mejor lo recuerdas. Un varón adulto. El más corpulento del trío. Cuando entré en la jaula, era como un peso muerto. Le di la vuelta. Parecía que la luz del sol lo había debilitado, pero, aun así, se resistió.

Cheng Li enarcó una ceja.

—Al parecer, estaba ávido de sangre —continuó Jacoby—. Cuando lo miré a los ojos, fue como si estuviera mirando un pozo muy hondo, con un fuego ardiendo en su mismo fondo. Luego, las cosas se pusieron francamente feas.

—¿Feas? ¿Cómo?

—El primer sujeto de estudio me atacó —dijo Jacoby, frunciendo el entrecejo al recordarlo—. Pudo fácilmente conmigo y me rompió la camisa…

—Estaba intentando dejarle el pecho al descubierto —dijo Jasmine—. Ese parece ser el sitio preferido de los vampiratas para perforar la piel y chupar la sangre.

Jacoby hizo una mueca.

—De no haber sido por estos dos, capitana, el vampirata se me habría merendado. Connor entró en la jaula e intentó quitármelo de encima, pero también era demasiado fuerte para él. Me estaba arañando el pecho como si estuviera decidiendo por dónde perforarlo. No me importa decírtelo: ¡jamás en mi vida había pasado tanto miedo!

Connor le dio la razón.

—El vampirata estaba encima de Jacoby, enseñando los colmillos. Yo hice otro intento de quitárselo de encima, pero él me arrojó al otro extremo de la jaula.

—¿Cómo repelisteis al primer sujeto de estudio? —preguntó Cheng Li.

—Te toca, Peacock —dijo Jacoby, sonriendo y mirando a Jasmine, que le tomó el relevo.

—La noche anterior, Jacoby me había estado hablando de los supuestos poderes del acónito —explicó Jasmine—. Es una planta fanerógama, conocida también como matalobos o vedegambre, que desde hace siglos es utilizada como veneno de flecha por los cazadores en Ladakh y Japón e incluso en guerras humanas en China. —Cheng Li estaba escribiendo furiosamente en su cuaderno mientras Jasmine hablaba—. En humanos y animales, el veneno actúa deprisa, causando insensibilidad en la boca y quemazón en el abdomen. Generalmente, esto va seguido de vómitos. Luego, el pulso y la respiración terminan fallando, lo cual conduce a una muerte por asfixia. El acónito estaba citado como otro apotropaico y, como yo llevaba casualmente encima una bolsa de pétalos para analizarla en el laboratorio, decidí probarlo *in situ*.

—¡Fue muy valiente! —exclamó Jacoby, con los ojos muy abiertos—. Entró rápidamente en la jaula y arrojó los pétalos a la cabeza del primer sujeto de estudio. El efecto fue instantáneo. Él me tenía inmovilizado en el suelo, pero, cuando el acónito hizo efecto, fue como si se hubiera quedado instantáneamente paralizado. Me soltó y chilló de dolor.

—De lo cual deduje —dijo Jasmine— que el acónito no es simplemente un apotropaico, como las rosas o el ajo. No solo mantuvo a raya al primer sujeto de estudio, sino que pareció infligirle verdadero daño. —Cuando terminó de hablar, dejó en la mesa un ramillete de flores blancas aparentemente inofensivas, junto a la estaca de madera.

Cheng Li miró sucesivamente las flores y la estaca.

—Entonces —dijo—, ¿las flores funcionan y la estaca no? ¿Es eso lo que me estáis diciendo?

Jacoby negó con la cabeza.

—La estaca funciona —dijo. Solo tuvimos que amansar a los vampiratas antes de experimentar con ella. Los dejamos durante otra noche y luego los expusimos varias veces al sol a lo largo de todo el día siguiente. Aquello pareció sedarlos, al igual que antes: cuanta más era la luz a que los exponíamos, mayores eran los efectos sedantes. Luego regresamos cuando el sol empezó a ponerse, para probar nuestra estaca en el segundo sujeto de estudio, también varón, pero de constitución mucho más fina que el primero.

—¿Se resistió mucho? —inquirió Cheng Li.

—Básicamente, irrumpí en su jaula y le clavé la estaca en el pecho. Él abrió la boca, pero no gritó. Fue bastante raro —le contestó Jacoby.

Jasmine asintió.

—Oímos un ruido muy agudo, pero no le salió de la boca. Parecía que tuviera una frecuencia distinta, similar al ruido del cristal cuando se hace añicos. Y luego, se desintegró literalmente ante nuestros ojos.

Cheng Li estaba prestándoles mucha atención.

—Así es —dijo Jacoby, dándole la razón a Jasmine—. Visto y no visto, se rompió como un espejo. Su forma humana desapareció. Había fragmentos por toda la jaula. Y luego los fragmentos se descompusieron en un extraño polvo de aspecto metálico. —Jacoby miró a sus camaradas—. Fue ahí donde cometimos nuestro primer error.

—¿Error? ¿Qué error? —preguntó Cheng Li.

—Bueno, a decir verdad, yo estaba en estado de shock por lo que había hecho. Creíamos que habíamos conseguido destruirlo…

—¿Lo creíais? Suena bastante definitivo.

Jacoby asintió.

—Es lo que pensamos todos. Por lo que decidimos dejar nuestros experimentos por ese día y nos fuimos a cenar.

—No fue hasta más tarde —dijo Jasmine— que Kavan, el marinero que hacía el turno de noche en cubierta, nos dijo lo que había visto.

—¿Qué vio? —inquirió Cheng Li.

—Dijo que fue como una tormenta de arena en la cubierta —respondió Jasmine.

—¿Una tormenta de arena?

—Es lo que creyó al principio. Vio el polvo metálico arremolinándose dentro de la jaula. Luego, salió de ella, como si el viento lo hubiera arrastrado. Y continuó moviéndose. Solo entonces cobró forma, una silueta humana. Kavan dijo que, mientras él miraba desde la cofa, el polvo brillante volvió a convertirse en carne. El segundo sujeto de estudio se reconstituyó.

—Asombroso —dijo Cheng Li—. Pero eso no fue un error. No podíais haberlo sabido.

—Ese no fue el error, capitana —dijo Jacoby—. El error fue lo que pasó a continuación. Como digo, nos habíamos ido todos a cenar. Kavan estaba en la cofa. Cuando vio lo que pasaba, bajó e intentó capturar al segundo sujeto de estudio, pero no fue lo bastante rápido. El cautivo se fugó.

—¿Se fugó? —exclamó Cheng Li—. ¿Adónde fue? Se le ensombreció el rostro—. ¿Y por qué no me he enterado hasta ahora?

Jacoby se había sonrojado.

—Jasmine y Connor intentaron convencerme para que te lo dijera antes, pero yo opinaba que tú habías delegado tu responsabilidad en mí para esta tarea. No quería defraudarte, capitana. Estaba seguro de que podríamos volver a capturarlo.

—¡Oh, Jacoby! —dijo Cheng Li, exasperada—. Pero no lo habéis hecho, ¿verdad?

Jacoby negó con la cabeza.

—Lo siento mucho, jefa.

Cheng Li asintió.

—Es lamentable, pero comprensible dadas las circunstancias. Así que se fugó. Es solo un vampirata. Aún teníamos a los otros dos, ¿no?

Jacoby también asintió, enormemente aliviado de que la capitana se lo hubiera tomado tan bien. Claramente, debería haber hecho caso a sus compañeros y habérselo contado antes: le habría ahorrado un par de largas noches de insomnio.

Cheng Li estaba escribiendo, pero, sin dejar de hacerlo, alzó la mirada.

—Aunque ha escapado, habéis demostrado que la estaca es un arma muy poderosa, sobre todo cuando se usa en combinación con otras técnicas. —Cogió la estaca—. ¿De qué madera está hecha?

—De madera de espino —respondió Jasmine—. Nuestra investigación indica que la madera de espino es especialmente tóxica para los vampiratas.

—Excelente trabajo —dijo Cheng Li—. Todo esto está comenzando a cobrar forma. ¿Cómo seguisteis?

—Decidimos investigar más a fondo las propiedades del acónito —respondió Jacoby—. Como ya ha dicho Min, esta sustancia parece ser muy tóxica para los vampiratas. Solo los pétalos surten un efecto anestesiante y paralizante. Causan una marcada hinchazón periocular y perilabial y parecen surtir un efecto más fuerte internamente. Así pues, preparamos un concentrado de acónito y, esa noche, se lo administramos en forma de cápsula al tercer sujeto de estudio, la única hembra del trío.

Cheng Li alzó la vista, esperando que continuara.

—La destruimos —confirmo él.

—¿Solo con la cápsula de acónito? —preguntó Cheng Li.

Jacoby asintió.

—La llamamos cápsula fulminante —dijo, sonriendo con satisfacción.

Cheng Li vio que Connor hacía una mueca al oír el macabro chiste de Jacoby. Había advertido lo callado y retraído que se había ido quedando conforme avanzaba la entrevista. Sabía que había ayudado a Jacoby y a Jasmine con los experimentos, pero, como había predicho, era evidente que había tenido dificultades para ser igual de objetivo que sus dos compañeros. Bueno, aquello no la sorprendía del todo. Claramente, tenía que volver a hablar con él más tarde. Pero, por el momento, estaba impaciente por conocer la última parte de la investigación.

—En este punto, solo nos quedaba un vampirata —dijo Jacoby—, el primer sujeto de estudio, el que me había atacado. Habíamos tapado su jaula y conseguido debilitarlo con más pétalos de acónito, pero fuimos incapaces de engañarlo para que se tomara nada por vía oral. —Se quedó callado—. De manera que recurrimos a otros medios.

Una vez más, Cheng Li enarcó una ceja.

—Lo apuñalamos —dijo Jacoby—. Bueno, más o menos.

Cheng Li estaba sorprendida.

—¿Matasteis al primer sujeto de estudio con un estoque normal y corriente?

Jacoby negó con la cabeza.

—No, con un estoque, no. Con un candelero. Espera un momento. —Rebuscó en su bolsa y sacó el candelero, dejándolo en la mesa, junto a la estaca de madera de espino y el ramillete de acónito.

Cheng Li pasó un dedo por el candelero, intrigada.

—Se desintegró, de un modo muy parecido a como había hecho el segundo sujeto de estudio —dijo Jacoby—. Solo que, esta vez, esperamos y no se reconstituyó.

—¿Estás absolutamente seguro de eso? —preguntó Cheng Li.

—Sí —respondió Jacoby, buscando el respaldo de sus dos compañeros.

Tanto Jasmine como Connor asintieron gravemente.

—¿Y de qué está hecho el candelero? —preguntó Cheng Li.

—De plata —respondió Jasmine—. Encontramos varias descripciones durante nuestra investigación de cómo se había utilizado la plata para destruir a los licántropos.

Jacoby asintió.

—Y pensamos que lo que era malo para los licántropos también podía serlo para los vampiratas.

Cheng Li escribió otra nota y se puso a hojear lo que había escrito.

—Entonces, ¿habéis probado todas las sustancias de vuestra lista, desde el ajo hasta la plata?

—Sí —respondió Jasmine—. Y hemos identificado tres sustancias de nuestra lista que han demostrado ser altamente tóxicas para los vampiratas.

—¿Qué podemos concluir? —preguntó Cheng Li. Era claramente una pregunta retórica—. Podemos concluir que, aunque estas sustancias causan graves daños utilizadas por separado, es probable que, combinadas, surtan un efecto enormemente destructivo.

Señaló la ecléctica variedad de objetos dejados en la mesa.

—Madera de espino, acónito y plata. —Sonrió—. Un trío peligroso. ¡Bastante parecido a vosotros tres!

Jacoby sonrió. Jasmine parecía seria. Connor hizo una mueca y apartó la mirada.

—Así pues —continuó Cheng Li—, nuestro armamento debería incorporar estas tres sustancias.

—Si es posible, capitana —dijo Jasmine.

—¿En qué estás pensando? —preguntó Jacoby.

—Dadme un poco de tiempo —respondió Cheng Li, levantándose y mirando por la portilla—. Gracias, a los tres, por vuestra concienzudísima labor.

Mientras la oscuridad se iba apoderando de otro día más, Connor se hallaba en la cubierta del *Tigre,* practicando con el estoque en un lugar apartado. Estaba tan concentrado que no oyó la sigilosa llegada de su capitana. Ella pudo verlo ejecutar sus movimientos durante varios minutos antes de que parara y se diera la vuelta, advirtiendo por fin su presencia. Sus miradas se encontraron.

—Cada vez eres mejor espadachín —observó Cheng Li.

—Gracias. —Connor estaba claramente incómodo en su presencia y los dos lo sabían.

—Deja el estoque, Connor —dijo Cheng Li—. Tenemos que hablar.

Él envainó el estoque, lo dejó en el suelo y se unió a ella en la borda.

—No has disfrutado mucho con los experimentos que hemos realizado con los vampiratas, ¿verdad?

—Ya sabes la respuesta a eso —dijo él—. Ha sido duro. Muy duro. No tanto para Jacoby y Jasmine, pero para mí… sí. No sé por qué.

Cheng Li sonrió.

—Es obvio —dijo—, ¿no? Es porque has tenido un contacto personal directo con algunos de los vampiratas. Y sabes lo unida que está tu hermana a algunos de ellos.

—Sí —admitió Connor—. Sí, todo eso es cierto. —Miró el horizonte.

—Te di una oportunidad para abandonar esta misión —dijo Cheng Li—. ¿Te acuerdas? Esa primera noche en el archivo secreto.

Connor asintió. Luego, se volvió para mirarla.

—No quiero abandonar esta misión —confesó—. Quiero ser un miembro estimado de esta tripulación. Quiero eso más que ninguna otra cosa. —La frustración le había llenado los ojos de lágrimas—. Solo que me cuesta ir por este camino cuando Grace… —Cambió de tema—. Hablé con ella, como convinimos que haría. Intenté convencerla para que los abandonara.

—¿Has hablado con ella? —Cheng Li estaba desconcertada—. ¿Cuándo? ¿Cómo?

Connor se sumió en un pétreo silencio.

—Connor, esto es importante. Háblame.

Él suspiró.

—Grace tiene la capacidad de hacer viajes astrales. Sé lo inverosímil que parece, pero ya ha ocurrido dos veces. Viene a verme y hablamos. En esos momentos, ella no es una presencia física. Si intento tocarla, mi mano atraviesa la suya, pero es ella. No me la imagino. Tienes que creerme.

—Te creo —dijo Cheng Li—. Los dos hemos madurado mucho desde que nos conocimos. Ahora creo muchas cosas que de joven habría puesto claramente en duda. —Sonrió—. ¿Así que hablaste con Grace e intentaste convencerla para que abandonara a los vampiratas?

—Sí —contestó Connor—. Pero ella está decidida a no hacerlo. —No podía explicar a Cheng Li hasta dónde llegaban las tétricas figuraciones de su hermana: hasta el punto de pensar que ella, y él, estaban emparentados con los vampiratas. Jamás podría explicarle eso. ¿Por qué tenían que ser tan complicadas las cosas? Lo único que él quería era encajar en algún sitio, en aquel barco. Solamente ansiaba ser un pirata bueno y digno de confianza, pero ahora estaba fracasando incluso en aquello.

—Connor —dijo Cheng Li—. Estás haciendo todo lo posible. Lo veo. Esto no es fácil para ti.

—Te he defraudado —dijo él—. Me has dado una segunda oportunidad y te he fallado.

Cheng Li negó con la cabeza.

—Deja de tratarte con tanta dureza. Has hecho exactamente lo que te he pedido: has hablado con Grace. Y, luego, aunque ha sido difícil para ti, has ayudado a Jacoby y a Jasmine en sus experimentos.

—Lo he intentado —dijo Connor.

—De ahora en adelante va a ser más fácil —dijo Cheng Li—. Nuestros experimentos han terminado. Ahora empezaremos a pensar en cómo atacar a Sidorio. A Sidorio, ¿recuerdas? No vamos tras los vampiratas con los que está Grace. Ni ella ni ellos corren ningún peligro inmediato.

—No ahora, pero…

—Tienes que vivir al día, Connor —dijo Cheng Li—. Tendrás mucho tiempo, después de terminar esta misión, para hablar con Grace largo y tendido. Y no solo con su proyección astral. Yo te llevaré donde esté. También hablaré con ella, si sirve de algo. Pero, de momento, por favor, ten la seguridad de que no corre peligro.

Connor asintió.

—Gracias —dijo, intentando sonreír—. De veras. Gracias por todo.

Cheng Li también asintió.

—No hay de qué —respondió, animadamente—. Y ahora, ¿estás listo para conocer la próxima parte de tu misión?

Connor hizo un gesto afirmativo con la cabeza.

—Te envío otra vez a Lantao —dijo Cheng Li. La mera palabra trajo agradables recuerdos a Connor—. Sí —añadió—, ya me parecía que eso te haría sonreír. Irás a ver al maestro Yin y le pedirás que nos fabrique armas nuevas. Cincuenta espadas, hechas de plata, pero que también incorporen madera de espino y acónito. Creo que al maestro Yin le gustará el reto, ¿no? Y el viaje te irá bien, creo.

Connor volvió a asentir.

—Prepara tus cosas —dijo Cheng Li—. Zarparás mañana temprano. Y calculo que tendrás que quedarte en Lantao durante una semana más o menos.

—Suena bien —dijo Connor, recogiendo el estoque y la sudadera con capucha que había dejado en el suelo de la cubierta.

Cheng Li comenzó a alejarse. De repente, se paró y volvió la cabeza.

—Ah, se me olvidaba. Jasmine irá contigo, para hacerte compañía durante el viaje.

—¡Jasmine! —exclamó Connor. Le encantaba la idea de ir a Lantao con Jasmine, de presentársela al maestro Yin y a su apasionada hija, Bo. Pero había algunos factores que complicaban las cosas… —Esto, ¿cómo se va a tomar Jacoby que me pase una semana en Lantao con su novia?

Los ojos de Cheng Li parecieron centellear a la luz de las estrellas.

—Yo me ocupo del segundo de a bordo —dijo—. Aquí tengo muchas cosas para mantenerlo ocupado mientras preparamos el ataque. —Dicho aquello, le dio la espalda y se alejó a buen paso, rebosando determinación.

Connor permaneció en cubierta un momento más mientras el cielo se oscurecía a su alrededor. Rebosante de una súbita e inesperada felicidad, saltó y dio un puñetazo al aire. Luego corrió abajo para hacer el equipaje.

34

La crisálida

—Grace —dijo Lorcan—. Lo que te está pasando en este momento, estos extraños síntomas físicos. No son la gripe. Ni tampoco creo que sea estrés, como dice Oskar.

—¿Entonces qué es? —preguntó Grace, en tono de urgencia.

—Estás en una fase de metamorfosis —le respondió Lorcan—. Y eso está sometiendo tu cuerpo a mucha presión.

—¿Qué clase de metamorfosis? —preguntó Grace, despabilándose al instante.

—Es como cuando una oruga se transforma en mariposa —dijo Lorcan—. ¿Sabes cómo ocurre? La oruga muda la piel y esta se endurece para formar una crisálida que la envuelve y protege mientras se transforma en mariposa. —Lorcan la señaló con la cabeza—, Bueno, en este momento, tú estás dentro de esa crisálida. Por eso te parece todo tan extraño y confuso. Grace, dentro de ti se están produciendo unos cambios increíbles.

Grace comprendía sus palabras, pero seguía sin estar segura de qué quería decir exactamente.

—Estos cambios —dijo—, ¿son buenos?

Lorcan sonrió y le apretó la mano.

—Yo creo que a ti te lo parecerán —respondió—. Pero es una transformación importante, Grace. Tienes que regularte, ir paso a paso.

Grace inspiró.

—Vale —dijo—. Vale, creo que eso lo puedo hacer. Pero tienes que contarme más cosas. Necesito saber en qué me estoy transformando.

—Sí —dijo él—. Sí, lo sé. —Bajó la vista; luego, volvió a mirarla—. Grace, lo que estoy a punto de decirte va a cambiarlo todo para ti. Va a cambiar tu concepto de ti misma y de mí, de tu madre, Dexter y Connor. De todo lo que creías saber. He estado intentando protegerte de esto…

Grace frunció el entrecejo. Ya estaba confusa antes de que Lorcan hubiera empezado a hablar. Ahora, sus palabras la estaban inquietando.

—No lo comprendo. Si la transformación es positiva, ¿de qué hay que protegerme?

—La transformación en sí es positiva —dijo Lorcan—. Pero, como he dicho, cambiará tu concepto de las cosas, de las personas a las que estás unida. Por eso quería ser yo quien te lo explicara, pero teníamos que esperar hasta que estuvieras lista.

—Estoy lista —afirmó Grace, irguiéndose en la cama.

—Sí —dijo Lorcan—. Sí, ahora lo sé. —Le apretó la mano—. Iré despacio, Grace. Si hay algo que no entiendes, me lo dices, ¿de acuerdo?

Ella asintió, intrigada, con el corazón palpitándole.

—Grace —dijo Lorcan—. Tú no eres una mortal normal y corriente.

—¡Lo sabía! —exclamó ella—. Soy una vampira, ¿verdad? ¡Y Connor también!

—No exactamente —respondió Lorcan—. Grace, los dos sois dampiros.

—¿Dampiros? —repitió Grace—. ¿Te refieres a una clase de vampiro?

—Sí —dijo Lorcan—. Básicamente, eres mitad vampiro. Un dampiro es hijo de una madre mortal y un padre vampirata.

Grace notó calor y luego frío, pero no estuvo segura de si se debía a la metamorfosis a la que antes se había referido Lorcan o simplemente al impacto de su revelación. Una madre mortal y un padre vampirata…

—Entonces tenía razón. ¡Dexter era un vampirata!

Lorcan tenía la mirada encendida.

—Ya llegaré a eso. Pero, primero, tienes que entender las consecuencias de esto. Tú y Connor sois dampiros. Al igual que los vampiratas, poseéis el don de la inmortalidad, pero sois más fuertes. Vosotros no tenéis nuestras debilidades.

Grace intentó seguirle el hilo.

—¿Soy inmortal? —preguntó.

Comprendía el significado de la palabra, pero era incapaz de aplicárselo. Lorcan acababa de decirle que era especial, que iba a vivir eternamente, pero ella no se lo podía creer realmente. No se notaba ningún cambio. Quizá estuviera más débil por el cansancio y aquellos síntomas parecidos a los de una gripe, pero, por lo demás, continuaba siendo la misma de siempre. Aunque, de algún modo, ella siempre había sabido que era distinta. Comenzó a devanarse los sesos para encontrar pruebas, algo a lo que aferrarse, algo que le permitiera sentir que aquello era real, concreto.

—¿Necesito beber sangre? —preguntó—. ¿Por eso está cambiando mi cuerpo en este momento? ¿Necesitaré un donante?

—Creo que tienes la opción de elegir —respondió Lorcan—. Dejaré que sea Mosh Zu quien te hable de eso, a su debido tiempo. Él te lo puede explicar mejor que yo. Tú eres el primer dampiro que conozco.

Grace suspiró.

—No te impacientes —dijo Lorcan—. Es mucho para asimilarlo de golpe. Necesitas darte tiempo.

—¿Por eso volvió Sally? —preguntó Grace—. ¿Para prepararme?

—Sí —respondió Lorcan—. Sí, eso creo.

—Pero no lo comprendo —dijo Grace—. Si es así, ¿por qué se marchó antes de decírmelo? ¿Por qué no terminó su historia?

—Quería hacerlo —respondió Lorcan—. Más que nada en el mundo, quería hacerlo, pero al final fue incapaz. Por eso le dije que yo lo haría en su lugar.

—¿Tú? —dijo Grace, mirándolo a los ojos, sus ojos celestes. Los ojos que le habían dado la bienvenida aquella primera noche en el *Nocturno*.

De pronto, dio con la idea que había estado buscando.

—¡Tú! —repitió, pero esta vez ya no fue una pregunta.

—¿Qué pasa conmigo? —preguntó Lorcan.

Enfebrecida como estaba, estuvo a punto de pensar en voz alta. «Ahora que yo también soy inmortal, tú y yo podemos estar juntos. Para siempre. No hay nada que se interponga en nuestro camino.» Pero, pese a la fiebre, un censor interno se lo impidió. En vez de eso, se limitó a sonreír. De pronto, todo tenía sentido, mucho sentido.

Pero Lorcan no le devolvió la sonrisa. Parecía nervioso.

—Lorcan —le preguntó—, ¿qué pasa? ¿Qué es lo que no me estás diciendo?

—Chist —dijo él, forzándose a sonreír—. ¿He dicho yo que pase algo? Ya te lo he dicho, Grace. La transformación que estás experimentando es maravillosa. Tienes que darte tiempo. —Apartó la mirada, brevemente—. Ahora tengo que irme. El Festín está a punto de comenzar. ¿Estarás bien sola? Puedo pasarme después, o pedir a Oskar o a alguno de los otros que…

Grace negó con la cabeza.

—Estoy bien. —Entonces, se le ocurrió otra idea—. ¿Por qué no voy contigo? ¿Al Festín? Ya he ido antes.

Lorcan hizo un gesto negativo con la cabeza.

—Es demasiado pronto —dijo—. Necesitas descansar.

—Estoy harta de descansar —objetó Grace—. Por lo que veo, descansar es lo único que hago desde hace días. Me vendría bien levantarme…

—Lo siento, Grace, pero todavía es demasiado pronto. Tienes que confiar en mí. Ahora te notas rebosante de energía, pero enseguida dejarás de estarlo. Pronto tendrás que volver a descansar. Confía en mí.

Grace suspiró, pero sabía que era inútil. Cuando se lo proponía, no había nadie más terco que Lorcan Furey. Muy bien, que se fuera. Que se fuera al Festín. Pero, durante su ausencia, ella no dormiría. Se quedaría sentada en la cama, reflexionando sobre todo aquello. Encajaría todas las piezas del rompecabezas y sabría exactamente qué le estaba ocultando.

—Muy bien —dijo—. Me quedaré y descansaré.

—Es lo mejor —observó él, tapándola. Siempre el enfermero modelo.

Luego, se inclinó sobre ella y la miró. Grace le sonrió. Qué guapo era. ¿Era aquel el momento que había estado esperando? ¿Estaba Lorcan, por fin, a punto de besarla?

—Hasta luego —dijo él. A continuación, bajó la cabeza y la besó tiernamente en la frente.

Pese a su decepción, el beso la tranquilizó. Le dejó un agradable frescor en la frente después de que Lorcan saliera para unirse a los demás en el Festín.

Cuando Lorcan se hubo ido, Grace intentó retener todo lo que le había dicho. Pero habían sido demasiadas cosas para poder asimilarlas y estaba increíblemente cansada, más cansada que después del naufragio donde casi había perdido la vida. Se quedó profundamente dormida y tuvo extraños sueños donde se repitieron conversaciones que había tenido en la vida real. Se despertó sobresaltada, sabiendo qué se le había pasado por alto. Dexter Tempest no era un vampirata. Su madre se lo había dejado muy claro. Por consiguiente, Dexter no era el padre de los gemelos.

Comenzó a rememorar las conversaciones que había tenido con su madre. No podía estar completamente segura, pero no creía que Sally se hubiera referido a Dexter ni una sola vez como al padre de los gemelos. Siempre lo había llamado por su nombre o simplemente «él». Era como si Sally le hubiera estado transmitiendo un mensaje en todas sus conversaciones, pero ella lo había captado demasiado tarde.

Ella y Connor eran mitad vampiros: dampiros. Y su verdadero padre, su padre biológico, era un vampirata. Pero ¿quién? Una vez más, comenzó a reflexionar sobre sus conversaciones y experiencias recientes. Sally había sido la donante de Sidorio, pero estaba claro que su relación había sido una mera transacción comercial. Ella solo había sido, para citar la expresión de Oskar, la Reserva de Sangre Ambulante de Sidorio. Pero ¿cuál de los otros vampiratas podía ser?

Notó que se le aceleraba el corazón. ¿Quién había sido el primer vampirata en recibir a Sally con los brazos abiertos? Lorcan. ¿Quién había sido la persona que había estado intercambiando miradas y sonrisas furtivas con Sally? Lorcan. ¿Quién, durante toda su relación con Grace, había cambiado constantemente de actitud, acercándose a ella para luego retraerse con igual rapidez? Lorcan. ¿Y quién había sido incluso más esquivo y furtivo con ella desde la llegada de Sally? Lorcan.

¿Era Lorcan el padre de los gemelos? No podía serlo. ¿O sí? Eso lo cambiaría todo… Tal como él había dicho.

35

Regreso a Lantao

—¡Connor! ¡Connor Tempest!

Cuando Connor saltó al embarcadero de madera, apenas tuvo ocasión de recobrar el aliento antes de que una enérgica personita se le echara encima y lo abrazara. Bajando la mirada, vio el sonriente rostro de Bo Yin, la hija del espadero.

—¡Connor Tempest! ¡Eres tú!

—Hola, Bo —dijo él, partiéndose de risa mientras Bo lo libraba de sus garras—. ¡Esto sí que es un buen recibimiento!

—Me alegro mucho de verte —dijo Bo—. Iba de camino a la lonja de pescado, pensando en mis cosas, mirando los botes que llevan a la gente a puerto, ¡y voy y veo a Connor Tempest! ¿Qué te trae de vuelta a Lantao tan pronto?

—Tengo otro encargo para tu padre —respondió Connor—. De la capitana Li.

Bo Yin pareció desconcertada, y con razón.

—¿Otro encargo? Pero todas esas espadas que hizo, ¿qué les ha pasado? ¿Tenían algún fallo?

Connor negó con la cabeza.

—Por supuesto que no —dijo—. Eran perfectas, como todo lo que hace el maestro Yin. He venido a hablar con él de otra cosa. De algo especial.

—Qué interesante —dijo Bo Yin, sonriendo de oreja a oreja. De pronto, mudó la expresión—. ¿Y esa quién es?

Se volvieron cuando Jasmine se bajó del bote que los había llevado a puerto, después de una larga discusión con el remero. Se puso las gafas de sol y echó a andar por el embarcadero. El remero pareció quedarse hipnotizado por sus largas piernas bronceadas cuando ella se alejó. Al alcanzar a Connor, negó con la cabeza.

—¡Te entran ganas de haber hecho un curso en negociación! —dijo. Entonces vio a Bo. Sonriendo, le tendió la mano—. Hola, soy Jasmine Peacock.

—Y yo soy Bo Yin. Una buenísima amiga de Connor Tempest.

—¿De veras? —dijo Jasmine—. Bueno, cualquier buen amigo de Connor es amigo mío.

—¡Venga! —dijo Bo Yin con una sonrisa en los labios—. Subid a hablar con mi padre. —Se cogió del brazo de Connor y lo condujo enérgicamente a su casa, olvidándose por completo de la lonja de pescado. Sonriendo, Jasmine los siguió, asimilando las vistas, sonidos y olores del bullicioso puertecito.

Bo Yin se acercó más a Connor y bajó la voz hasta estar susurrándole.

—Connor Tempest tiene novia —dijo.

—No —adujo él—. Solo es una amiga.

—Jasmine Peacock. Bonito nombre. ¡Bonita chica! —declaró Bo Yin.

—Quizá, pero… —comenzó a decir Connor.

—Tenemos mucho que contarnos —dijo la irrefrenable Bo, guiñándole el ojo mientras subían las escaleras de la casa construida sobre pilares que albergaba el taller de su padre.

—¿Ya has vuelto, Bo Yin? —dijo una voz familiar detrás de la cortina de abalorios.

—Sí, papá. ¡Y traigo invitados!

—¿Invitados? ¡No esperamos ningún invitado! ¿Qué es este disparate? —Un momento después, apareció una mano, luego una cara. Después, el menudo maestro Yin entró en la habitación arrastrando los pies. Al ver a Connor, sonrió—. Ah, esto explica el alboroto. Parece que los deseos de Bo Yin se han hecho realidad.

Connor se ruborizó.

—Buenas tardes, señor —dijo. Siento llegar sin previo aviso. Esta es mi camarada, Jasmine Peacock.

—Es un gran honor conocerle, maestro Yin —dijo Jasmine, inclinándose ante él.

—¡Bienvenida, bienvenida! —dijo el maestro Yin, estrechándole la mano—. Hace mucho calor y debéis de tener sed tras la larga travesía. Bo Yin, un zumo de lichis les vendría de perlas.

—¡Ahora mismo voy, papá! —exclamó Bo Yin, corriendo a la cocina.

—Bien, amigos —dijo el maestro Yin—. Venid a sentaros. ¡Sentaos! Poneos cómodos y decidme, ¿qué os trae de vuelta a Lantao?

—¿Qué opina, señor? —preguntó Connor. Ya hacía varios minutos que habían entregado al maestro Yin la nota que detallaba los requisitos de Cheng Li y, hasta el momento, el espadero no había reaccionado. Ahora, por fin, alzó su cara lunar.

—Una propuesta interesante —dijo—. Llevo muchos años forjando espadas para capitanes piratas de todos los mares. Pero esta es la primera vez que me piden que forje espadas con un propósito semejante.

—¿Son piratas vampiro de verdad? —preguntó Bo Yin entusiasmada, con los ojos como platos.

—Sí —respondió Connor.

—¡Cómo mola! —exclamó Bo Yin—. ¿Los has visto? ¿Qué aspecto tienen?

—¡Silencio, Bo Yin! —dijo su padre—. No puedo pensar con tu interminable cháchara. ¿No tenías que dar de comer a tu mascota?

—¡Simbad! —gritó Bo Yin—. Se me había olvidado. Gracias, papá. —Saltó de la mesa donde estaba sentada y se marchó corriendo.

El maestro Yin suspiró y volvió a mirar la nota. Luego, sin decir nada, la dejó de nuevo en la mesa. ¿Era aquella su forma de decir no?

—Puedo ayudaros —dijo—, pero me llevará tiempo.

—No tenemos mucho tiempo —alegó Connor, incapaz de disimular su impaciencia.

—Esto es nuevo —dijo el maestro Yin—. No puedo hacerlo con prisas.

—¿Cuánto tiempo necesita? —preguntó Jasmine, en tono apaciguador.

—Al menos dos semanas —respondió el maestro Yin.

—¡Dos semanas! —exclamó Connor—. Esperábamos que fuera la mitad.

El maestro Yin se encogió de hombros, extendiendo los brazos con las palmas vueltas hacia arriba.

—¿Hay alguna posibilidad —dijo Jasmine, vacilando—, es decir, sería posible hacerlo en diez días?

El maestro Yin la miró a los ojos.

—¿Diez días, dices? Muy bien. Diez días, pues. —Miró a Connor—. Y mientras trabajo en las espadas, vosotros seréis mis huéspedes.

—Es muy amable por su parte —dijo Connor—, pero tenemos nuestro propio barco y provisiones.

—¡No, no, no! —exclamó el maestro Yin—. Os estoy haciendo un favor y vosotros vais a hacerme uno a mí. Durante diez días, seréis mis huéspedes. Y durante diez días, ¡me quitaréis de encima a la loca de mi hija! —Tendió la mano a Connor—. ¿Trato hecho?

Connor sonrió al viejo espadero.

—Trato hecho —dijo, estrechándosela.

—Creo que la señorita Yin está coladita por ti —dijo Jasmine mientras regresaban al barco para recoger algunas cosas más.

—Ah, ¿sí? —dijo Connor—. Yo creo que solo está agradecida por tener compañía de su edad. Cualquier compañía, de hecho. Su padre es un cascarrabias con ella.

—Créeme, Connor. Soy una chica. Reconozco un enamoramiento cuando lo veo.

—Bo solo tiene doce años —dijo Connor—. Yo tengo catorce.

—Las chicas maduran antes que los chicos —observó Jasmine, sonriendo—. Y no puedes negar que es muy bonita. Sois perfectos el uno para el otro.

—Salvo que —dijo Connor, negando con la cabeza— a mí siempre me han gustado mayores.

Ahora fue Jasmine quien se rió.

—Ah, ¿sí? Vaya noticia, Connor. Y dime, ¿cuál es tu tipo? ¿La capitana Li? No, probablemente, ella es demasiado joven para ti. ¿Qué hay de la capitana Quivers? ¿O de Ma Kettle?

—No tan mayores —le susurró Connor, atreviéndose a mirarla a los ojos—. Solo un par de años mayores que yo.

—Ah, ¿sí? —dijo Jasmine, sonriendo. Para sorpresa y regocijo de Connor, no apartó los ojos, sino que le sostuvo la mirada. Connor recordó la primera vez que la vio, haciendo estiramientos antes de la carrera matutina en el porche de la academia. Entonces, lo habían deslumbrado sus sedosos cabellos negros y sus ojos verdes. Ahora estaba más que deslumbrado. Pero Jasmine era la novia de Jacoby. Y Jacoby era su amigo. Aquello no podía suceder. ¿No?

—¿Todo listo, Connor Tempest? —preguntó Bo Yin, asomando la cabeza por la puerta de su habitación. Lo había sorprendido cambiándose de camisa y, cuando él se volvió, con el torso desnudo, ella se ruborizó.

—¡Lo siento! —dijo—. ¡Lo siento mucho! Volveré luego.

—Tranquila —dijo él. Puede que Jasmine tuviera razón. Puede que Bo sí estuviera mínimamente enamorada de él. Se sentía halagado. Bo era una chica simpática. Y, ahora que Jasmine lo había mencionado, muy bonita.

—Solo quería que conocieras a Simbad —dijo Bo Yin.

—¿Simbad? —preguntó Connor. ¿Tenía Bo Yin un hermano del que él no había oído hablar? Entonces se acordó. Bo Yin ya había mencionado a Simbad. Cuando su padre le había preguntado si había dado de comer a su mascota. ¿Qué clase de mascota tendría Bo Yin? ¿Un conejo? ¿Un pajarito cantor?

—¡Venga, Simbad! ¡No seas tímido! —dijo Bo Yin, arrodillándose.

Connor se puso de rodillas a su lado, esperando con curiosidad.

De pronto, entró corriendo en la habitación la criatura más espantosa que había visto nunca. Un cruce de murciélago y rata, tenía unos ojos amarillos de loco, dientes de roedor y unas orejas enormes. Los mechones que le poblaban la frente estaban todos de punta, como si acabaran de darle un susto tremendo. Pero lo más extraño de todo eran sus garras. Parecía que tuvieran dedos. Todos eran largos, finos, curvos y arrugados como los de una bruja de cuento de hadas. Pero, en cada mano, el tercer dedo era al menos tres veces más largo que el resto. La criatura miró a Connor. Luego, bajó la vista y se puso a olfatearle los zapatos.

—¡Ja! ¡Ja! —dijo Bo Yin—. ¡A Simbad le gustas! ¡A Simbad le gustan tus zapatos!

—¿Qué demonios es? —preguntó Connor.

—Es un aye-aye —respondió Bo—. Es una monada, ¿verdad?

Connor negó con la cabeza. «Monada» no era la primera palabra que le había venido a la mente.

Mientras el sol se ponía en el puerto de Lantao, Connor ponía la mesa para la cena mientras Bo estaba en la cocina, preparando *laksa* con la ayuda de Jasmine.

—Pruébala. Dime qué le falta —dijo Bo, pasando una cuchara a Jasmine. Bo la observó atentamente mientras ella soplaba en la sopa y la probaba.

—¿Más pasta de gambas? —inquirió—. ¿O zumo de lima? ¿Tal vez un poco más de picante?

—Nada —respondió Jasmine—. ¡Nada de nada! ¡Bo, esto es la cosa más deliciosa que he probado nunca!

Bo sonrió alegremente.

—A lo mejor puedo volver con vosotros y convertirme en la cocinera del *Tigre*.

—Tendrías mi voto —dijo Jasmine.

—¡Cuidado! —dijo Connor, bromeando—. Te advierto que no necesita que la animen.

—¿Qué te hace tanta gracia? —preguntó Bo—. Cheng Li es pirata. Jasmine es pirata. ¿Por qué no puede serlo también Bo Yin?

Connor se sonrojó. Había olvidado cuán en serio se tomaba Bo Yin sus sueños de ser pirata. Parecía que, cuantos más jarros de agua fría arrojaba sobre ellos el maestro Yin, con más fuerza crecían.

—Claro que puedes ser lo que quieras, Bo —dijo, sonriendo—. Pero no querrías dejar solo a Simbad, ¿no?

Bo frunció el entrecejo y le dio la espalda. Connor supo que la había disgustado. Iba a tener que aprender a tratarla con más sensibilidad. Por el momento, decidió hacer una visita al maestro Yin. Lo encontró en su taller, removiendo una olla. De tal palo, tal astilla.

—Lo siento —dijo—. He llamado, pero creo que no me ha oído. ¿Está comiendo aquí? Bo Yin está preparando la mejor *laksa* del mundo.

El maestro Yin le hizo una seña para que se acercara.

—No estoy haciendo sopa, señor Tempest —dijo. Cogió un trapo y envolvió la olla caliente en él. Luego, la llevó a su banco de trabajo. Allí había una espada. El espadero cogió una brocha y la mojó en la olla. Luego, empezó a pintar la punta de la espada con aquella sustancia similar al barniz.

—¿Qué es? —preguntó Connor.

—Coge una espada de plata. Píntala con un compuesto de acónito y madera de espino. Plata, acónito y madera de espino. Todos tóxicos para los vampiratas. —Alzó la espada y se la pasó por la empuñadura—. ¡Ahí la tienes! Un éxito seguro. La primera de las cincuenta espadas que ha pedido la capitana Li.

—¡Vaya! —exclamó Connor, empuñándola.

—Sí, vaya —dijo el maestro Yin—. Suficiente por un día, creo. Me ruge el estómago. ¿Qué has dicho de la *laksa* de mi hija?

36

Una conspiración de silencio

Grace estaba esperando, sola, en la cubierta del *Nocturno* mientras el sol se ponía. Parecía que estuviera tardando una eternidad. ¿Eran algunas puestas de sol más lentas que otras, o era simplemente que, cuando uno esperaba con tanta urgencia que el sol se pusiera, la luna tardaba siglos en salir y la oscuridad en cernerse?

Estuvo tentada de asomarse a la borda para ver si Darcy daba alguna señal de estar reviviendo. Pero no se atrevió a hacerlo. No quería darle ninguna pista de que la estaba esperando y, aunque el mascarón de proa era un objeto inanimado hasta la noche, sus ojos, incluso mientras estaban pintados en la madera, tenían muy buena vista.

Así pues, se resignó a quedarse en cubierta, esperando a oír el extraño chasquido de las extremidades de Darcy cuando revivieran y el chapoteo cuando se lanzara al agua para disfrutar de su baño nocturno.

Por fin, lo oyó. Crac. Chas. El corazón le palpitó. Llevaba todo el día esperando aquel encuentro, pero, ahora que ya casi había llegado, se sentía extraordinariamente nerviosa.

Se puso al abrigo del palo mayor para poder controlar la reacción de Darcy cuando la viera. Se sentía un poco cruel jugando de aquel modo con una buena amiga como Darcy, pero sabía que tenía que cogerla por sorpresa: era crucial para aquella situación.

La vio subir a cubierta y coger la toalla que le habían dejado. Cuando comenzó a secarse, Grace salió de su escondrijo.

—Buenas noches, Darcy —dijo.

—¡Grace! —Darcy tenía los ojos como platos—. Me has dado un susto. ¿De dónde has salido tan de repente?

—Lo siento. No quería asustarte —mintió Grace—. Solo quería verte.

—Me alegro muchísimo de verte —dijo Darcy—. He estado preocupada por ti, y llevo días queriendo hacerte una visita…

Grace negó.

—Tranquila. Aunque lo hubieras hecho, creo que probablemente me habrías encontrado durmiendo. Últimamente, parece que sea casi lo único que hago.

Darcy asintió, secándose el pelo.

—Probablemente, es justo lo que necesitas, dadas las circunstancias.

—¿Dadas las circunstancias? —preguntó Grace, enarcando una ceja.

—Después de lo de tu madre y eso —respondió Darcy. Comenzó a doblar la toalla mojada.

—Darcy —dijo Grace, mirándola a los ojos—. Darcy, lo sé.

De pronto, su amiga pareció incómoda. Movió nerviosamente las manos y la toalla le resbaló al suelo.

—¿Qué es lo que sabes? ¿De qué estás hablando, Grace?

Grace se agachó para recoger la toalla y se la pasó.

—Sé que soy un dampiro, Darcy, que Connor y yo somos mitad mortales y mitad vampiros.

A Darcy se le agrandaron los ojos.

—¡Lo sabes! —repitió.

Grace asintió.

—Me lo ha dicho Lorcan.

Darcy enarcó las cejas.

—Pareces sorprendida —dijo Grace.

Su amiga intentó disimular.

—No, en verdad no. Bueno, ¿cómo te ha sentado la noticia?

Grace sonrió.

—Estoy bien. Feliz, de hecho. Tenía mis sospechas de que era… como vosotros.

Darcy le devolvió la sonrisa.

—Sí —dijo—. Yo también. Hemos sido buenas amigas, desde que nos conocimos, ¿verdad, Grace? ¡Y ahora, somos como hermanas! —Abrió los brazos y la abrazó. Luego, vaciló—. Oh, lo siento. ¡Aún estoy un poco húmeda! Tendría que entrar a cambiarme de ropa.

—Tranquila —dijo Grace—. No me importa. Tienes razón. Somos como hermanas. Y las hermanas no deberían guardarse secretos. —Se apartó y volvió a mirarla directamente a sus enormes ojos castaños.

—¿Secretos? —preguntó Darcy, nerviosa.

—Necesito que me digas algo —dijo Grace—. Y necesito una respuesta franca.

—Por supuesto —dijo Darcy—. Pero ¿puedes esperar a que toque la campanada nocturna y encienda los faroles de cubierta? No quiero descuidar mis obligaciones.

—Será solo un momento —dijo Grace—. Y después, yo te ayudaré con los faroles. Darcy, sé que Dexter Tempest no era un vampirata, por lo que no era mi verdadero padre.

Darcy se quedó paralizada.

—Oh —dijo.

Grace sonrió para sus adentros. Hasta aquel momento, solo había sido una conjetura. Ahora, la expresión de Darcy se lo confirmó.

—Darcy —continuó—, sé que tú sabes quién es mi verdadero padre. Y necesito que me lo digas.

Su amiga la miró con nerviosismo antes de apartar los ojos y posarlos en la campana.

—Debería tocarla, de veras —dijo.

—Darcy —insistió Grace, cogiéndola por el brazo—. Lo has dicho tú misma. Eres una buena amiga mía, como una hermana. Tienes que decírmelo.

Darcy frunció el entrecejo y negó con la cabeza.

—No es tan sencillo, Grace. Ojalá lo fuera. Pero tengo órdenes estrictas de no hablar de esto contigo. —Suspiró hondamente—. Por eso no he ido a verte a tu camarote. Me moría de ganas de hacerte una visita y saber que estabas bien, pero me dijeron que no debía.

—¿Dijeron?

Darcy asintió, sin dar más detalles.

—Saben la facilidad con que me voy de la lengua y cuánto me cuesta ocultar cosas a las personas que quiero.

Grace suspiró. Presentía que se estaba acercando a la verdad. Ojalá pudiera leerle el pensamiento.

—Darcy —dijo—. Si te digo una serie de nombres, ni siquiera tendrás que decir sí o no. Podrías limitarte a asentir, o a apartarte el pelo de la cara. Hasta podrías ir a tocar la campanada nocturna. No sería como si me estuvieras contando algo. Solo estarías cumpliendo con tus obligaciones.

Miró a Darcy con mucha atención. Parecía un gato arrinconado en un oscuro callejón por un depredador más peligroso. No había tiempo que perder.

—Mosh Zu —dijo. Darcy no se inmutó.

Grace digirió la información. Era hora de probar con otro nombre.

—Sidorio —dijo. Darcy frunció el entrecejo al oír su nombre, pero una vez más, no dijo nada.

—El capitán —dijo Grace. Darcy volvió a fruncir el entrecejo. Una vez más, no dijo nada.

Grace respiró. Cada vez se le estaba haciendo más difícil.

—Lorcan —dijo.

—¡Lorcan! —exclamó Darcy.

Su reacción era distinta a la que había tenido con los otros nombres. Grace decidió seguir insistiendo.

—Sí, Lorcan —dijo—. Todo encaja. Cada vez que nos acercamos, él encuentra un motivo para apartarme. Siempre ha cuidado de mí, hasta el punto de quedarse ciego para salvarme. Y sé que su

ceguera fue en parte psicológica, por las cosas con las que estaba lidiando, como tener una hija, quizá, y no poder decirle la verdad...
—Darcy se quedó boquiabierta. Grace asintió y continuó—. Y cuando apareció Sally, durante la ceremonia de sanación del capitán, hubo algo en el modo como se miraron ella y Lorcan. Un hondo lazo entre ellos. Y luego los vi un par de veces juntos y parecían unidísimos.

—Sí que estaban u-u-u-unidos —tartamudeó Darcy—. Pero eso no significa que...

—¿Sí? —Grace volvió a asentir—. Darcy, no estás traicionando a nadie diciéndome la verdad.

Darcy volvió a fruncir el entrecejo.

—Prácticamente, ya me la has dicho —dijo Grace.

—Ah, ¿sí?

—¿No te acuerdas? Yo te conté lo que sentía por Lorcan, que estaba enamorada de él. Hablábamos de ti y Jez, y de mí y Lorcan, ¿te acuerdas?

Darcy estuvo de acuerdo.

—Y tú dijiste que Lorcan sí sentía algo por mí, pero que a lo mejor no era eso...

—Grace —dijo Darcy—, esto es muy complicado. De veras, yo no soy la persona indicada para hablarte de esto.

—Pero es cierto, ¿no? Lorcan es mi padre. Puedes decírmelo. Lo encajaré. —Sonrió.

Darcy negó firmemente con la cabeza.

—No puedo hablar contigo de esto. Hice una promesa. Y tengo que cumplirla, aunque complique las cosas entre nosotras. Solo intenta comprender que nadie está intentando hacerte daño. Todos te queremos mucho. Todo lo que hemos hecho ha sido para protegerte.

—¿Protegerme? Pero ¿cómo...?

—Grace, tengo que tocar la campana, de veras —dijo Darcy—. Siento muchísimo que estés teniendo que pasar por esto. Pero, por favor, espera a que la verdad venga a ti. No intentes forzar las cosas. No te servirá de nada.

Y, dicho aquello, Darcy se fue resueltamente a tocar la campana. Grace volvía a estar sola. Y no más cerca de la verdad. Si hasta Darcy había jurado mantener el secreto, aquello debía de ser realmente serio.

De vuelta en su camarote, Grace estuvo repasando mentalmente su conversación con Darcy. ¿Había insinuado su amiga que Lorcan era, en efecto, el padre de los gemelos? Desde luego, había reaccionado más a su nombre que a cualquiera de los otros. Y, cuanto más reflexionaba Grace sobre su propio razonamiento, tal como se lo había expuesto a Darcy, más coherente le parecía. Pero, si Lorcan era su padre, ¿por qué estaban todos tan empeñados en ocultárselo? Claramente, él tenía que explicarse. A fin de cuentas, la madre de Grace había amado a otro hombre, Dexter. Pero, conociendo a Sally y conociendo a Lorcan, debía de haber alguna explicación razonable para aquello. Aunque fuera que su madre había amado a dos hombres, uno mortal y otro vampirata. Grace podría encajarlo. Podría incluso encajar la decepción de saber que Lorcan no era exactamente la persona que ella había creído que era. Aun así, continuaría siendo una figura clave en su vida.

Solo necesitaba saber la verdad. Pero ¿cómo iba a averiguarla si los vampiratas habían acordado una conspiración de silencio?

37

Un idilio monstruoso

Lady Lockwood se despertó en su tumbona tapizada con seda, en un ligero estado de confusión. Sobre ella, en vez del techo pintado a mano de su camarote, vio las estrellas. Se volvió y encontró a Sidorio junto a ella, observándola atentamente.

—¿Qué ocurre, amor mío? —le preguntó.

—Estoy en mi tumbona, que normalmente está en mi camarote. Pero, a menos que esté enormemente equivocada, me encuentro en la cubierta de mi barco.

Sidorio le sonrió dulcemente.

—No estás equivocada. Te he traído yo, con tumbona incluida.

—¿Tú? —Ella le sonrió con desconcierto—. ¿Para qué, si puede saberse?

Sidorio señaló el cielo.

—El cielo está tan estrellado esta noche… —respondió—. Quería que fuera lo primero que vieras cuando te despertaras.

—Oh, Sidorio —dijo lady Lola, sentándose—. Eres una criatura francamente extraordinaria, tan capaz de ser romántica y tierna en ciertos momentos como de ser extremadamente malvada en otros.

—Gracias, amor mío —dijo él. Jamás se cansaría de sus halagos—. Y dime —preguntó—, ¿qué te ha parecido nuestra excursioncita de esta noche?

Lady Lola sonrió al recordar sus aventuras de aquella noche. Se había pasado mucho tiempo sin cazar para alimentarse. Normalmente, dejaba aquello en manos de su capaz tripulación y luego se bebía la sangre cuando le apetecía, en una de sus elegantes copas venecianas. Incluso con John Kuo, había hecho que lo desangraran antes de tomar más que una pizca de su sangre. Sabía que aquel no era el sistema de Sidorio. Aunque él la complacía bebiendo sangre en sus delicadas copas, prefería tomársela cuando aún estaba caliente.

Así pues, parecía justo que, de igual forma que él se había dignado a probar su forma de hacer las cosas, ella también se pusiera en su piel y experimentara su mundo.

—Ha sido bastante estimulante —dijo, al tiempo que se ruborizaba un poco—. No es algo que querría hacer forzosamente todas las noches, sino de vez en cuando, sobre todo contigo. —Hizo una pausa—. Ha sido estupendo verte en acción, Sid. Has sido implacable, querido. ¡Jamás olvidaré el modo como has perforado ese tórax!

Sidorio se sonrojó, claramente azorado por sus halagos.

Lady Lola se volvió y encontró un decantador y dos copas en una mesa próxima. Una vez más, miró a Sidorio con asombro.

Él se encogió de hombros.

—He pensado que a lo mejor tenías sed cuando te despertaras.

Ella movió la cabeza.

—Desde luego, estás en todo. ¿Te sirvo una copa?

—¿Por qué no? —dijo él.

Lady Lola pensó en cuán frágil parecía la copa del siglo XIII en los gruesos dedos de Sidorio. Él era mucho más viejo incluso que la copa, pero tenía tanta fuerza, tanta vitalidad… De un momento a otro, seguramente la partiría por la mitad. Pero, no. Él la acunó en sus manos, las mismas manos que ella había visto actuar con suma brutalidad hacía unas horas. Advirtió gratamente que él había aprendido a hacer girar la sangre en la copa, para liberar las sutilezas de su buqué, e incluso a bebérsela a sorbos en vez de tomársela de un solo trago.

—¿Sabes una cosa? —dijo—, creo se nos están pegando cosas del otro. —Dio un sorbo a su copa, satisfecha. Entonces, advirtió que él la estaba observando muy atentamente—. ¿Qué pasa, cariño?

—Nada —dijo él—. A veces, disfruto con solo mirarte.

—Oh, Sid, ven a tumbarte a mi lado. Estaremos muy apretados, con lo enormemente grande que eres, pero quiero sentirte cerca. —Le hizo sitio en su tumbona—. Así —dijo—. Tú estira tus hercúleas piernas hacia este lado y yo me pegaré a ti. —Dejó su copa de vino en el suelo—. ¿Estás cómodo?

—Sí —dijo él, besándola en la cabeza.

—No te han dado mucho afecto en la vida, ¿verdad, cariño? —dijo lady Lockood—. Pese a ser tan grande, tan preeminente en tu mundo, en nuestro mundo, creo que te ha faltado un poco de compañía y compañerismo. ¿Tengo razón?

Sidorio se encogió de hombros y bebió de su copa.

—Tengo a Stukeley y a Johnny para que me entretengan —dijo, sonriendo—. Y bastantes piratas que dependen de mí.

—Bueno, sí. Pero no pueden ofrecerte la misma clase de compañía que te ofrezco yo, ¿no?

Sidorio se rió y negó con la cabeza.

—No, Lola. Te miraría mucho antes a ti que a esas jetas tan feas.

—De todos modos —continuó ella—, yo me refería a mucho antes. A cuando te transformaste en vampiro. A todo ese tiempo que pasaste solo, vagando por el mundo, antes de que te aceptaran en el *Nocturno*. —Se volvió para mirarlo—. E incluso entonces no terminaste de encajar. Su modo de hacer las cosas jamás podría ser el tuyo. Solo era cuestión de tiempo que tú y el capitán os enfrentarais.

Sidorio frunció el entrecejo.

—¿Estás intentando hacer que me sienta mal?

—Por supuesto que no. Al contrario. Solo estoy diciendo que a veces has debido de sentirte solo. Y yo también, francamente. Quizá sea el precio que hemos pagado por nuestra grandeza.

—Quizá —reflexionó él. Luego, preguntó—: ¿Te sientes sola ahora?

—¿Contigo? —dijo ella—. ¡No! ¡Contigo jamás!

—Pues entonces —dijo él, sonriendo—, tendremos que pasar más tiempo juntos, ¿no crees?

Lola asintió y se acurrucó contra su pecho, cerrando los ojos. Se quedó dormida bajo las estrellas. Sidorio alargó la mano y la tapó con una manta. No quería que sintiera el menor malestar. Le pareció la cosa más natural del mundo protegerla y cuidarla. Pero aquellas sensaciones desataron una inesperada espiral de pánico en su fuero interno. ¿Qué le estaba sucediendo? ¿Se estaba ablandando? La idea lo hizo levantarse de un salto.

Lady Lockwood se despertó, sobresaltada.

—¿Qué pasa? —preguntó. Sidorio estaba paseándose de acá para allá, deteniéndose por fin junto a la borda—. ¿Qué te ocurre? —Lady Lockwood se levantó, envolviéndose en la manta y uniéndose a él.

Sidorio tardó un momento en responder, intentando ordenar sus pensamientos.

—No eres tú —dijo—. Soy yo. La persona que soy cuando estoy contigo. Me convierto en otro. Creía que era malvado y cruel. Me siento cómodo con eso. Se me ajusta perfectamente, como un guante muy usado. Entonces llegas tú y me despiertas todos estos pensamientos y sentimientos. Sentimientos que no creía tener. De los que ni siquiera me sentía capaz. —Le pasó un dedo por su cincelado pómulo—. No me gusta, Lola. Esto me descentra.

Ella sonrió.

—Comprendo lo que dices, Sidorio, de veras. Pero ¿no lo ves? Puedes amarme, quererme, y seguir siendo malvado. Yo también soy malvada. Recuerda aquella noche, cuando cazamos juntos a aquella pareja. ¿No fue eso malvado? ¿Y no fue divertido?

—Sí —admitió él—. Fue divertido.

—¿Y no fue más divertido porque lo hicimos juntos? No fuiste tú solo o con algún miembro de tu tripulación. Estabas conmigo, con la persona que amas y que te ama a ti. Y fuimos malos los dos. Muy, muy malos.

—Sí —asintió él—. Lo fuimos.

—Confía en mí —dijo ella—. Si de veras creyera que estás perdiendo tu capacidad para ser malvado, te arrojaría por la borda ahora mismo. Eso me aburriría soberanamente. ¿Es que no lo ves? Cuanto más malo, cuanto más cruel eres con los demás, más especial se torna tu ternura para mí. ¿No te parece eso lógico?

Sidorio se quedó callado unos instantes, considerando sus palabras. Luego, asintió.

—Sí, tiene una cierta lógica, muy retorcida.

—¡Exacto! —exclamó Lola—. Nosotros también tenemos una cierta lógica muy retorcida. Eso es exactamente lo que tenemos. No deberíamos funcionar, pero de algún modo lo hacemos. Lo nuestro es un idilio monstruoso. Tú eres malvado. Yo soy malvada. Y juntos somos malvados al cuadrado.

—Tienes razón —dijo él, sin comprenderla del todo, pero captando la esencia de su argumento. La miró, asombrado—. ¡Cásate conmigo!

Ella se rió a carcajadas.

—¡Oh, Sid, me parto de risa contigo! ¡De veras!

—Hablo en serio —dijo él—. ¡Cásate conmigo! Podemos estar juntos durante toda la eternidad, ¡alegrándonos la vida y amargándosela a todos los demás!

Lola sonrió, radiante, pero negó con la cabeza.

—Hace un momento, pensaba que ibas a dejarme. ¿Y ahora esto? ¡No sé qué pensar!

—¡Cásate conmigo! —repitió Sidorio, cogiéndola por la cintura y atrayéndola hacia sí—. Encajamos perfectamente. Nuestro destino es estar juntos.

Lady Lockwood sintió sus fuertes brazos rodeándole la cintura, vio la extraña luz de sus ojos. Era como un faro remoto guiándola a puerto. Él tenía razón. Encajaban perfectamente. Eran imparables. Él era todo lo que ella había querido desde el momento en que lo vio y, a decir verdad, incluso antes de hacerlo.

—¡Sí! —dijo—. ¡Sí! Me casaré contigo.

—¡Se casan! —exclamó Stukeley.

—Es estupendo, ¿verdad? —dijo lady Lockwood—. ¡Mira que anillo tan divino! —Le puso la voluminosa joya ante los ojos.

—¿Cuándo? —inquirió Johnny, sin rodeos.

—Pronto —dijo Sidorio.

—Muy pronto —puntualizó lady Lola—. ¿Para qué esperar? Los dos tenemos ya suficiente experiencia para saber cuándo estamos listos.

Stukeley no pudo ni mirar a Johnny Desperado. Sonrió falsamente y se quedó mirando a la pareja feliz.

—Bueno, estoy contentísimo. De veras. Por los dos. —Se adelantó y besó a lady Lockwood en la mejilla. Luego, estrechó la mano a Sidorio.

—Naturalmente, no será una boda convencional —dijo lady Lockwood—, pero nos gustaría que participarais los dos, ¿verdad, cariño?

Sidorio asintió.

—Como mis padrinos de boda —dijo.

Lady Lockwood también asintió.

—Y Angelika y Marianne serán mis madrinas. —Miró a Stukeley y a Johnny con aprobación—. Qué cuarteto tan guapo vais a formar los cuatro.

—Será un honor —dijo Stukeley, dándose cuenta de que no tenía elección.

—Para mí también —añadió Johnny.

—¡Estupendo! —exclamó lady Lockwood, aplaudiendo—. ¡Qué familia tan feliz vamos a formar todos!

—Sí —dijo Stukeley, asintiendo y notando unas náuseas extrañísimas.

—Bueno, será mejor que regrese al *Vagabundo* —dijo lady Lola—. Hay que organizar un montón de cosas. —Miró a Sidorio—. ¿Me acompañas hasta la puerta?

Sidorio asintió.

—¡Buenas noches, chicos! —Lady Lockwood se despidió alegremente de los dos alféreces con un gesto de la mano.

—¡Enhorabuena! —exclamó Stukeley.

—Sí —dijo Johnny—. ¡Enhorabuena!

Se miraron mientras Sidorio abría la puerta a su prometida, la cogía de la mano y salía con ella al pasillo.

Cuando sus pasos dejaron de oírse, Stukeley se activó. Fue rápidamente a la puerta del camarote y la cerró.

—Tenemos que pensar deprisa —dijo.

—Sí —admitió Johnny—. Como dice la señora, hay que organizar un montón de cosas en poco tiempo. ¿Crees que deberíamos ir vestidos iguales?

Stukeley cogió a Johnny por los hombros.

—¡Base llamando a Johnny! No estoy hablando de los preparativos de boda. Tenemos cosas mucho más importantes en que pensar.

—Ah, ¿sí? —preguntó Johnny.

—¡Por supuesto! —exclamó Stukeley—. Esto lo cambia todo. ¿Es que no lo ves? —Miró a su amigo a los ojos—. ¿Quién está ahora al mando de esta operación?

—El capitán —respondió Johnny—. Sidorio.

—Exacto —dijo Stukeley—. ¿Y quién lo sigue en la cadena de mando?

—Tú —respondió Johnny—. ¡Y yo!

Stukeley negó con la cabeza.

—¡Ya no! En cuanto se junten, lady Mugre será la que lleve la batuta y nosotros no pintaremos nada.

—No —dijo Johnny—. El jefe no nos haría eso. Tengo la sensación…

Stukeley movió la cabeza con un gesto de negación.

—No tendrá opción. ¿Es que no ves cómo lo pasea como si fuera un caniche? «¡Haz esto! ¡Haz lo otro! ¡Cásate conmigo!» Seguro que había planeado esto desde el principio.

—No —dijo Johnny—. Ha dicho claramente que se lo ha pedido él. ¡Y el anillo! Ya has visto el anillo que le ha regalado.

Stukeley hizo un gesto con la mano.

—Eso no significa nada. Esa mujer es una intrigante. Puede parecer perdidamente enamorada de Sidorio, pero, en el fondo, es más fría que el hielo. No lo ama. Quiere su poder, nada más. No me extraña que la llamen Corazón Negro. Ha jugado con él como un tahúr.

—No. —Johnny negó con la cabeza.

—¡Sí! —insistió Stukeley.

Johnny se encogió de hombros.

—Bueno, ahora ya da igual. La boda va a celebrarse, y pronto. ¡Deberías intentar alegrarte por ellos!

Stukeley negó con la cabeza.

—Tú puedes ponerte a elegir un traje bonito si quieres, socio. Hasta puedes elegirme uno a mí, si te apetece. —Tenía una mirada siniestra. Una mirada que Johnny no había visto jamás—. Pero no va a celebrarse ninguna boda. No si yo puedo evitarlo.

—¿En qué estás pensando, hermano? —preguntó Johnny, sorprendido pero fascinado.

—Espera y verás —respondió Stukeley, sonriendo enigmáticamente a su amigo—. Como dijo Shakespeare, el camino del amor verdadero nunca fue fácil.

38

Cita en Ma Kettle

Estaba lloviendo, pero aquel no era el único motivo de preocupación de «Sable» Cate Morgan cuando se sumó aquella noche a la cola para entrar en la taberna de Ma Kettle. Se caló el sombrero de fieltro hasta las cejas para ocultar su inconfundible cabellera pelirroja y echó un vistazo a su reloj de bolsillo. Recorriendo la cola con la mirada, observó al jefe de seguridad de Ma Kettle, Piezas de a Ocho, mientras registraba a los piratas que iban por delante de ella.

Pese al muy anunciado cambio de política y las rigurosísimas medidas de seguridad, muchos piratas seguían sin captar el mensaje de que ahora estaba prohibido entrar en la taberna con espadas, puñales y cualquier otra arma blanca. Vio a Piezas cacheando expertamente a una famosa capitana pirata y encontrándole no menos de ocho armas.

—Que disfrute de la velada, señora —dijo, tan paciente y cortés como de costumbre. Colocó las armas en una caja para ser devueltas al final de la velada.

—¡Venga! —masculló Cate, echando otro vistazo a su reloj—. ¡Venga!

Solo tardó otros cinco minutos en llegar al principio de la cola, pero a ella se le hicieron eternos.

—¡Vaya, pero si es la señorita Morgan! —dijo Piezas, listo para saludarla muy públicamente.

—Sí —dijo Cate, en voz baja—. Buenas noches, Piezas. Estoy aquí para un asunto privado, por lo que te agradecería tu máxima discreción.

—Por supuesto, señorita… ¡Por supuesto! —dijo él, guiñándole el ojo.

Cate le entregó rápidamente su estoque, con un billete enrollado en la punta.

—Por tu discreción —dijo, señalándolo con la cabeza.

—Es usted muy amable —dijo Piezas—. ¡Pase!

Alzó la cuerda de terciopelo y Cate pasó rápidamente por delante de él para entrar en la bulliciosa taberna. Una vez más, miró su reloj. Diez minutos de retraso. Mal. Muy mal. Solo tenía que confiar en no haber dejado pistas y en que Molucco no cambiara de planes y fuera derecho a Ma Kettle.

—Cate —dijo una voz familiar mientras una mano le rozaba el hombro.

Cate se sobresaltó. Luego, advirtió que solo era Tarta de Azúcar, la fiel ayudante de Ma. Sonrió con nerviosismo.

—Hola. ¿Cómo estás?

—Bien —respondió Tarta de Azúcar—. ¿Dónde está el resto de tu tripulación? ¿Hay alguna posibilidad de que Bart se pase más tarde?

Algo azorada, Cate negó con la cabeza.

—No lo creo. Solo he venido yo, que yo sepa. Tengo un asuntillo pendiente. Un asunto privado.

—No digas más —dijo Tarta de Azúcar, dándose un golpecito en su chata nariz—. Sé guardar un secreto.

Cate sonrió. Luego, bajó la cabeza y se abrió rápidamente paso entre la multitud, subiendo a zancadas las escaleras que conducían a los reservados con cortinas. Solo uno parecía estar ocupado. Su cita la estaba esperando. Cate respiró hondo, separó las cortinas de terciopelo y entró.

—Estaba empezando a pensar que no ibas a aparecer —dijo Cheng Li, alumbrada por la luz de las velas—. Bonito sombrero, por cierto.

—Lo siento —dijo Cate, quitándose el sombrero y liberando su cabellera—. Me ha costado más venir de lo que esperaba. La cola es una locura.

—Bueno, ya estás aquí. Eso es lo que importa. —Cheng Li sonrió—. ¡Siéntate, relájate! Me he tomado la libertad de pedirte una jarra de la mejor cerveza de la taberna. Solía ser tu preferida.

—¡Sigue siéndolo! —exclamó Cate, sentándose.

—¿Sabes? —dijo Cheng Li—, esa es una de las cosas que más me gustan de ti, Cate. Eres una constante en este mundo nuestro tan cambiante.

Salvo por la ceja que enarcó, Cate no mudó la expresión.

—¿Es esa tu forma de decir que soy aburrida?

—¿Aburrida? Por supuesto que no. Formal. Digna de confianza en los momentos de crisis. Esas cualidades no son aburridas. No desde la perspectiva de un capitán.

Cate se relajó visiblemente ante el cumplido de Cheng Li. Esta le señaló la cerveza con la cabeza.

—Bebe, Cate. Debes de estar sedienta.

Cate alzó la jarra y tomó un sorbo de cerveza. La espuma le dibujó un bigote en el labio superior. Ella no se dio cuenta hasta advertir la sonrisa que asomó a los labios de Cheng Li. Azorada, se la limpió.

Cheng Li estaba bebiendo una infusión de flor de luna. Se sirvió otra taza y le añadió una cucharada de miel de manuka.

—Dime —dijo en tono informal—, ¿cómo va todo a bordo del *Diablo*?

Cate se encogió de hombros.

—No muy distinto a como tú lo recuerdas.

—Vaya —dijo Cheng Li, tomando un sorbo de infusión—. Confiaba en que Molucco ya se hubiera enmendado un poquito. Pero supongo que es cierto: ¡a un viejo lobo de mar no se lo puede cambiar!

—Molucco es Molucco —dijo Cate, midiendo sus palabras—. Él también es una constante, por así decirlo.

—Sí —admitió Cheng Li—. Un constante dolor de...

—Estoy segura de que no me has hecho venir para hablar mal de Molucco —dijo Cate, volviendo a adoptar un tono formal.

—No —admitió Cheng Li—. En este momento, Molucco no es una de mis principales preocupaciones. —Tomó otro sorbo de infusión—. No, Cate. Te he invitado para hablar de ti. —Hizo una pausa—. Para hablar de tu futuro.

—¿Mi futuro? —repitió Cate.

—Sí. Tu futuro. Tus metas. Tu plan a cinco años. Supongo que tienes un plan a cinco años.

Cate tomó un sorbo de cerveza y negó con la cabeza.

—No lo necesito —respondió con voz firme—. Sé exactamente dónde estaré dentro de cinco años. He jurado lealtad de por vida al capitán Wrathe.

—Oh, Cate —dijo Cheng Li, suspirando—. No puedo evitar pensar que te estás subestimando. Como he dicho, las cosas están cambiando rápidamente en nuestro mundo.

—Sí —admitió Cate—. Pero, como también has dicho, yo soy una persona constante. No soy de las que cambia de chaqueta cada cinco minutos, como… —Se interrumpió, mirando la parpadeante llama de la vela.

—¿Qué ibas a decir, querida? ¿Como yo? ¿O como Connor Tempest?

Cate volvió a mirarla a los ojos.

—Connor tenía sus motivos. Eso lo entiendo. Yo aprecio y respeto mucho a Connor. Aun así, creo que hizo mal yéndose.

Cheng Li enarcó una ceja.

—Me parece que no vamos a ponernos de acuerdo en ese punto.

—¿Cómo está Connor? —preguntó Cate.

—Prosperando —respondió Cheng Li—. Debo decir que me complace muchísimo verlo convertirse en un pirata de considerable talento. Supongo que no puedo evitar sentir un lazo especial con él. A fin de cuentas, fui yo quien lo sacó del agua aquella primera noche. De no haber sido por mí, se habría ahogado y habríamos perdido a un gran pirata.

Cate sonrió.

—Has hecho muchas cosas sobre las que tengo ciertas dudas —dijo—, pero siempre te he estado agradecida por haber salvado a Connor. Y estoy segura también de que todos sus amigos dirían lo mismo.

—Gracias —dijo Cheng Li. Su voz volvió a adoptar un tono íntimo—. Te añora, Cate. Y añora a Bart. Naturalmente, tiene buenos amigos entre la tripulación del *Tigre*. Y me tiene a mí, por supuesto. Pero yo estoy tan ocupada dirigiendo el barco que no puedo prestarle tanta atención como querría.

Mirando su reloj, Cate vació su jarra de cerveza.

—Vayamos al grano —dijo—. ¿Qué quieres de mí?

Oyeron una discreta tos fuera del reservado.

—Justo a tiempo —anunció Cheng Li—. ¡Adelante!

El rostro de Cate reflejó su estado de alarma, pero, cuando las cortinas se separaron, respiró aliviada. Tarta de Azúcar se inclinó y depositó otra jarra de cerveza en la mesa. Se llevó un dedo a los labios, les guiñó el ojo y se retiró.

—He pensado que a lo mejor seguías con sed —dijo Cheng Li, señalándole la nueva jarra.

—Prefiero oír lo que tienes que decirme con la cabeza clara, gracias —dijo Cate, apartando la jarra.

—Muy bien —dijo Cheng Li—. Lo que voy a decirte es altamente confidencial, ¿comprendes? No debes decir una palabra de esto. A nadie.

—Confía en mí —dijo Cate—. No me favorecerá nada si alguien se entera de este encuentro.

—Me refiero a nadie —insistió Cheng Li—, incluido Bart.

Ruborizándose, Cate imprimió cierta firmeza a su voz.

—Comprendido. Por favor, continúa.

—El *Tigre* no es un barco pirata normal y corriente —prosiguió Cheng Li—. Y yo no soy una capitana típica. He tenido el grandísimo honor de que el mismísimo mandamás de la Federación de Piratas me encargue una misión de máximo nivel.

A Cate se le agrandaron los ojos. «Bien —pensó Cheng Li—. ¡Ya me parecía que esto captaría tu atención!»

—El nuestro va a ser el primer barco de asesinos de vampiratas —continuó—. Nos han encargado la misión de atacar a los vampiratas y eliminar su amenaza para siempre. Nuestro primer objetivo es Sidorio, el monstruo que asesinó al comodoro Kuo y los dos alumnos de la academia, Zak y Varsha.

Al oírla mencionar el asesinato, Cate bajó la cabeza.

—Fue terrible —dijo.

—Sí. —Cheng Li asintió—. Y ten por seguro que vendrán cosas peores. A menos que actuemos con contundencia.

—Sigue —le instó Cate.

—Como he dicho, el mío no es un barco pirata normal y corriente. Tenemos un propósito más elevado. Y ya estamos en camino de cumplir nuestra primera misión.

—Enhorabuena —dijo Cate—. Pero no veo dónde entro yo.

—Piénsalo —dijo Cheng Li, los ojos cristalinos brillándole a la luz de las velas—. Vamos a combatir con vampiratas. No con mortales normales, sino con demonios, monstruos. Mi equipo ha investigado a fondo sus puntos flacos. Hemos identificado tres sustancias que son tóxicas para ellos: la plata, la madera de espino y el acónito. —Cate se inclinó sobre la mesa, claramente fascinada, cuando Cheng Li continuó—. En este momento, Connor está en Lantao, recogiendo un lote de espadas especiales forjadas por el maestro Yin.

—El maestro Yin —dijo Cate—. ¡Impresionante!

—Yo solo trabajo con los mejores, Cate —dijo Cheng Li—. Ese es el motivo de esta cita. Tengo las armas. Tengo el apoyo de la Federación. Ahora, lo que necesito es un estratega. Y, para no andarme con rodeos, las dos sabemos que tú eres la mejor en ese terreno.

—¿Quieres que piense una estrategia para atacar a los vampiratas? —preguntó Cate, claramente interesada en la propuesta.

—Sería tu trabajo más importante hasta la fecha. Te catapultaría a la fama. Conseguiría que la Federación se fijara en ti, que es lo que mereces. Pero no se trata simplemente de fama, Cate. Se trata de tomar partido. De cambiar las cosas. De limpiar los mares y convertirlos en un lugar seguro para las futuras generaciones. ¿Puedes realmente contentarte con seguir sirviendo a Molucco cuando una misión como esta te está esperando?

Por su expresión, era obvio que Cate estaba indecisa. Cheng Li aguardó pacientemente. ¿Había dicho suficiente para persuadir a su antigua camarada?

Cate negó con la cabeza y suspiró.

—Me temo que Molucco no accedería de ninguna de las maneras.

—No hace falta que lo haga —dijo Cheng Li.

—No voy a faltar a mi palabra —afirmó Cate—. Es cuestión de principios. No voy a romper mi juramento. Ni siquiera por esto.

—Muy bien —dijo Cheng Li—. Como he dicho al principio, admiro enormemente tu constancia. Pero, seamos creativas, querida. Yo cuento con el respaldo de los mandamases de la Federación. Pueden ser muy persuasivos.

—¿Qué quieres decir? —preguntó Cate.

—No es ningún secreto que has estado apretándote el cinturón y ahorrando para ayudar a tus pobres madre y hermanas desde que te alistaste en el *Diablo*. Todos sabemos lo mucho que te preocupan. Yo podría ofrecerte una cuantiosa suma de dinero por unirte a mi equipo.

Cate lo rechazó.

—No se trata de dinero.

—No. —Cheng Li estuvo de acuerdo—. Se trata de mucho más. Pero el dinero no te haría ningún mal. Podría haceros la vida mucho más fácil a ti y a tu familia.

Una vez más, Cate se detuvo a considerar su ofrecimiento. Luego, negó con la cabeza.

—Agradezco todo lo que has dicho. Me siento halagada. Pero mi respuesta es no. Hice un juramento y no voy a romperlo. —Se levantó y le tendió la mano—. No pensaba que fuera a decir esto, pero me ha gustado volver a verte.

Cheng Li le estrechó la mano. Estaba decepcionada, pero decidida a no manifestarlo.

—Deberíamos vernos más, querida. —Sonrió—. Las chicas tenemos que permanecer unidas.

Por petición de Cate, Cheng Li aguardó en el reservado mientras ella salía discretamente de la taberna. Seguía sin querer que las vieran juntas.

—¿Cómo ha ido? —preguntó Tarta de Azúcar, asomando la cabeza por la cortina.

—No como había planeado —respondió Cheng Li.

—Vaya por Dios —dijo Tarta de Azúcar, cogiendo la jarra de Cate aún llena de cerveza—. Bueno, no tienes que irte corriendo. ¿Quieres otra tetera? ¿O quizá algo más fuerte?

Cheng Li se lo pensó y contestó:

—No. No, será mejor que vuelva al barco. ¡Cuando se es capitán, no hay tiempo para divertirse!

Cheng Li recogió sus katanas y el sable de su padre y echó a andar por la pasarela hacia la hilera de botes de remo. Su jacarandá favorito estaba en flor y se detuvo un momento para admirar sus flores de color verde lavanda. Le recordaron que hay un tiempo para todo, que las cosas tardan en madurar. Mientras cogía una flor, pensó en Cate. No era el momento, eso era todo. Cuando lo fuera, su reacción sería distinta. Alzó una de sus katanas y cortó una ramilla de flores, introduciéndosela en el ojal. Luego, fue rápidamente hasta el extremo de la pasarela, levantó la mano y gritó:

—¡Taxi!

—¿Adónde va, linda damisela? —preguntó el barquero.

—A mi barco, el *Tigre*. Está atracado al final de la bahía —respondió Cheng Li, subiendo al bote.

—¡No hay problema! —dijo el marinero.

Cheng Li se puso cómoda, no viendo al segundo marinero, agazapado en la parte de atrás.

—Hace una noche preciosa para dar un paseo —dijo una voz a sus espaldas. El acento del segundo marinero era muy distinto al de su compañero, pero, de algún modo, le resultó familiar.

—No quiero dar ningún paseo —dijo—. Y no voy a pagaros más si me lo dais. ¡Directo al barco, gracias!

El primer marinero se volvió y le sonrió, sus ojos tan oscuros como los de ella.

—Buenas noches, jovencita —dijo Johnny.

Furiosa por aquel trato excesivamente familiar, Cheng Li se volvió y se encontró cara a cara con Jez Stukeley. Fue entonces cuando se dio cuenta de que se había subido al bote equivocado.

—Cuánto tiempo —dijo Stukeley, sonriéndole—. Nos hemos enterado de que te ha entrado un repentino interés por los vampiratas, así que hemos pensado en llevarte a dar una vuelta.

Cheng Li los miró sucesivamente, con el corazón acelerado. ¿Cómo diablos iba a salir de aquella?

39

La invitación

—¡Detened el bote! —ordenó Cheng Li, empezando a desenvainar sus afiladísimas katanas.

Pero Stukeley fue rápido. Antes de que ella pudiera terminar de hacerlo, la había agarrado por los brazos, obligándola a soltarlas.

—Voy a quedármelas por el momento —dijo—. No te preocupes, luego te las devuelvo… siempre que te portes bien.

Cheng Li frunció el entrecejo. Jez Stukeley había sido uno de los combatientes mejores y más rápidos que había conocido. Claramente, había conservado aquellos talentos en la vida de ultratumba, o fuera cual fuera el tétrico lugar donde ahora residía.

Johnny tosió.

—Oh, disculpa —dijo Stukeley, en un tono súbitamente más cordial—. ¿Dónde está mi educación? Permíteme presentarte a mi buen amigo y compadre, Johnny Desperado.

—Llámame Johnny —dijo el apuesto marinero, guiñándole el ojo y quitándose el sombrero vaquero.

—Esta es Cheng Li —continuó Stukeley—. Hace mucho que nos conocemos, ¿no?

Cheng Li no respondió a su pregunta: estaba mirando a su alrededor, haciendo una rápida valoración de sus posibilidades de fuga. Parecían claramente limitadas. Johnny había aprovechado la corriente y ya estaban muy lejos del reconfortante halo de neón de Ma Kettle.

¿Qué podía hacer? ¿Arrojarse al agua? Había una distancia considerable hasta la orilla. ¿Y no la seguirían los vampiratas? Vagamente, recordó haber oído que los vampiratas no sabían nadar. Pero ¿era cierto? ¿No había saltado al mar Lorcan Furey para salvar a Grace Tempest? En aquel punto, no podía permitirse correr ningún riesgo.

—¿Adónde me lleváis? —preguntó. Aunque no veía ninguna escapatoria, era crucial que ellos no percibieran su miedo. «Gana tiempo —se dijo—. Concéntrate. La respuesta llegará.» Pensó en las clases de John Kuo acerca del *zanshin*. Luego, pensó en su destino, en su cadáver momificado sentado a su escritorio. Aquello no era mucho consuelo.

—Solamente vamos a darte un paseíto con un poco de misterio —dijo Johnny.

—No me gustan los misterios —dijo ella—. Ni, ya puestos, los paseítos.

Oyó una risa detrás de ella. Una risa conocida. Le desconcertaba que Jez Stukeley, su antiguo camarada, fuera ahora un vampirata y la estuviera amenazando.

—Anda, anda —dijo Stukeley—. Por lo que hemos oído, los misterios te encantan, ¿no es así, Johnny?

Johnny asintió.

—Hemos oído que has estado indagando en el inexplicado mundo de los vampiratas.

Cheng Li frunció el entrecejo, pero no dijo nada. ¿Para qué negarlo?

—En fin —dijo Johnny—. Se nos ha ocurrido que, ya que estás tan interesada en los vampiratas, podíamos hacerte un favor y venir a verte.

—Exacto —dijo Stukeley, acercándosele más, tanto que Cheng Li notó su aliento en la nuca—. De manera que aquí nos tienes. Dispuestos a responder a todas tus preguntas.

Dicho aquello, se levantó y se sentó enfrente de ella. Johnny siguió de pie, con una mano en el timón.

—Ya está bien, socio —dijo Stukeley—. Creo que podemos quedarnos aquí durante un rato, ¿tú no? Hace una noche preciosa. Y este es un sitio enormemente pintoresco, ¿no estás de acuerdo conmigo, señorita Li?

Cheng Li hizo una mueca, decidida a no dar ninguna muestra de haber perdido el control.

—De hecho, ahora soy capitana —dijo.

—¡Oh, por supuesto! —continuó Stukeley—. Vaya modales los míos.

—Tranquilo, Jez —dijo ella—. Las cosas han cambiado muy deprisa desde la última vez que nos vimos.

Stukeley estuvo de acuerdo.

—En efecto. Para los dos. Y, por cierto, ya nadie me llama Jez. Ahora, se me conoce por el nombre de Stukeley.

Cheng Li enarcó una ceja.

—Como quieras.

Lo miró bien por primera vez. No parecía tan cambiado como esperaba. Estaba más pálido, sin duda. Y algo más delgado, quizá. Se le notaba en la cara. Jez siempre había sido un bromista y su cara redonda y sus hoyuelos habían de algún modo reforzado aquella impresión, como si siempre estuviera pensando en su última broma o a punto de hacer la siguiente. Ahora, tenía los pómulos más angulosos y parecía un poco más serio. Más guapo, también, advirtió Cheng Li, algo sorprendida. Aunque, si lo pensaba, todos eran bastante guapos —Lorcan Furey, Johnny Desperado y Jez… o, mejor dicho, Stukeley—. Pese a los cambios que habían atravesado, o quizá por su causa, tenían un extraño atractivo.

«¡Basta! —se dijo—. ¡Deja de pensar esos disparates! Sigue así y terminarás en el mismo callejón sin salida que Grace Tempest.»

—¿En qué estás pensando? —le preguntó Stukeley.

Ella lo miró a los ojos. Eran los mismos ojos risueños de siempre, advirtió con alivio.

—Estaba pensando en nosotros —respondió—. En ti y en mí. En cuando éramos camaradas a bordo del *Diablo*.

Stukeley frunció el entrecejo.

—¿Qué pasa? —preguntó ella—. ¿No te gusta recordar esos tiempos?

Él negó con la cabeza.

—La verdad es que no. Las cosas han cambiado. Ahora soy otra persona.

—Tal vez —admitió Cheng Li, intrigada por lo afectado que parecía por su pregunta—. Pero ¿no te gusta pensar a veces en tu vida de entonces? ¿En el capitán Wrathe y tus amigos, Connor y Bart?

Stukeley pareció afligido. Luego, cerró los ojos.

—¡No! —exclamó—. ¡Cállate! —Se tapó los oídos.

Johnny se inclinó hacia ella.

—No le gusta hablar de esa época, ni de esas personas —dijo.

Cheng Li asintió. Qué interesante que hubiera reaccionado de aquel modo. Archivó aquella información por si más adelante le resultaba útil.

Permanecieron varios minutos en silencio. Habían llegado a un punto muerto, flotando a la deriva en mitad de la bahía desierta.

—¿Qué te apuestas a que adivino lo que estás pensando? —dijo Johnny al cabo de un rato.

Cheng Li lo miró.

—Di.

—Seguro que te encantaría tener alguna arma a mano.

Cheng Li frunció el entrecejo, mirando las katanas que seguían en poder de Jez.

Johnny negó con la cabeza.

—No me refería a eso —dijo—. Me refería a las armas que has estado desarrollando para atacar a los vampiratas.

De manera que también sabían eso. Pese a todos sus esfuerzos, Cheng Li estaba empezando a sentirse inquieta y pesimista. Claramente, Sidorio conocía sus planes y había enviado a sus dos alféreces para que se deshicieran de ella. Como se habían deshecho del comodoro Kuo. ¡Maldita sea! Su carrera no había hecho más que empezar. ¿Por qué ahora? Aunque, por otra parte, supuso, si uno apostaba más fuerte, también se arriesgaba más.

—Veo que estáis al corriente de mi misión —dijo, con cautela.

Johnny asintió.

—Por supuesto. Uno de tus prisioneros escapó.

317

—¡El segundo sujeto de estudio! —exclamó Cheng Li, cayéndosele el alma a los pies. Recordó las palabras con que había tranquilizado a Jacoby. «Así que se fugó. Es solo un vampirata.» Pero, naturalmente, había ido a alertar a Sidorio y al resto de vampiratas.

Stukeley le sonrió. Cheng Li no vio en él ningún rastro de humanidad, ningún rastro del Jez que había conocido.

—Tus gorilas se pasaron bastante con nuestro amiguito, Cara de Niño, pero él consiguió reconstituirse, encontrarnos y suplicarnos que le ayudáramos.

—Quería que rescatarais a los otros dos —dijo Cheng Li. Por supuesto. Cuando había huido, sus compañeros seguían vivos—. ¿Por qué no vinisteis a rescatarlos? —preguntó.

—Si de mí dependiera —respondió Stukeley—, eso es exactamente lo que habríamos hecho. Pero el capitán tenía otras ideas.

—¿Sidorio? —dijo Cheng Li.

—Exacto. Nuestro capitán, Sidorio. El rey de los vampiratas.

—El que tenéis en vuestro punto de mira —dijo Johnny.

Cheng Li pensó en su reunión con Ahab Black. En su misión. La que debía catapultarla a la fama. Capturar a Sidorio, el jefe de los vampiratas renegados, el asesino de Porfirio Wrathe, John Kuo y los demás.

—Estáis cometiendo un error —dijo Stukeley.

—¿Enfrentándonos a los tuyos? —preguntó ella.

Él negó con la cabeza.

—No me refiero a eso. Sidorio no debería ser tu objetivo. Él no mató al comodoro Kuo.

—Ah, ¿no? —Cheng Li estaba fascinada. ¿Por qué le contaban aquello? No parecían la clase de personas que sintieran la necesidad de aliviar su conciencia antes de matarte.

—¿Queréis algo de mí? —preguntó con curiosidad.

Stukeley se encogió de hombros.

—Estamos aquí para darte una cierta información —dijo—. Eso es todo.

Cheng Li tenía el corazón a mil por hora. Ya no debido al miedo, sino a la adrenalina.

—¿Quién mató al comodoro Kuo? —preguntó.

—Su nombre —respondió Stukeley— es lady Lola Lockwood. Conocida también como Corazón Negro.

—¡Corazón Negro! —exclamó Cheng Li. Por supuesto. Recordó el naipe que el comodoro Kuo tenía en la mano cuando lo encontraron en su estudio. Y los otros naipes manchados de sangre que Connor había dejado en su mesa.

—Gobierna un barco llamado *Vagabundo* —dijo Stukeley—. Y está a punto de unirse al ejército de Sidorio.

—En otras palabras —dijo Cheng Li—, a vuestro ejército.

Stukeley asintió.

—Si lo prefieres.

Cheng Li tenía la cabeza tan acelerada como el corazón.

—Ella es una amenaza para vosotros. —Tenía tanta adrenalina corriéndole por las venas que creyó que iba a estallarle la cabeza—. No queréis que se una a Sidorio porque, si lo hace, eso pondrá en peligro vuestra posición.

—¡Es buena! —exclamó Johnny—. Una chica lista.

Stukeley alzó una mano para acallar a su compañero.

—No hablamos de nosotros. Ni de lo que queremos. Solo te estamos informando. Tienes la misión de matar a Sidorio porque todos creen que él mató al comodoro Kuo. Pero eso no es cierto. Fue lady Lockwood. Solo hemos pensado que la verdad debía saberse.

Cheng Li asintió.

—Comprendo. Tenéis un sentido innato de la justicia. —Hizo una pausa antes de añadir, casi de pasada—: Y, si fuéramos por lady Lockwood, vosotros no os interpondríais en nuestro camino. —Decidió seguir probando suerte—. De hecho, a lo mejor os alegraríais. ¿O hasta nos ayudarais?

Stukeley negó con la cabeza.

—¡Eso ni hablar! Como ya he dicho, nosotros solo hemos venido a informarte. La idea de ayudaros… no, no, eso es inconcebible. —Sonrió—. Oh, pero sí queríamos darte una cosa. —Se metió las manos en los bolsillos—. A ver, ¿dónde lo he puesto? —Se palpó teatralmente todos los bolsillos imaginables.

Johnny se rió.

—¿No te acuerdas, hermano? Me lo diste a mí para que no se perdiera. —Se metió la mano en el bolsillo y sacó un sobre, que entregó a Stukeley para que se lo pasara a Cheng Li.

Ella cogió el grueso sobre de papel vitela. En él, con una letra impecable, estaba escrito:

Cheng Li e invitados

Enarcó una ceja.

—¿Por qué no lo abres? —le animó Stukeley.

Intrigada, Cheng Li volvió el sobre. Llevaba el sello de un escudo de armas con cintas incrustadas en el lacre.

—Muy elegante —observó.

—Uno no se priva de nada cuando se trata de la boda del año —dijo Stukeley, sonriendo satisfecho.

—¿Boda? —repitió Cheng Li. Estaba comenzando a atar cabos. Cuando sacó la invitación, encajó la última pieza del rompecabezas—. ¿Así que Sidorio se casa con lady Lockwood?

—¡Muy bien, Sherlock Holmes! —dijo Stukeley.

—Por eso amenaza vuestra posición. Van a casarse y luego se repartirán el botín entre ellos y vosotros dos… bueno, vuestro futuro será, cuando menos, incierto.

Stukeley volvió a negar con la cabeza.

—Como he dicho, no estamos aquí para hablar de nosotros.

—Solo queríamos invitarte a la ceremonia —dijo Johnny—. A todo el mundo le gustan las bodas. —Tenía los ojos brillantes.

—Exactamente —dijo Stukeley, con los ojos clavados en Cheng Li—. A todo el mundo le gustan las bodas. ¿No está de acuerdo, capitana Li?

Ahora lo entendía.

—¿Queréis que asista a la boda y asesine a lady Lockwood?

—¡Qué idea tan absurda! —dijo Stukeley, al parecer ofendidísimo. Pero la expresión de sus ojos decía una cosa muy distinta.

Cheng Li pensó deprisa.

—¿Cómo sé que esto no es una trampa? —preguntó—. ¿Que no me estáis llevando hasta allí para matarme?

Stukeley se desternilló al oír aquello.

—Capitana Li —dijo—, si nuestra intención fuera matarte, tú ya estarías muerta en el agua y nosotros nos habríamos ido hace rato.

Cheng Li reflexionó sobre aquello.

—Pero la invitación dice «y amigos». Queréis que lleve a mi tripulación. Podríais matarlos a todos.

—Nadie está hablando de matar a nadie —dijo Stukeley.

«No en voz alta, al menos» pensó Cheng Li.

—No —añadió Johnny—. Tú solo ven, sola o con tu tripulación. Personalmente, yo me divierto más en las bodas si voy acompañado, pero eso es cosa tuya. Así que ven, prueba la tarta, tira confeti…

—¡Y luego asesina a la novia! —exclamó Cheng Li.

—Johnny —dijo Stukeley—, deberíamos llevar a la capitana Li a su barco. Ya la hemos retrasado demasiado.

—Por supuesto —dijo Johnny, poniéndose de nuevo al timón—. Necesitas descansar, señorita Li. Tomarte tiempo para pensar en el regalo de boda ideal.

Cheng Li miró a Stukeley.

—¿Tienes alguna sugerencia? —preguntó—. A fin de cuentas, tú conoces a los dos mucho mejor que yo.

Stukeley negó con la cabeza.

—Estoy seguro de que se te ocurrirá la sorpresa perfecta.

De manera que ya no iba a ayudarla más. Bueno, dado que estaba informado de sus experimentos, eso debía de querer decir que iba bien encaminada. Cheng Li pensó en Connor y Jasmine, regresando de Lantao con las espadas de plata barnizadas con un compuesto de madera de espino y acónito. El regalo ideal para una novia vampiro. Atravesarle el corazón con una espada venenosa.

—¿Y después? —preguntó, dirigiéndose de nuevo a Stukeley—. Después de la boda, ¿cómo puedo estar segura de que podremos escapar? ¿De que no me traicionaréis y nos atacaréis a mí y a mi tripulación?

—No te preocupes —dijo Stukeley—. Tú haznos el gran honor de asistir a la boda y nosotros nos ocuparemos del resto. ¡Confía en mí!

Cheng Li se rió débilmente.

—¿Me estás pidiendo que confíe en ti?

—Lo has dicho antes tú misma. Somos antiguos camaradas, ¿no? —Le sonrió—. Ten, tus katanas. —Metió las mortíferas armas en sus respectivas fundas—. Vamos, Cheng Li. Tú tienes que confiar en mí y yo tengo que confiar en ti. Creo que esto es lo que en los mejores círculos se conoce como mutuo interés propio.

40

Sueños imposibles

Una vez más, Connor estaba empuñando la espada de Chang Po. La última vez que lo había hecho, había pensado en la historia de Chang Po como pirata legendario y comandante de la flota de la Bandera Roja, y luego en su propio futuro. Ahora, todos sus pensamientos estaban concentrados en el momento presente cuando recorrió su filo con la mirada hasta ver el arma de su oponente.

—*En garde!* —gritó Jasmine, tocando la espada con el filo de su estoque. El combate había vuelto a comenzar.

Jasmine era una esgrimidora experta. Diez años de clases de combate en la Academia de Piratas la habían preparado para ello. Aquella educación de élite combinada con su físico atlético la convertía en un adversario peligroso. En comparación, Connor se sentía como un rudo boxeador callejero. Él no había tenido diez años de clases, sino únicamente unos meses en el mar y el experto tutelaje de Sable Cate, Bart y Jez. Pero Connor poseía un instinto innato para el combate, como si hubiera nacido para ser espadachín. Mientras Jasmine lo obligaba a retroceder, él permaneció sereno y tranquilo. ¡Tenía unos cuantos movimientos sorpresa!

Bo Yin estaba presenciando el duelo desde las bandas, enormemente impresionada por la elegancia y precisión de Jasmine. Ella solía probar las espadas que forjaba su padre, siempre a espaldas de él. Hasta se había llevado disimuladamente a su habitación varios de sus antiguos libros sobre esgrima, leyendo hasta muy avanzada la noche, sin apenas luz para no alertarlo. El problema era que no tenía a nadie decente con quien practicar. Había retado a algunos de sus compañeros, pero, tras manifestar un cierto entusiasmo inicial, todos se habían cansado rápidamente de sus juegos y los habían sustituido por otros. Bo Yin suspiró. Si Connor y Jasmine pudieran quedarse más tiempo, ella podría comenzar por fin a perfeccionar su técnica.

—¡Tú ganas! —gritó Connor cuando Jasmine arremetió contra él, acercándole peligrosamente el estoque al corazón.

—¡Tres a dos! —gritó Jasmine, eufórica.

Bo Yin aplaudió furiosamente.

Connor se acercó a ella, dejando la espada.

—Necesito beber —dijo, cogiendo la botella de agua—. ¡Me está dejando muerto!

—Creo que le dejas ganar, Connor Tempest —dijo Bo Yin—. Le dejas ganar porque te gusta.

Connor le sonrió, pero negó con la cabeza.

—Créeme, Bo. Jasmine es dura de pelar. —Sonrió, ofreciéndole la espada de Chang Po por la empuñadura—. ¿Por qué no lo compruebas tú misma?

—¿Puedo? —Bo Yin notó una descarga de adrenalina al mirar el filo de la espada. Se volvió hacia Jasmine.

—¡Venga! —dijo ella—. ¡Me moderaré contigo, te lo prometo!

Esta vez, le tocó a Connor mirar desde las bandas. Fiel a su palabra, Jasmine se estaba moderando un poco más con Bo que con él. Pero estaba claro que su joven contrincante también era enormemente diestra con la espada. Quizá, reflexionó, era lo que cabía esperar de la hija de un espadero.

Se puso cómodo, viendo cómo combatían las dos muchachas. Jasmine era enormemente ágil y elegante, como imaginaba que un leopardo podía serlo en una pelea. No por primera vez, se descubrió fantaseando sobre él y Jasmine. Y, como de costumbre, enseguida le vino a la cabeza una imagen de su amigo, Jacoby —el novio de Jasmine, se recordó—. Había ciertas cosas que no se hacían, algunos pensamientos que simplemente no se tenían. Y, no obstante, mirando a Jasmine, sinuosa como un gato montés, no pudo evitar preguntarse cómo habría sido si las cosas hubieran sido distintas.

Su fantaseo fue interrumpido por un suave golpecito en su hombro. Al volverse, vio al maestro Yin junto a él. El espadero había entrado sigilosamente en la habitación, o puede que él hubiera estado demasiado absorto en su sueño imposible para advertir su presencia.

—¡Ven conmigo! —le susurró. Le dio la espalda y volvió a salir de la habitación. Connor lo siguió.

—¡Caramba! —volvió a decir Connor, inspeccionando la larga hilera de relucientes espadas dispuestas en el banco de trabajo del maestro Yin.

—¡Sí, caramba! —exclamó el anciano espadero—. Cincuenta espadas de plata. Barnizadas con un compuesto de madera de espino y acónito. ¡Letales para los vampiratas! —Sonrió—. Modestia aparte, son uno de mis mejores logros.

Al final del banco, había un montón de botes que parecían contener barniz para madera. Connor alzó uno.

—Entonces, cada vez que entremos en combate, ¿basta con que las barnicemos con este compuesto?

El maestro Yin asintió.

—Sí. Simplemente tenéis que barnizar la punta. No os paséis. Con un poquito debería bastar. He preparado una nota detallada para la capitana Li. —Metió la mano entre los botes y sacó una página de instrucciones inmaculadamente escrita, que seguidamente entregó a Connor.

—Bueno —dijo él, con cierta tristeza—. Supongo que es hora de recoger nuestras cosas.

—Sí —asintió el maestro Yin—. Pediré a Bo Yin que me ayude a meter las espadas en cajas y os las haremos llegar. —Se volvió y gritó—: ¡Bo Yin!

—¡Ya voy, papá! —Al cabo de un momento, Bo Yin entró corriendo en el taller. Estaba colorada y resollaba ligeramente. Aún empuñaba la espada de Chang Po.

El maestro Yin miró primero el arma y luego el rostro de su hija.

—Guarda esa espada, Bo Yin —dijo—. Necesito que me ayudes a meter estas espadas en cajas. Connor y Jasmine están listos para regresar al *Tigre*.

—¿Tan pronto? —Bo Yin pareció abatida.

—Una vez más, nos encontramos diciéndonos adiós. —El maestro Yin había bajado al puerto para despedir a sus huéspedes—. Señorita Peacock, ha sido un placer conocerte.

—Lo mismo digo, maestro Yin —dijo Jasmine—. Muchísimas gracias por toda su hospitalidad.

Se inclinó formalmente, pero fue incapaz de resistirse a abrazar al anciano espadero. Podía parecer un viejo cascarrabias, sobre todo con su hija, pero, durante aquellos diez días en Lantao, Jasmine había descubierto que aquello solo era una fachada. En el fondo, el maestro Yin era como un osito. Aunque llevara toda su vida dedicado a fabricar mortíferas armas.

—Adiós de nuevo, señor —dijo Connor, estrechándole la mano.

—Tened cuidado —dijo el maestro Yin—. Tú y tus camaradas vais a adentraros en terreno desconocido con esos vampiratas —añadió—. No bajéis la guardia y estad seguros de que no podríais tener mejor líder que la capitana Li.

Connor estuvo de acuerdo.

—Lo sé —dijo. Miró a su alrededor—. ¿Dónde está Bo? —preguntó—. No nos hemos despedido de ella como es debido.

El maestro Yin negó con la cabeza.

—Estaba demasiado disgustada —dijo—. Bo Yin está muy enfadada conmigo. Cree que le estoy arruinando la vida no dejándola marchar. —Suspiró—. Quizá tenga razón. Pero hice una promesa, hace muchos años, a su querida madre, y tengo intención de cumplirla. Durante un tiempo más, al menos.

—Bueno, despídanos de ella —dijo Connor—. Y de Simbad —añadió.

—Sí —dijo Jasmine—. ¡Y, por favor, vuelva a darle las gracias por la receta de la *laksa*!

El maestro Yin asintió.

—Sí, sí, sí. Ahora subíos al bote, por favor. Ya lleva unos cuantos minutos esperándoos.

—Pobre Bo Yin —dijo Jasmine mientras levaban anclas y se preparaban para zarpar y regresar con sus camaradas—. ¿Crees que su padre le dejará ser pirata alguna vez?

Connor se encogió de hombros.

—Quizá. Esta vez parece haberse ablandado una pizca. Pero ella es joven todavía.

—Solo tiene dos años menos que tú —le recordó Jasmine, sonriendo.

—Cierto —admitió Connor, izando la vela mayor—. Pero si mi padre siguiera vivo, no estoy seguro de que le entusiasmara la idea de que yo me hiciera pirata. —Cuando la vela se hinchió, cruzó la cubierta para ayudar a Jasmine con los cabos.

—Es curioso —dijo ella—. Mis padres solo sueñan con que yo siga sus pasos en el mundo de la piratería. Tú y yo venimos de mundos muy distintos, ¿verdad?

—Tal vez —dijo Connor, terminando de atar los cabos y descubriéndose tan cerca de Jasmine que podía oler su champú con fragancia a miel—. Pero ¿importa de dónde vienes? ¿No es lo importante adónde vas?

—Tal vez —dijo Jasmine, enderezándose y poniéndose una mecha de pelo suelto detrás de la oreja. De pronto, se puso tímida—. Connor, me estás mirando muy fijamente. ¿Qué pasa? ¿Tengo una mancha de aceite en la nariz? ¿O peor, un grano?

Connor sonrió y negó con la cabeza.

—No —respondió—. No, estás perfecta. —Lo había dicho sin pensar—. De hecho, eres perfecta —añadió.

Jasmine arrugó las comisuras de sus deslumbrantes ojos verdes.

—Nadie es perfecto, Connor —dijo—. ¡No seas tonto!

—No... —comenzó a decir él, yendo a cogerla, sorprendido de su atrevimiento.

Ella se apartó, poniéndose las gafas de sol y cruzándose de brazos, volviéndose hacia el mar. Desconcertado, Connor se acercó más, atreviéndose a cogerla suavemente por la cintura. Ella se sobresaltó al notar el tacto de sus manos.

—¿Qué pasa? —preguntó él. Entonces oyó un sollozo contenido—. ¿Jasmine? Eh, ¿estás llorando?

—¡No! —exclamó ella—. ¡Sí! ¡Oh, no lo sé! ¡Esto es absurdo! No quería montar un drama por esto, de veras.

—¿Por qué? —preguntó él, emocionado de seguir teniéndola cogida por la cintura.

—Por lo que siento. Por las cosas que no debería hacer. Pero que me muero de ganas de hacer.

A Connor empezó a rodarle la cabeza.

—Jas, ¿de qué estás hablando? ¿Qué cosas?

Jasmine se volvió, con la gracilidad de una bailarina, aún en sus brazos. Se inclinó hacia él y lo besó en los labios, echándole laxamente los brazos al cuello. Connor se quedó profundamente desconcertado. Fue, muy posiblemente, el momento más mágico de su vida.

—¿Y si empezáramos a pensar en la cena? —preguntó Connor.

Llevaban varias horas navegando y habían cubierto un buen trecho, ayudados por vientos favorables. Para Connor, el día había pasado a tener una cualidad irreal. El primer beso de Jasmine había sido el detonante. Lo habían seguido más besos. Pero también habían hablado. Aquello, en sí, no era nuevo. Ya eran amigos desde hacía un tiempo y, naturalmente, durante sus diez días en Lantao, habían hablado largo y tendido todos los días. Pero, a partir de aquel momento, a partir de aquel beso, habían empezado a hablar de otra manera, explicándose su pasado, sus esperanzas y sueños para el futuro. También sus miedos, miedos que abarcaban desde qué contar a Jacoby a su llegada hasta la irreal misión sin precedentes en la que pronto se embarcarían.

—Oye, Jas, ¿me has oído? ¿Tienes hambre?

Ella se volvió y lo miró.

—Supongo. ¿Qué hora es?

Connor estaba a punto de mirar su reloj cuando lo distrajo un curioso golpeteo. Guardó silencio, aguzando el oído para localizar el origen del sonido.

Jasmine se quedó mirándolo, desconcertada.

—¿Qué estás haciendo?

—¡Escucha! —dijo él—. ¿Oyes eso?

—¿Oír qué? —Jasmine se concentró.

—Ahí está otra vez.

—Oh, sí —dijo Jasmine—. ¿Qué crees que es?

Connor se adelantó lentamente, intentando localizar el origen exacto del sonido.

—Probablemente, se ha soltado algo abajo —dijo Jasmine.

Pero Connor estaba volviendo a oír el golpeteo. Más cerca y más alto. Se agachó junto a la escotilla. La levantó y no se sorprendió del todo cuando vio un largo dedo asomando por ella. Metió las dos manos, cogiendo el cuerpo cálido y peludo que se escondía debajo.

—Hola, hola —dijo—. ¡Ah del barco, Simbad! —El aye-aye de Bo Yin parecía encantado de volver a ver a Connor y oír su nombre.

—¿Qué pasa? —Jasmine cruzó la cubierta para unirse a él.

Connor se volvió, con la extraña criatura en brazos.

—¡Parece que tenemos un polizón! —exclamó.

—Parece que tenemos más de uno —dijo Jasmine, cuando Bo Yin asomó la cabeza por la escotilla.

—Simbad Yin —siseó—. ¡Mira que eres malo!

—Mira quién lo dice —dijo Connor—. ¿Qué demonios estás haciendo aquí, Bo?

—¡Me he escapado! —anunció Bo Yin, saliendo a cubierta y poniéndose en jarras.

—¡Ya veo! —exclamó Connor, negando con la cabeza, pero sonriendo.

—¡Por favor, no te enfades, Connor Tempest! —dijo Bo, con los ojos como platos—. Y por favor, no me lleves de vuelta. Seré una buena pirata. Tú mismo lo dijiste.

Connor suspiró, aunque le costaba seguir exasperado con Bo.

—Lo dije en serio. Pero no ahora. No aún.

—¡*Carpe diem,* Connor Tempest! —sentenció Bo Yin—. ¡Vive el momento!

—¿Qué vamos a hacer contigo? —preguntó Connor. Miró a Jasmine.

—¡Por favor, no me lleves de vuelta, Jasmine Peacock! —suplicó Bo Yin.

—No podemos volver a Lantao —dijo Jasmine—. Ya llevamos mucho camino hecho. Tenemos que llevar las nuevas armas a la capitana Li.

—¡Sí! —gritó Bo Yin—. ¡Y entonces Bo Yin podrá alistarse en la tripulación de Cheng Li!

—Tendremos que ver qué dice a eso la capitana Li —dijo Connor.

—Es una vieja amiga de la familia —adujo Bo, sonriendo—. ¡No os preocupéis!

Connor no pudo evitar sonreír ante su irrefrenable entusiasmo y determinación.

Cheng Li se quedó mirando a Bo Yin. Luego, habló con sorprendente ternura.

—No deberías haber actuado tan temerariamente. Tu padre estará disgustado y preocupado por ti. Sé cuánto sueñas con ser pirata, pero no tendrías que haber hecho esto sin antes consultarlo con él, y conmigo.

—Cuando sabes lo que quieres en la vida —dijo Bo Yin—, tienes que ir tras ello. Haga memoria, capitana Li. Cuando era más joven. Si alguien le hubiera dicho que no podía ser pirata, ¿habría permitido que algo se interpusiera en su camino?

—No —admitió Cheng Li—. Pero eso era distinto. —Señaló el retrato que había detrás de su escritorio—. Mi padre fue pirata.

Bo Yin negó con la cabeza.

—Eso no es lo que debería decirme.

—¿No? —Cheng Li enarcó una ceja con curiosidad.

Bo Yin sonrió, acercándose a ella.

—Debería decir cuánto le recuerdo a usted cuando tenía mi edad.

Cheng Li se rió, pero fue la risa más afectuosa que Connor le había oído en su vida.

—Ah, ¿sí? Bueno, Bo, supongo que tienes razón. Es cierto que veo en ti muchas cosas de mí cuando era más joven. Aunque tú eres mucho más descarada de lo que yo fui nunca.

Bo Yin siguió insistiendo.

—Y ahora viene cuando me dice que me dará una oportunidad y que, si demuestro que valgo, hablará con mi padre y lo convencerá de que esto es lo mejor para mí.

Cheng Li sonrió.

—Lo tenías todo bien pensado, ¿no, Bo Yin?

La muchacha asintió.

—Le he dado muchas vueltas a esto, capitana Li. He tenido mucho tiempo para pensar en Lantao.

Cheng Li consideró un momento la situación antes de tomar una decisión.

—Bo Yin, en circunstancias normales, dejaría que tu descaro y tu entusiasmo ganaran la batalla. Pero, ¿sabes?, mi barco no es un barco normal y corriente…

—No —dijo Bo Yin—. El *Tigre* es el mejor barco pirata, el mejor de los mejores…

—No, querida. No me refería a eso. Tenemos una misión especial. Una misión muy peligrosa. No estaría bien involucrarte en esto. Jamás me lo perdonaría si te ocurriera algo.

Ni siquiera entonces se desanimó Bo Yin.

—Van a combatir contra los vampiratas —dijo—. Lo sé todo. Por eso han venido Connor Tempest y Jasmine a buscar espadas nuevas. —Hizo una pausa—. ¡Yo puedo ayudar!

Cheng Li no estuvo de acuerdo.

—Bo, siento desilusionarte, pero no tienes ni idea del peligro que vamos a correr.

—Bo Yin no teme el peligro. ¡Bo Yin puede ayudar!

Cheng Li estaba intentando no perder la paciencia.

—Bo, ¿cómo exactamente crees que puedes ayudar?

Como de costumbre, Bo estaba lista para responder.

—El padre de Bo Yin es un genio de las armas, ¿sí? Y Bo Yin no se ha ido sin aprender unos cuantos consejos suyos. Por ejemplo... —Se sacó un trozo de papel del bolsillo—. La fórmula para el veneno con el que hay que barnizar las espadas de plata. Cuando se queden sin él, puedo prepararles más. Como ya sabe, a Bo Yin se le dan muy bien las recetas.

Cheng Li se quedó sin argumentos. A lo mejor podía dar resultado. Naturalmente, habría que mantener a Bo bien alejada de las situaciones de combate. Eso era fundamental. Pero, siempre que eso se diera por sentado, ¿dónde estaba el verdadero peligro? Podía ofrecer a Bo Yin un período de prueba y, una vez zanjado el asunto de lady Lola, podía hablar con el maestro Yin y replanteárselo.

—Está bien —dijo—. Te quedas... ¡por ahora! Si eres la mitad de buena como pirata de lo que eres negociando, tienes un futuro prometedor.

—Gracias, capitana Li —dijo Bo, haciéndole un saludo militar—. Me siento honrada de unirme a su tripulación.

De pronto, hubo un revuelo detrás de Bo. Una bola peluda se le coló entre las piernas. Incrédulo, Connor vio a Simbad imitando el gesto de su dueña, llevándose su extraña mano a la cabeza para cuadrarse ante la capitana.

—¿Qué es eso? —preguntó Cheng Li.

—Es Simbad, capitana —respondió Connor.

—Muy gracioso, Connor —dijo Cheng Li—. Veo que tus minivacaciones en Lantao han hecho maravillas con tu sentido del humor.

—De hecho, eso es cierto, pero de veras que es Simbad. ¿A qué sí, Bo?

Bo Yin asintió, cogiendo al aye-aye en brazos.

—Es mi mascota, señorita Li. ¡Saluda a la capitana Li, Simbad!

Simbad alargó la mano en la dirección de Cheng Li.

—Lo siento —dijo ella—. Tú puedes quedarte, Bo Yin. Pero en el *Tigre* no se permiten animales. Gobierno un barco pirata, no el arca de Noé.

Bo Yin frunció el entrecejo y dejó a Simbad en el suelo.

—El caso es… —comenzó a decir. Connor presintió que otra larga negociación estaba a punto de empezar.

41

Cambios

—Lo siento —dijo más tarde Connor mientras él y Cheng Li caminaban por el pasillo—. Tienes que creerme. No tenía ni idea de que haría esto. Y, si la hubiera descubierto antes, habríamos dado media vuelta…

—Tranquilo —repuso Cheng Li, con sorprendente ecuanimidad—. No creo que ninguno de nosotros hubiera podido impedir que esto terminara ocurriendo. Solo era cuestión de tiempo. Bo Yin es una jovencita muy ambiciosa.

—Entonces, ¿vas a dejar que se quede?

Cheng Li asintió.

—Por ahora. Pero la mantendremos alejada de cualquier situación de combate. Necesitaré tu ayuda en eso.

—Por supuesto —afirmó Connor.

—Bueno —dijo Cheng Li—, ¿dónde están las armas nuevas?

—Te están esperando en la armería —respondió Connor.

—¡Excelente! ¡Vamos a echarles un vistazo! —Cheng Li apretó el paso. Como de costumbre, Connor tuvo que correr para no quedarse rezagado.

—¡Perfecta! —exclamó Cheng Li, alzando una de las espadas de plata.

«Perfecta.» La palabra trasladó a Connor a la cubierta del esquife. Jasmine de pie al sol. Su bronceada espalda vuelta hacia él, sus cabellos con olor a miel. Justo antes de aquel delicioso momento en que se había dado la vuelta y...

—¡Connor! —El grito de Cheng Li lo devolvió a la realidad—. ¿No me has oído?

—Perdona —dijo él—. Me he distraído un momento.

—Estamos a punto de emprender una peligrosa misión sin precedentes —dijo Cheng Li—. No puedes permitirte distraerte ni un solo segundo.

—¡Sí, capitana! —exclamó Connor. Qué locura. Allí estaba, embarcado en la misión pirata más peligrosa de todos los tiempos, y en lo único que podía concentrarse era en cómo se había sentido cuando Jasmine Peacock, la chica más guapa de la Academia de Piratas, lo había besado. ¿Dónde estaba ella en aquel momento? ¿Con Jacoby? ¿Le había contado ya lo sucedido? Tenía el corazón desbocado.

Cheng Li se acercó resueltamente a él.

—Hemos hecho algunos cambios importantes en la misión mientras tú y Jasmine estabais de viaje.

—¿Cambios? —preguntó Connor, las enigmáticas palabras de Cheng volviendo a centrar su atención en el presente.

La capitana asintió.

—¡Vamos a una boda!

—¿Una boda? ¿En plena misión? —Connor no pudo evitar quedarse perplejo.

Cheng Li sonrió.

—La boda es la misión —dijo—. Parece que hasta los vampiratas se enamoran. Sidorio se casa con una capitana vampirata, lady Lola Lockwood. —Se sacó la invitación de boda de la casaca y se la puso delante de los ojos.

Connor se quedó estupefacto.

—¿Cómo es que tienes una invitación?

A Cheng Li le brillaron los ojos.

—Digamos que estoy increíblemente bien relacionada.

Connor no lo dudaba.

—Entonces, ¿vamos a esa boda? —Tras una breve pausa, cayó en la cuenta—. ¿Para destruir a Sidorio?

—Casi, Connor, pero no del todo. —Cheng Li volvió a meterse la invitación en el bolsillo—. Nuestro objetivo ha cambiado. He averiguado que, después de todo, el comodoro Kuo no fue asesinado por Sidorio. Fue asesinado, de aquella forma tan brutal, por lady Lockwood. ¿Te acuerdas de cómo era el naipe que John tenía en la mano la última vez que lo vimos?

Connor hizo memoria, helándosele la sangre al recordar la terrible imagen del cadáver desangrado del comodoro Kuo, con aquel extraño naipe entre sus dedos petrificados.

—Era un corazón negro —dijo.

Cheng Li asintió.

—Es la tarjeta de presentación de esa loca. Hasta se la conoce por el apodo de Corazón Negro. Por eso tiene ahora esta misión el nombre en clave de Operación Corazón Negro. —Miró a Connor—. Aunque yo sigo prefiriendo llamarla Operación Regalo de Boda.

Tanta nueva información hizo que a Connor comenzara a rodarle la cabeza.

—Venga —dijo Cheng Li, dulcificando súbitamente la voz—. Veo que estás cansado por el viaje. Ven a cenar. Será una buena ocasión para ponerte al día con tus camaradas.

Siempre dispuesto cuando se trataba de comer, Connor la siguió al comedor, o cafetería, como la capitana Li prefería que llamaran a su innovadora zona para comer. No había ninguna mesa aparte para el capitán: Cheng Li prefería comer con su tripulación, asegurándose de mantener un contacto diario tanto con los marineros rasos como con sus oficiales.

—Sígueme —dijo, dirigiéndose a una mesa ubicada en el centro de la cafetería. Connor vio que Jacoby y Jasmine ya estaban sentados allí. Se estaban riendo y Jacoby tenía a Jasmine rodeada por la cintura. A juzgar por aquellos signos, ella no se lo había contado todavía. Jasmine lo miró y sonrió, pero con cierta cautela. Connor se sintió confuso y un poco defraudado.

—¡Bienvenido! —gritó Jacoby, levantándose e iniciando su apretón de manos secreto—. ¡Me han contado que habéis traído unas armas supermodernas!

Connor asintió.

—Y, oye —Jacoby se acercó más a él—, gracias por cuidar de Min —dijo—. ¡Me habría vuelto loco de preocupación si se hubiera ido con alguien que no fueras tú!

Connor se forzó a sonreír. Pero, al volverse, vio algo que transformó su falsa sonrisa en una auténtica. Había dos rostros familiares, pero fuera de lugar, sentados en el otro extremo de la mesa. Bart y Cate.

—¡Tíos! —gritó Connor, corriendo a abrazarlos—. ¿Qué estáis haciendo aquí?

—Nos hemos enterado de que necesitabais refuerzos —dijo Bart mientras abrazaba a su viejo amigo—. ¡Qué alegría verte, compañero!

—¡Lo mismo digo! —Connor estaba a punto de llorar.

—Estamos aquí temporalmente —explicó Cate—. Tenemos una dispensa especial para esta misión. Ahab Black habló con Barbarro Wrathe, que habló con Molucco... En fin, que aquí estamos, por ahora.

—Estoy contentísimo de veros, tíos —dijo Connor—. Lo único que me sorprende es que no hayan mandado a Moonshine con vosotros...

Cuando dijo el nombre de Moonshine, se oyó un grito en el mostrador donde servían la comida.

—¿Qué es esta mierda baja en calorías? ¡Exijo pizza!

Connor se volvió. Al mismo tiempo, Moonshine alzó la vista. Al ver a Connor, se metió dos dedos en la boca.

—Ya tenía náuseas —gritó—. Pero ahora me han entrado ganas de vomitar.

—No sería la primera vez —gritó Connor, recordando demasiado bien cómo le había vomitado encima, ¡dos veces!, durante una travesía particularmente movida a bordo del *Tifón,* el barco de Barbarro Wrathe.

Cuando Moonshine dejó malhumoradamente su bandeja y salió de la cafetería con paso airado, Connor miró a Cate.

—Solo estaba bromeando. ¿A qué viene que Moonshine se una al equipo?

Cate se inclinó sobre la mesa.

—Es política, Connor —respondió—. Pura política. Cuando Barbarro convenció a Molucco para que prescindiera temporalmente de nosotros, insistió en que también viniera Moonshine. ¡Se cree que esto lo hará madurar!

—¿Madurar? —exclamó Connor—. ¿Estás segura de que Barbarro no abriga secretamente la esperanza de que un vampirata nos haga un favor a todos y lo liquide?

Bart se rió.

Cate sonrió, pero negó con la cabeza.

—Como de costumbre, la estrategia con Moonshine sigue siendo muy sencilla. Hay que mantenerlo lo más lejos posible de la acción.

—De acuerdo —dijo Connor—, pero, por favor, esta vez ni se te ocurra pensar en emparejarnos.

—No te preocupes —dijo Cate—. Te prometo que eso no pasará.

Bart puso una mano en el hombro de Connor.

—No malgastemos el tiempo hablando de ese imbécil. ¡Ve a servirte y ponnos al corriente de todas tus aventuras! Te hemos añorado muchísimo, ¿verdad, Cate?

Connor se fijó en que Bart había rodeado a Cate con el otro brazo. Y ella no había hecho ningún intento de apartárselo. De hecho, estaba sonriendo con mucha satisfacción. Connor sonrió.

—¡Parece que vosotros dos también tenéis cosas que contarme! —exclamó.

—¡Ve a servirte! —dijo Cate, esforzándose por aparentar seriedad, pero sin lograrlo. Para sorpresa y regocijo de Connor, se volvió y besó a Bart justo debajo de la oreja.

—¡Ten cuidado! —dijo Connor, bromeando—. No dejes que Cheng Li lo vea. ¡Esto es un barco pirata, no un crucero para parejitas!

Cuando fue a servirse la comida, Connor se cruzó con Jacoby y Jasmine, que ya habían terminado de comer y se estaban marchando.

—¡Hasta luego, compañero! —gritó Jacoby—. Yo y Min tenemos que ponernos al día, si sabes a qué me refiero. —Le guiñó el ojo y dio un puñetazo al aire. Luego, se puso a bromear con amigos de otra mesa.

A Connor comenzó a dolerle la cabeza. Jasmine se quedó rezagada, alargó la mano y le tocó la muñeca. Fue un roce ligerísimo, pero aun así emocionante.

—Connor, no te enfades conmigo —dijo—. No podía soltárselo nada más llegar. Pero nada ha cambiado. Se lo diré. Todo lo que nos dijimos volviendo de Lantao sigue siendo cierto. Yo quiero esto tanto como tú.

Connor sonrió y suspiró hondamente.

—Gracias, Jas —dijo—. Es un gran alivio.

—Muy bien —dijo ella, soltándole la mano—. Ahora tengo que irme. Pero luego iré a buscarte. Te lo prometo.

—Muy bien —dijo Connor. Sintiéndose enormemente aliviado, se fue a coger una bandeja.

Al día siguiente, Cheng Li observaba desde la cubierta superior del *Tigre* mientras Cate comenzaba a colocar a los cincuenta marineros seleccionados para la Operación Regalo de Boda en nuevas formaciones de combate. Sus ojos fueron de Jacoby a Jasmine, de Connor a Bart y de este a Bo Yin, que era sorprendentemente diestra con su estoque. Si podía fiarse de los primeros indicios, con la pequeña Bo había sumado a su tripulación un miembro de prodigioso talento. Cheng Li sonrió para sus adentros. Todo estaba saliendo de un modo muy satisfactorio, tanto en los aspectos que había previsto como en otros inesperados. Pensó en algo que su padre le había dicho en una ocasión: «La suerte favorece a los audaces». Esperaba que las palabras de Chang Ko Li fueran ciertas.

42

El conjuro

Grace irrumpió en el camarote del capitán. Aún le sorprendía entrar en él y no encontrarlo. ¿Dónde estaba? ¿Iba a regresar alguna vez al *Nocturno,* junto a la tripulación que lo quería, lo añoraba y lo necesitaba? Pero, por muy impaciente que estuviera por resolver aquel misterio, había otras preguntas incluso más apremiantes que requerían una respuesta.

—Grace —dijo Mosh Zu, volviéndose sin soltar el timón. Sonrió, claramente ni sorprendido ni molesto por su súbita aparición.

Grace advirtió que también estaba Lorcan, de pie delante de la chimenea, mirando fijamente el fuego. En ese momento, se volvió y también la miró, pero sin sonreír. Parecía preocupado.

Grace miró a uno y otro, preguntándose cuál sería el mejor modo de plantear su pregunta. Al final, prescindió de los cumplidos y la hizo sin ambages.

—¿Cuál de los vampiratas es mi padre? Tengo que saberlo. ¡Ya!

Su respuesta se topó inicialmente con un silencio. Lorcan miró a Mosh Zu. Este pareció considerar la cuestión, dejando el timón y acercándose a ella.

—De acuerdo —dijo por fin—. Sí, creo que ha llegado el momento.

Grace se notó el corazón acelerado. Por fin, iba a obtener respuestas.

Mosh Zu se sentó a la mesa del capitán y les indicó que también lo hicieran ellos. Cuando tomaron asiento, se dirigió a Grace.

—Grace, quiero que sepas que nadie ha estado intentando ocultarte cosas. Para mí, estaba claro que tú ibas haciendo estos importantes descubrimientos por tu cuenta. No veía necesidad de precipitar las cosas. Tú ibas avanzando, a tu ritmo.

—¿Quiere decir a través de las visiones que he tenido? —peguntó Grace.

Mosh Zu asintió.

—Pero ya no las tengo —dijo Grace—. Desde que mi madre… bueno, desde que la dejamos en el faro, las visiones han desaparecido. No parezco capaz de encontrar el modo de volver a tenerlas.

Mosh volvió a asentir.

—Es lógico —dijo—. Como sabes, Grace, a tu madre le costaba pasarse mucho rato hablando cuando regresó. Deseaba contarte su historia, vuestra historia, con todas sus fuerzas. Estoy seguro de que por eso aguantó tan tenazmente como lo hizo. Y, aunque su voz era débil, me parece que halló otro modo de contártela.

A Grace se le agrandaron los ojos.

—¿Quiere decir que mi madre estaba evocando intencionadamente esas visiones para mí?

Mosh Zu guardó silencio durante un momento.

—No conscientemente —dijo—. No, yo diría que no. Pero el subconsciente es muy poderoso. —Hizo una pausa—. ¿Te acuerdas de cómo pudiste trabajar con las cintas en Santuario, conectándote con las energías que contenían para acceder a recuerdos e historias que otros habían grabado en ellas?

Grace contuvo el aliento.

—¿Se refiere a que he hecho lo mismo, con solo coger la mano a mi madre?

—Sí —respondió Mosh Zu—. Solo que, naturalmente, tu conexión con Sally era incluso más fuerte.

—Y ahora ya no está —dijo Grace, abatida—. Y ya no podré canalizar el resto de la historia.

Mosh Zu le sonrió con afecto.

—¿Cuál es esa encantadora expresión? ¡Hay muchas maneras de matar pulgas! —Tenía los ojos brillantes cuando continuó—. Dime, a través de tus conversaciones con Sally y tus visiones, ¿hasta dónde llegaste?

Grace tenía el corazón desbocado.

—Me habló de mi padre… de Dexter, quiero decir… de cómo se enroló en el *Nocturno* como ayudante de cocina y de cómo se enamoraron. Me contó que se dio cuenta de que había hecho mal renunciando a tener una vida fuera del barco y que fue a hablar con el capitán para pedirle que la exonerara de su obligación de ser la donante de Sidorio.

Mosh Zu asintió.

Grace inspiró hondo y luego soltó el aire de golpe.

—Me dijo que el capitán accedió.

—No fue una decisión fácil para él —observó Mosh Zu—, pero comprendió su dilema y que su verdadero destino estaba fuera del barco.

—Y le dijo que debía esperar hasta que encontraran un nuevo donante para Sidorio —continuó Grace—. Cuando eso ocurriera, ella sería libre para comenzar una nueva vida con Dexter. —Suspiró—. Y ahí es donde se quedó, el día que pasamos juntas en Crescent Moon Bay, aquel último día perfecto.

—Entonces —dijo Mosh Zu—, ahí es donde retomaremos el hilo nosotros. —Hizo un gesto a Lorcan—. Tal vez te gustaría empezar.

Grace miró a Lorcan, su primer buen amigo a bordo del *Nocturno*. Había terminado significando mucho para ella y, fuera lo que fuera lo que estaba a punto de decirle, sabía que no había nadie de quien ella prefiriera oírlo.

—Sidorio se enteró de que Sally había ido a ver al capitán —comenzó a explicar Lorcan—. De que le había pedido que le permitiera dejar de ser su donante para poder marcharse con Dexter. —Negó con la cabeza, entristecido—. Sidorio montó en cólera.

—¿Porque iba a perder a su donante? —preguntó Grace—. Pero ¿por qué? Por todo lo que dijo mi madre, él solo la veía como, ¿qué expresión utilizó Oskar?, su Reserva de Sangre Ambulante. ¿Por qué iba a importarle cambiar de donante?

—Tienes razón —dijo Lorcan—. Al menos, eso fue lo que creíamos todos. Pero, por lo visto, Sidorio sentía por tu madre algo más hondo de lo que manifestaba. No pudo soportar la idea de su doble traición, primero con su relación con Dexter y luego con su decisión de marcharse.

Grace no podía dar crédito a sus oídos.

—¿Sidorio sentía algo por mi madre?

Lorcan asintió.

—Algo muy hondo, Grace —dijo—. Sidorio estaba enamorado de tu madre. Pero era un amor no correspondido. Y, por eso, aún le costaba más soportarlo.

Aquello era mucho que encajar y asimilar, pero Grace no se perdió ni una sola palabra cuando Lorcan continuó.

—Sidorio confrontó a Sally. Ella le dijo que no podía impedirle abandonar el barco. Quizá no, dijo él, pero encontraría la forma de que ella no lo olvidara nunca.

Grace se estremeció al oír aquellas palabras. Tenía un mal presentimiento, pero debía seguir escuchando, fuera cual fuera el desenlace de la historia.

Mosh Zu fue el siguiente en hablar.

—Amor y odio no son opuestos. Solo son diferentes manifestaciones de la misma intensidad de emoción. Lo que Sidorio hizo a continuación puede parecerte fruto del odio, nos lo puede parecer a todos… —Se interrumpió.

—¿Qué hizo? —preguntó Grace.

—¿Estás segura de querer saberlo? —respondió Mosh Zu.

—No es que quiera saberlo —dijo Grace—. Lo necesito.

—¿Quieres que te lo enseñe? —preguntó Mosh Zu.

¿Enseñárselo? ¿Qué quería decir? Mosh Zu se levantó de la mesa y se dirigió a la chimenea. Indicó a Grace que se acercara. Ella lo hizo, desconcertada. Lorcan, que estaba sentado de espaldas al fuego, no se levantó, sino que se dio la vuelta en la silla y apoyó los brazos en el respaldo.

343

—Mira las llamas —dijo Mosh Zu a Grace, poniéndole una mano en el hombro. Grace dejó que sus ojos se posaran en las vacilantes llamas que lamían los bordes de la chimenea.

—Ahora —dijo Mosh Zu—, escucha las llamas.

¿Escuchar las llamas? Era una instrucción curiosa. Pero Grace hizo lo que le ordenaba, permitiendo que su atención se centrara en los silbidos y crujidos del fuego. De pronto, el sonido de las llamas aumentó de volumen, ahogando cualquier otro ruido. En cierto modo, era tranquilizante, como escuchar el agua de la fuente en los jardines de Santuario. El ruido del fuego siguió tornándose más fuerte dentro de su cabeza. Entonces oyó voces. Se sobresaltó, pero la voz de Mosh Zu la tranquilizó.

—Tranquila. Sigue, Grace. Escucha con atención. —Ella obedeció la orden. Oía voces y música. Una música profundamente rítmica, ligeramente familiar.

—Ahora. —Mosh Zu volvió a hablar—. Ahora, mira más allá de las llamas.

Grace hizo lo que le ordenaba. Y, de pronto, fue como si se hubiera abierto una ventana en la chimenea: estaba viendo a los vampiratas y donantes en la noche del Festín. Parecía que casi pudiera tocarlos de lo cerca que los sentía. Pero ¿dónde estaba Sally? Mientras se hacía aquella pregunta, la visión cambió y la condujo hasta el lugar donde se encontraba sentada su madre, esperando en la larga mesa. Grace contuvo el aliento. Esta vez, veía las cosas desde un punto de vista distinto, no a través de los ojos de Sally. Era fascinante ver el rostro de su madre. Veía esperanza en él. Ella sabía que iba a abandonar el barco, que sus planes estaban saliendo bien. Que estaba a punto de empezar una nueva vida y formar una familia, con Dexter. Sus brillantes ojos verdes rebosaban de esperanza. Estaba más hermosa que nunca.

Entonces, Sally bajó la cabeza. ¿Por qué? La visión cambió y Grace vio a Sidorio entrando en la sala. Destacó al instante, incluso entre los demás vampiratas. Se dirigió a la mesa a grandes zancadas y tomó asiento enfrente de Sally. Mientras lo hacía, ella alzó la vista y le sonrió. Él la saludó, moviendo rígidamente la cabeza. De haber tenido antes aquella visión, Grace habría pensado que lo que su madre le había dicho —que Sidorio solo la veía como su suministradora de sangre— era cierto. No obstante, ahora oyó las palabras de Lorcan: «Sidorio estaba enamorado de tu madre. Pero era un amor no correspondido». ¡Sí, ahora veía que aquello era cierto! La cara de Sidorio parecía una máscara, pero no era la cara de alguien que carece de sentimientos. Era, más bien, la cara de alguien que intenta disimular con todas sus fuerzas las turbulentas emociones que hay debajo.

Grace vio cómo comenzaba el Festín. Hasta oyó las conversaciones que tenían lugar alrededor de Sally y Sidorio. Ellos, no obstante, apenas hablaban.

—¿Estás lista para pasar a otra cosa? —intervino Mosh Zu.

—Sí —respondió Grace, sin dejar de mirar las llamas.

En ese momento, la visión volvió a cambiar y Grace vio a Sidorio y a Sally andando por el pasillo, cogidos del brazo, dirigiéndose al camarote de su madre. ¿Estaba a punto de presenciar el acto de la entrega? Pero, cuando entraron en el camarote, la puerta se cerró y ella se quedó fuera.

—Sigue mirando —dijo Mosh Zu en voz baja—. No lo estás viendo en tiempo real. El tiempo está pasando.

Grace siguió mirando la puerta. Esta se abrió bruscamente y Sidorio salió al pasillo. A Grace comenzó a palpitarle el corazón. ¿Dónde estaba Sally? ¿Qué le había hecho?

Sidorio miró a izquierda y derecha. Al principio, Grace creyó que solo estaba nervioso. Luego, advirtió que estaba buscando a alguien. Pero ¿a quién? Lo oyó gritar:

—¡Aquí! ¡Entra! ¡Date prisa!

Se estaba acercando una figura. Una mujer, vestida con una larga capa negra, llevando una bolsa.

Grace vio que Sidorio terminaba de abrir la puerta y metía rápidamente a la mujer en el camarote. La puerta volvió a cerrarse, pero esta vez la visión condujo a Grace al interior del camarote. Una vez más, contuvo la respiración. Allí estaba su madre, tendida en la cama. Parecía tranquila.

La otra mujer suspiró.

—¡Toda una bella durmiente! —dijo, dejando la bolsa en el suelo.

—Ponte a ello, bruja —espetó Sidorio—. ¡No tenemos mucho tiempo!

—¡No soy una bruja! —replicó la mujer, echándose la capa hacia atrás—. ¡Soy una sacerdotisa! —A Grace se le escapó un grito. Se sentía como si estuviera a bordo de un tren descarrilado. Una parte de ella quería saltar, pero sabía que no tenía más opción que quedarse hasta el final de la visión.

¿Bruja? ¿Sacerdotisa? Fuera lo que fuera, la mujer se puso de rodillas y comenzó a vaciar la bolsa. Sacó un cofre y lo dejó con sumo cuidado en el suelo del camarote. Sidorio la observaba, con patente agitación y urgencia. Entretanto, Sally seguía dormida, con una expresión beatífica en el rostro. Grace imaginó que estaba soñando con la nueva vida que le esperaba, tan próxima que casi podía saborearla, como la sal que porta la brisa marina.

No le sorprendió ver que la hechicera colocaba velas negras en el suelo y esparcía a su alrededor relucientes discos de un tamaño diminuto. Ya había visto aquella parte de la visión. Pero oyó que Sidorio preguntaba:

—¿Qué son?

—Escamas de pescado —respondió la mujer—. Una ofrenda a mis dioses hambrientos.

La sacerdotisa cogió una mano a Sally, envolviéndola en la correosa piel de la suya. Comenzó a cantar. Sus palabras eran irreconocibles, extraños sonidos guturales y discordantes que alternaban notas graves con agudos chillidos. Era, pensó Grace, una música diabólica. Temió por su madre, pero Sally seguía allí, aparentemente tranquila y ajena a todo.

—Empezamos —dijo la sacerdotisa, mirando a Sidorio y alargando la otra mano con la palma abierta—. Primero, dame las arañas saltarinas.

Grace vio que Sidorio metía la mano en el cofre y sacaba dos arañas encaramadas a una hoja de árbol. También aquello lo había visto ya. La sacerdotisa cogió las arañas y las colocó en los párpados cerrados de Sally, primero en el derecho, luego en el izquierdo. No dejó de cantar mientras lo hacía y, con los dedos de la otra mano, fue dándole rítmicos golpecitos en la mano.

—Ojo de araña —anunció—. Para tener una visión inmejorable que atraviesa la niebla y la oscuridad.

Tras una breve pausa, volvió a extender su palma vacía.

—¡El frasco! —ordenó. Grace vio que Sidorio volvía a meter la mano en el cofre y sacaba un pequeño recipiente de cristal. La mujer cogió el frasco y, destapándolo, lo vació en los pálidos labios de Sally, sin dejar de cantar y darle golpecitos en la mano—. Soplo de aire montano —anunció—, para tener un vigor inagotable. —Volviendo la cabeza, sonrió a Sidorio con su boca desdentada—. ¡El coral!

Sidorio sacó del cofre una rama de coral rojo. La sacerdotisa la dejó como un ramillete en la otra mano de Sally. Siguió cantando antes de recitar:

—Coral rojo, para tener buena suerte hasta el fin de los tiempos.

—¿Funciona? —preguntó Sidorio, inclinándose sobre Sally.

—¡Calla! ¡Necio! —La mujer lo apartó, enfadada—. ¡No interrumpas mi conversación con los dioses! ¡Dame el *kurinji*!

Sidorio volvió a meter la mano en el cofre y sacó una diminuta ramita violeta con sumo cuidado.

La sacerdotisa se la arrebató y se la colocó a Sally en la frente.

—El *kurinji*, una planta poco común que solo florece una vez cada doce años, para tener una sabiduría poco común. —La sacerdotisa volvió a cantar y a golpetear la mano a Sally. Aun así, ella parecía dormida, su cuerpo completamente inmóvil.

En el cofre solo quedaba un objeto. La mujer miró a Sidorio.

—Por último, el corazón de águila pescadora calcinado —ordenó la mujer.

Sidorio sacó la chamuscada ofrenda. Tenía un aspecto repulsivo, pero la sacerdotisa sonrió al recibirla, se la llevó a los labios y la besó. Cantando, depositó el corazón calcinado sobre el pecho de Sally.

—Corazón de águila pescadora, para no cejar nunca en la lucha —anunció.

—Y ahora —dijo a Sidorio— dame tu mano. —Él se la tendió rápidamente. La sacerdotisa se la agarró y se la puso junto a la de Sally, que siguió golpeteando hasta el último momento. Luego, les unió las palmas y volvió a cantar. Su canto pareció ir tornándose cada vez más fuerte y disonante.

—¡No le sueltes la mano! —ordenó—. No se la sueltes ahora y jamás os separaréis. —Grace tembló, viendo con cuánta fuerza cogía Sidorio la mano de Sally. Ella no se movió. Por fin, la sacerdotisa puso una mano en el hombro a Sidorio—. Ya está —dijo—. He preguntado a los dioses y ellos me han dado su respuesta.

¿A qué se refería? Grace creía saberlo, pero no estaba segura.

La visión se estaba desvaneciendo rápidamente, como si las ávidas llamas la estuvieran consumiendo. Grace no intentó retenerla. Luego, miró a Mosh Zu.

—¿Cuál fue el conjuro que realizó la sacerdotisa? —preguntó.

—La respuesta está en ti —dijo él.

Grace frunció el entrecejo. No era momento para acertijos. Pero de pronto lo supo. Sidorio había dicho que encontraría la forma de que Sally no lo olvidara nunca. La sacerdotisa había dicho que Sally y Sidorio no se separarían jamás. De golpe, lo vio tan claro como el agua.

Se sintió embotada.

—Hechizó a Sally para que se quedara embarazada —dijo, mirando a Mosh Zu, deseando que la corrigiera. Pero él no dijo nada. Grace se descubrió temblando cuando continuó—. ¡Sidorio es mi padre! Lo es, ¿verdad? Hizo hechizar a mi madre y así nacimos Connor y yo. —Apenas podía creer que estuviera diciendo aquellas palabras, pero, en su fuero interno, sabía que eran ciertas.

Esperó a que Mosh Zu y Lorcan lo negaran, a que le dijeran que estaba loca, que se trataba de un conjuro muy distinto. Pero ellos siguieron sin decir nada.

Por fin, Mosh Zu le tendió la mano.

—Sí, Grace —dijo—. Así es. Sidorio es tu padre.

43

Paternidad

Aunque ya lo había supuesto, que Mosh Zu lo confirmara fue un duro golpe para Grace. Era el peor desenlace posible. Sidorio, ¡Sidorio!, era su padre.

Lorcan la rodeó con el brazo.

—Lo siento muchísimo, Grace —dijo—. Sé que esto no es lo que habrías preferido.

Ella se había quedado casi sin habla.

—Sidorio —dijo, su voz ronca y débil, su cuerpo entumecido.

—Ven a sentarte —dijo Mosh Zu—. Sé que esto es muy duro para ti.

Lorcan le ofreció su silla. Ella se sentó y suspiró, pero negó con la cabeza.

—Creo que, en cierto modo, ya lo sabía —dijo—. Era lo que más temía, aunque confirmarlo me quita parte del miedo.

Mosh Zu asintió.

—Sí —dijo—. Confiaba en que lo vieras de ese modo. Tardarás tiempo en adaptarte, tanto a la idea de que Sidorio es tu padre como al hecho de que seas un dampiro, pero sé que puedes encajar ambas cosas.

—Sí —dijo Grace. Entonces, se le ocurrió otra cosa—. De hecho, no es lo que más temía…

Mosh Zu enarcó una ceja.

Grace cogió a Lorcan de la mano.

—Habría sido mucho peor descubrir que mi padre era Lorcan —dijo.

Lorcan le sonrió y le apretó la mano. Grace tenía lágrimas en los ojos, pero se las secó.

—Y, además, hiciera lo que hiciera Sidorio, jamás dejaré de pensar en Dexter como en mi padre.

—Ni deberías hacerlo —dijo Mosh Zu. Le sonrió—. Quiero que te centres en el hecho de que eres muy especial. —Hizo una pausa—. ¿Te acuerdas de los distintos elementos del conjuro que realizó la hechicera?

Ella asintió, aún un poco aturdida.

—Estaba hablando de cualidades que poseéis Connor y tú —explicó Mosh Zu—. Una visión inmejorable. Un vigor inagotable. Buena suerte. Una sabiduría poco común. Y, quizá lo más importante, la fortaleza para no cejar nunca en la lucha. Los dos habéis sido bendecidos con todos esos dones. Y creo que ya hemos visto unos cuantos de ellos en acción.

—¿Quieres estar un rato sola? —preguntó Lorcan.

Grace se lo pensó un momento.

—Tal vez —dijo. Pero antes necesito que me contéis el final de la historia. ¿Qué pasó después de que Sally fuera hechizada?

Lorcan le apretó la mano.

—¿Estás segura de que quieres oírlo ahora?

Grace asintió, decidida.

—Es mejor que lo sepa todo. Así podré avanzar.

Lorcan se quedó mirándola, con los ojos cargados de preocupación. Lanzó una mirada a Mosh Zu, pero el gurú sonrió y estuvo de acuerdo.

—Muy bien. Continuaremos nuestro relato. —Apoyó las manos en la mesa delante de él—. Cuando tu madre se despertó, sola, como de costumbre, después del acto de la entrega, no recordaba la visita de la hechicera ni sabía lo que había ocurrido. Y así, la vida siguió igual que siempre. El momento de que Sally y Dexter abandonaran el *Nocturno* se estaba acercando. El capitán había encontrado un nuevo donante para Sidorio y todo iba sobre ruedas. —Hizo una pausa—. Pero entonces tu madre se dio cuenta de que le pasaba algo, dentro de su cuerpo. Supo que estaba embarazada. Aquello la preocupó y se fue otra vez a hablar con el capitán.

Grace frunció el entrecejo.

—¿No pensó que Dexter podía ser el padre?

Mosh Zu negó con la cabeza.

—No. Sally se mantuvo muy firme a ese respecto. De hecho, para ella era un misterio quién podía ser el padre. Entonces recordó las palabras que le había dicho Sidorio, que encontraría la forma de que no lo olvidara nunca. Aquellas palabras la dejaron helada. —Mosh Zu se levantó y empezó a pasearse por el camarote—. El capitán vino a verme y me pidió que visitara a Sally en el barco. Cuando lo hice, pude confirmar que efectivamente estaba embarazada, y que no llevaba un hijo en su vientre sino dos. También le dije que, dado que aquellos gemelos tenían una madre mortal y un padre vampirata, serían dampiros, poderosos seres poseedores tanto de cualidades vampíricas como humanas. —Mosh Zu sonrió a Grace—. Ya entonces sabíamos que seríais muy especiales. Y prometimos cuidar de Sally y sus hijos, fuera en el barco o en Santuario. —Negó con la cabeza—. Pero Sally no quería eso. Lo único que quería era marcharse con Dexter, como habían planeado. Regresar al mundo de los mortales.

—¿Y qué hay de Dexter? —preguntó Grace—. ¿Cómo se lo tomó?

—Buena pregunta —dijo Mosh Zu—. Creo que para tu madre fue tremendamente duro decirle lo que había ocurrido, aunque ella no hubiera tenido ningún control sobre los acontecimientos. Estoy seguro de que esperaba que Dexter la rechazara. Había tenido una vida dura antes de alistarse en el *Nocturno* y su fe en las personas era cuando menos frágil. Pero Dexter Tempest no era la clase de hombre que huía de los problemas o el dolor. Era, a un nivel puramente instintivo, un sanador. Dijo a tu madre que su plan no debía cambiar. Que debían seguir con la idea de abandonar el barco, pero llevándose a los bebés y educándolos juntos.

A Grace volvieron a llenársele los ojos de lágrimas.

—¿Accedió a criarnos como si fuéramos suyos?

Lorcan asintió.

—Estoy seguro de que no tuvo ni un solo momento de duda, Grace.

—Sally y Dexter volvieron a visitarnos al capitán y a mí —dijo Mosh Zu—. Nos dijeron lo que querían. Nosotros previmos algunos problemas, por supuesto, pero también comprendimos la lógica de alejar de Sidorio a los hijos que había engendrado. Así que urdimos un plan para engañarlo.

—¿Para engañar a Sidorio? —preguntó Grace, sorprendida—. ¿Cómo?

Lorcan tomó el relevo a Mosh Zu.

—Sally iba a dar a luz en Santuario, donde Mosh Zu la asistiría en el parto. Pero, que Sidorio supiera, solo había un niño, no dos. Cuando llegó el momento, todos viajamos a Santuario.

—¿Estuviste en nuestro parto? —preguntó a Lorcan.

—Sí. —Lorcan asintió, con los ojos cargados de emoción. Le sonrió—. Sí, Grace. He estado desde el mismo principio.

«Sí que existe un vínculo especial entre nosotros —pensó Grace—. Un vínculo que se remonta al mismo principio.»

—¿Y Sidorio? —preguntó—. Me imagino que él también estaría.

—Llegó tarde —respondió Lorcan—. Había estado alimentándose de sangre…

—¡Alimentándose de sangre! —Grace no pudo contener su furia—. ¿Mientras mi madre daba a luz?

—Para ser justos con él —dijo Lorcan—, Sidorio no pudo beber la sangre de Sally mientras ella estuvo embarazada. Y, además, su retraso nos permitió representar nuestro plan.

—Cuando Sidorio llegó a Santuario —explicó Mosh Zu—, le dijimos que su hijo había muerto poco después de nacer.

A Grace se le escapó un grito.

—Él se quedó destrozado, como puedes imaginar —continuó Mosh Zu—. Subió a la cima de la montaña y maldijo a la hechicera por fallar con su conjuro.

—Y, entretanto —dijo dulcemente Lorcan—, yo os tenía a ti y a Connor en mis brazos, dos bebés sanos envueltos en una manta.

—¿Tú? —dijo Grace, maravillándose una vez más por el modo en que estaban entrelazadas sus vidas.

—Sí. —Lorcan asintió. —Yo os llevé montaña abajo. Tenía un esquife esperando y zarpé con los dos para llevaros junto a vuestro padre. Nos encontramos en el lugar que habíamos pactado. Y, Grace, él os cogió en brazos a ti y a Connor y nunca he visto a un hombre más feliz que Dexter Tempest en ese momento. —Puso su mano sobre la de Grace—. Nos despedimos y lo vi perderse en la oscuridad. Contigo y Connor. Lo último que hice fue asegurarle que más adelante le llevaríamos a Sally para que pudieran estar juntos. ¿Y sabes lo que dijo tu padre? Dijo que esperaría lo que hiciera falta.

Grace se mordió el labio.

—Pero ella nunca llegó, ¿verdad? Y él nunca dejó de esperar.

44

No más secretos

—Debo explicárselo a Connor —dijo Grace—. Lo antes posible.

Mosh Zu negó con la cabeza—. No estoy seguro de que Connor esté preparado.

—Tiene que saberlo —insistió Grace—. Tiene que saber quién es su verdadero padre y en qué nos convierte eso.

Mosh Zu consideró sus palabras y estuvo de acuerdo.

—Tienes razón. Claro que la tienes. Y puede que la persona más indicada para decírselo seas tú. Pero primero debo asegurarme de que estás en condiciones de hacerlo. —Se quedó callado—. No me refiero únicamente a asimilar lo que acabas de saber, sino también a tu transformación física.

Grace sintió un escalofrío en el espinazo.

—¡A lo mejor está experimentando la misma transformación! Solo que para él será peor, porque no lo entenderá.

Mosh Zu negó con la cabeza.

—Connor no ha llegado todavía a ese punto. Siempre pensé que te pasaría primero a ti.

—¿Cómo es posible? —preguntó Grace—. Somos gemelos. ¿No tendría que pasarnos a los dos a la vez? ¿Cómo sabe que a él no le está pasando?

—Vas a tener que fiarte de mi palabra —respondió Mosh Zu—. Cuando Connor empiece a transformarse, nosotros estaremos con él, igual que estamos ahora contigo. Le ayudaremos y, por supuesto, también lo harás tú.

—Está bien… —dijo Grace—. Oh, esto es tan chocante… Pero, en muchos aspectos, explica las sensaciones que he estado teniendo. De no encajar en mi vida anterior. De pertenecer a este barco, a este mundo… de estar conectada con todos ustedes. Para Connor será más difícil. Él odia este mundo. Ya ha huido una vez de él. —Su temor por su hermano le había agrandado los ojos.

Mosh Zu tosió ligeramente.

—Grace, ten por seguro que ayudaremos a Connor en su trasformación. Pero, por el momento, centrémonos en ti. Además, nuestra historia no ha concluido todavía. Si estás segura de querer oírla, deberíamos continuar.

Grace no vaciló.

—Quiero saberlo todo —afirmó—. Ya he esperado demasiado tiempo.

—Muy bien —dijo Mosh Zu.

Una vez más, Lorcan tomó la palabra.

—Después del parto, Sally se estuvo recuperando en Santuario —dijo—. Y en el *Nocturno,* Sidorio parecía haber aceptado el hecho de haber perdido a su hijo. De hecho, por fin parecía haber perdido todo interés en tu madre. Quizá, de algún modo, sentía que la muerte de su hijo había puesto fin a su relación sentimental. Tenía un nuevo donante y comenzó a hacer su vida. —Lorcan se quedó callado y el rostro se le ensombreció—. Pero entonces se enteró de que lo habían engañado. Hasta el día de hoy, no sabemos quién se lo dijo. Sidorio averiguó que no tenía un hijo sino dos, y que ninguno de los dos estaba muerto, sino, de hecho, viviendo lejos de él.

—¿Y volvió a Santuario a confrontar a mi madre? —preguntó Grace, con la voz cargada de inquietud.

Lorcan respiró hondo.

—Sí, Grace, y ella fue muy valiente. No se amilanó. Admitió la verdad. Y juró no revelarle el paradero de sus queridos hijos, incluso cuando Sidorio amenazó con matarla. Saber que tú y Connor estabais seguros era lo único que le importaba.

—Pero Sidorio conocía a Dexter —dijo Grace—. ¿Por qué no lo buscó para quitarle a sus hijos?

—Una buena pregunta —dijo Mosh Zu—. Sidorio recurrió a la magia negra con Sally, pero, a cambio, el capitán y yo congelamos sus recuerdos de Sally, hasta vuestro mismo nacimiento. Borramos su conocimiento de sus hijos.

—¿No sabe que… nos engendró? —preguntó Grace.

—No —respondió Mosh Zu. Se le ensombreció la mirada—. Aunque presiento que sus recuerdos están comenzando a descongelarse…

—¿Qué le dijo a Sally? —preguntó Grace. Mosh Zu se quedó callado. Grace miró a Lorcan, que bajó la cabeza.

—¿Qué pasó? —repitió ella.

Mosh Zu la miró, preocupado.

—Sidorio atacó a tu madre, violentamente. La dio por muerta y huyó de Santuario, regresando al *Nocturno*. Luego, atacó al capitán, pero él lo sometió. Por grandes que fueran sus poderes en esa época, los del capitán eran superiores. Continúan siéndolo. —Hizo una pausa—. Después del ataque, Sally estaba muy débil. Lo probé todo para curarla, pero la estábamos perdiendo. El capitán no podía soportar la idea de que jamás viera a sus hijos, ni ellos a ella. Vino a Santuario. —Mosh Zu vaciló—. Grace, fue entonces cuando tomó la decisión de salvarla del único modo que sabía. La tomó en sus brazos y permitió que su espíritu se fundiera con el suyo. Prometió portar su alma hasta que el peligro hubiera pasado…

Grace asintió.

—¿Y la liberó durante la ceremonia de sanación?

—Sí —respondió Mosh Zu—. Grace, sé que el capitán lamenta no haberla liberado antes. Pero no podía. Temía demasiado por ella. —Se quedó callado—. Ojalá estuviera ahora aquí. Sé que te pediría que lo perdonaras.

A Grace le rodó una lágrima por la mejilla.

—¡Pero si no hay nada que perdonar! Él salvó a mi madre, todos ustedes la salvaron. Hicieron todo lo posible para darle una última oportunidad. —Suspiró—. Y lo lograron.

Mosh Zu la miró con curiosidad.

—¿Lo logramos? ¿Cómo?

—Reuniéndonos —dijo Grace—. El capitán nos ha hecho ese regalo a Connor y a mí. Los dos hemos podido conocer a nuestra madre, y ella a nosotros. Eso nunca habría ocurrido de no ser por él, o por usted. —Alargó una mano y le dio un apretón en la muñeca—. Gracias —añadió. Tardó un momento en retirar la mano. Luego, preguntó—: Por favor, ¿puede terminar la historia?

Mosh Zu asintió, pero fue Lorcan quien habló.

—Dexter estaba esperando en Crescent Moon Bay, cuidando de vosotros dos. ¡Imagino que debíais de darle bastante trabajo! —Sonrió—. Viajé por última vez a Crescent Moon Bay para contarle lo ocurrido. Y también para ofrecerme a llevaros de nuevo al *Nocturno*.

—¿Ibais a criarnos a bordo del barco? —preguntó Grace, sorprendida.

Lorcan asintió.

—Sí, pero Dexter ni siquiera se lo planteó. No dejó ninguna duda al respecto. Decidió que sería él quien os criaría. Que erais los hijos de Sally y que, si no podía tener otro día con su querida Sally, al menos siempre tendría con él una parte de ella, dos partes de ella.

—Y ahí tienes —dijo Mosh Zu—, lo que antes he dicho sobre el amor y el odio… Aunque Sidorio actuó llevado por el odio, sus actos condujeron a algo muy distinto. Porque vuestro verdadero padre fue un hombre que ni siquiera sabía odiar. La bondad de su corazón transformó el acto de maldad de Sidorio en una maravillosa bendición.

Grace aún no se había recuperado del impacto de todo lo que había oído, pero también sentía una honda sensación de paz interior. Por fin, ya no había más secretos. Sabía quién era y quiénes eran sus padres. Y aunque ya no tenía a ninguno de los dos, el hondo amor que ellos se habían profesado y habían sentido por sus hijos le parecía muy real. Pese a los aciagos giros que había dado la historia. Pese al hecho de que Sidorio fuera su padre. Eso iba a tardar mucho tiempo en asimilarlo.

—Creo que me iré a mi camarote —dijo.

—¿Quieres que te acompañe? —sugirió Lorcan.

Grace asintió con la cabeza.

—Sí, por favor. Me encantaría.

—Buena idea —dijo Mosh Zu, levantándose de la silla y dándoles la espalda para volver a ponerse al timón.

Lorcan y Grace se marcharon.

En el pasillo, Grace se cogió al brazo de Lorcan.

—Subamos a cubierta —dijo, con los ojos brillantes.

Lorcan accedió de buen grado. Abrieron la puerta y salieron a cubierta, donde soplaba una fuerte brisa que despeinó a Grace, poniéndole el pelo en la cara.

—¡Parece una telaraña! —dijo Lorcan—. Anda, deja que te adecente. —Le apartó el pelo. Casi de inmediato, sopló otra ráfaga de aire y el pelo volvió a ponérsele en la cara. Los dos se rieron.

—Mira —dijo Lorcan—. ¡Está empezando a llover! Tal vez deberíamos entrar.

Grace negó con la cabeza.

—No es más que un chaparrón. Aún no estoy lista para entrar. Necesito aclararme las ideas. Venga, la vela mayor nos protegerá de la lluvia.

—¡Buena idea! —dijo Lorcan, cogiéndola de la mano. Juntos, corrieron por la cubierta mojada hasta estar al relativo abrigo de la inmensa vela mayor con forma de ala.

—¡Mucho mejor! —exclamó Grace.

Lorcan se sacudió.

—Estamos empapados —dijo.

—Igual que cuando nos conocimos. —Grace sonrió. Luego, negó con la cabeza—. No, no cuando nos conocimos, obviamente, porque entonces yo era un bebé…

—Tranquila —dijo Lorcan—. Te he entendido. Y tienes razón. Esto se parece mucho a la primera noche que nos conocimos como Dios manda, tú y yo.

Su tono de voz había cambiado. De algún modo, parecía más libre con ella que antes, como si, contándole la historia y desvelándole sus secretos, pudiera por fin relajarse con ella. Grace celebró aquel cambio. Miró la lluvia, dejando que las refrescantes gotas le mojaran la cara y no importándole nada.

—Mira —dijo—. ¡Qué raro! A pesar de la lluvia, siguen viéndose las estrellas. Cuánto brillan esta noche. —Las señaló, pero Lorcan no las miró. Siguió con los ojos clavados en los de ella.

—No creo que haya nada más bello en el mundo que lo que estoy mirando en este momento —dijo.

Pese a estar empapada, Grace se sonrojó.

Lorcan tenía los ojos brillantes, incluso más que antes. Era como si las gemas excepcionalmente azules de sus iris hubieran adquirido una nueva intensidad, lavadas por la lluvia y bruñidas por la luz de la luna.

—Grace, hay algo que quiero hacer desde hace mucho tiempo, pero siempre se ha interpuesto alguna cosa. —Se inclinó sobre ella, cogiéndole la cara con una mano. Luego, con suavidad, pero también con firmeza, atrajo su cara mojada hacia la suya. La miró fijamente, como si la estuviera viendo por primera vez. Luego, pegó sus suaves labios a los de ella y la besó.

Grace no quería que el beso terminara, pero, cuando lo hizo, se consoló pensando que podía ser únicamente el primero del millón de besos que se dieran. Le habían hecho dos valiosos regalos: el regalo de la inmortalidad y, aún más importante, el regalo de alguien con quien compartirla. Sintió que todo el sufrimiento que había soportado estaba disminuyendo. Por fin, las cosas habían empezado a cambiar. Lorcan la tenía en sus brazos y ella lo estaba mirando, radiante de felicidad.

—Es extraño —dijo Lorcan—. Después de todo lo que has oído esta noche, juraría que jamás te había visto tan feliz.

—Estoy feliz —confirmó Grace, sorprendida de sí misma—. En mi fuero interno, me siento feliz y en paz. Puedo oír la voz de mi padre: «¡Confía en la corriente!». Eso era lo que me decía. Y lo hago, Lorcan. Confío en que las cosas están saliendo como deben. Sé cuánto debió de sufrir mi madre, y también mi padre, esperándola durante todo aquel tiempo. Pero ahora vuelven a estar juntos.

No ha sido nada fácil oír todo lo que me habéis contado tú y Mosh Zu, pero al menos ahora puedo enterrar el pasado y mirar hacia delante. —Clavó los ojos en los de él—. Y nosotros podemos estar juntos.

—Sí —dijo él, volviendo a besarla—. Sí, mi dulce Grace, eso es exactamente lo que también quiero yo. —De pronto, se puso serio—. Grace, se me olvidaba. Hay otra cosa.

—¿Qué? —preguntó ella. Justo cuando pensaba que ya no quedaban secretos por revelar, ¿había algo más?

—Oh, no —dijo él, percibiendo su inquietud—. No, tranquila. —Se metió la mano en el bolsillo del abrigo—. Es solo que, antes de marcharse, Sally me dio una carta para ti. Sabía que se le estaba agotando el tiempo y quería que yo te la diera una vez que supieras la verdad.

—¿Una carta de mi madre? —Grace sonrió, complacida y aliviada.

—Sí —dijo Lorcan—. Hace días que la llevo encima, pero deberías tenerla tú. —Continuó hurgándose en los bolsillos—. Qué raro. Estoy seguro de que la llevaba aquí… —Se desabrochó el gabán y lo abrió para mirar el forro.

—¿En qué bolsillo crees que la pusiste? —preguntó Grace.

—En este, por supuesto —respondió Lorcan—. En el que tengo junto al corazón. —Palpó el forro con sus largos dedos pálidos.

Grace frunció el entrecejo.

—Bueno, ahí tienes la respuesta —dijo, entristecida, señalando el lugar donde el forro se había deshilachado—. Mira, está desgastado. Me temo que la carta se te ha debido de caer.

—¡Oh, no! —gritó Lorcan—. Oh, Grace, qué estúpido soy. Lo siento muchísimo. ¡Soy un idiota!

Grace negó con la cabeza. Estaba amargamente desilusionada, pero no quería que él lo supiera, no quería estropear aquel momento perfecto entre los dos.

—No te preocupes —dijo—. Hasta hace un momento, ni siquiera sabía que hubiera una carta. Y, además, ya sé todo lo que pasó, ¿no?

—Sí —admitió Lorcan—. Sí, ahora ya no hay secretos que se interpongan entre nosotros. —Negó con la cabeza apesadumbrado—. Pero, aun así, Grace… Lo siento. ¿Dónde demonios puede estar la carta?

—Chist —dijo ella, volviendo a arrimarse a él—. Estoy segura de que aparecerá antes o después.

45
Primera posición

Cheng Li volvió el sobre en sus manos. La carta que contenía le venía continuamente a la cabeza. Siempre había sospechado que los gemelos Tempest tenían algo extraordinario, pero aquello había incluso rebasado sus expectativas. La carta era un regalo incluso mejor porque se la había traído el mismo Lorcan Furey. Sonrió. Los vampiratas se creían invencibles, pero no podían hacer una advertencia sin cometer un error tan garrafal como aquel. No; si alguien podía atribuirse el mérito de ser invencible, eran sin duda los piratas. Y, entre los piratas, sus camaradas de la Federación no les llegaban ni a la suela del zapato a ella y a su tripulación. Les habían asignado aquella misión especial para liquidar al asesino del comodoro Kuo. Ellos habían investigado. Tenían las armas, tenían una tripulación incomparable formada por los mejores combatientes jóvenes que habían surcado los siete mares. Y ahora, ahora ella sabía que, entre esa tripulación, ella contaba con un combatiente muy especial.

Dejó de dar vueltas al sobre. Era un as que se guardaba en la manga. La cuestión era: ¿cuándo debía jugarlo?

Llamaron a la puerta.

Cheng Li dejó el sobre en su escritorio y lo tapó con el cuaderno que Jasmine había encontrado en el archivo.

—¡Adelante! —dijo, alegremente.

Connor abrió la puerta y, después de cerrarla, fue hasta su escritorio.

—Has pedido verme, capitana Li —dijo.

Ella asintió.

—Así es. Siéntate, por favor, Connor.

Él se arrellanó en la silla delante de su escritorio. No pudo evitar advertir que, aunque sabía que sacaba varios centímetros de altura a Cheng Li, ella parecía más alta que él sentada detrás del escritorio. Sonrió para sus adentros. ¡Debía de haber adaptado las sillas!

—¿Cómo ha ido el entrenamiento esta tarde? —le preguntó Cheng Li.

—Muy bien —respondió él—. Las espadas nuevas que ha forjado el maestro Yin son increíbles. Se manejan magníficamente bien.

—Por supuesto. —Cheng Li le dio la razón—. Con un experto espadero como el maestro Yin nunca te llevas sorpresas. —Tamborileó con los dedos en la tapa de piel del cuaderno—. ¿Y Cate está apretándoos las tuercas a todos?

Connor asintió, volviendo a sonreír.

—Está chasqueando el látigo como solo ella sabe hacerlo. Es genial tenerla aquí. Y también a Bart, por supuesto.

Cheng Li sonrió.

—Como en los viejos tiempos, ¿no? Yo también me alegro de tenerlos en mi tripulación. ¿Puedo confesarte un secreto, Connor?

Él se encogió de hombros.

—Si quieres…

—Tengo pensado reclutar a Cate y a Bartholomew de una forma más permanente.

—Vas a tenerlo crudo —dijo él—. No romperán voluntariamente su juramento de lealtad a Molucco.

Cheng Li sonrió.

—Ojalá se parecieran más a ti, Connor… —dijo—. Bueno, veremos qué nos depara el futuro. Tengo el fuerte presentimiento de que, si tenemos éxito en esta misión, podremos persuadirlos, a ellos y a muchos otros, para que se alisten en nuestra tripulación. No hay mejor estratega que Cate en ningún barco de la Federación. Su lugar está aquí.

—¿Qué hay de Bart? —preguntó Connor.

Cheng Li hizo una torre con los dedos.

—Creo que los dos sabemos que Bart tiene sus limitaciones como combatiente. Es un titán, pero le falta sutileza en el ataque. Aunque, pase lo que pase, está claro que Cate irá a donde vaya él. Además, es amigo tuyo, ¿no?

—Sí —dijo Connor, asintiendo—. Es un buen amigo. —«Así que estaría bien que te abstuvieras de hacerlo de menos en mi presencia», pensó. Tal vez ella le leyera de algún modo el pensamiento, porque cambió de tema.

—Bueno, no te he pedido que vengas para hablar de Bart o Cate. Quería hablar contigo de la misión.

—Claro —dijo él, volviendo a asentir.

—Estoy haciendo cambios en el plan de ataque —explicó Cheng Li.

—¿Cambios? ¿Qué clase de cambios?

—Personales —respondió Cheng Li—. Es absolutamente crucial que esta misión tenga éxito. Los ojos de todo el mundo pirata nos están observando. Y también del mundo vampirata. Nuestro éxito, o fracaso, resonará en los siete mares.

—No fracasaremos —afirmó Connor.

—Por supuesto que no —dijo Cheng Li—. Sobre todo si te coloco en la primera posición.

Connor vaciló.

—¿La primera posición? —dijo—. ¿Significa eso que seré yo quien asesine al objetivo?

—Exacto —dijo Cheng Li—. Tú eliminarás a lady Lockwood.

Connor se quedó estupefacto. Por un momento, no dijo nada.

—¿Qué pasa? —preguntó Cheng Li—. Creía que te pondrías contentísimo de tener esta responsabilidad, un joven luchador con tanto empuje como tú. Esta es la oportunidad que estabas esperando. Serás el héroe de la Federación si lo logras, o, mejor dicho, cuando lo logres.

—No lo comprendo —dijo Connor—. ¿Por qué yo? Jacoby es tu segundo de a bordo. Tenía que ser su posición.

Cheng Li negó con la cabeza.

—Los planes son flexibles. He estado reflexionando. —Por el rabillo del ojo, vio una esquina del sobre asomando por debajo del cuaderno de piel—. Y Cate y yo hemos estado hablando. Para nosotros, está claro que tú eres el combatiente más fuerte. Jacoby es bueno, desde luego. Pero tú…, en fin, tú eres todo un prodigio, Connor.

—Muchas gracias —dijo él—. Pero ¿cómo crees que se lo va a tomar Jacoby?

—Eso no es problema tuyo. Déjame a Jacoby a mí. Le haré entender que hay cuestiones más importantes que su orgullo personal. Él es mi segundo de a bordo. Comprenderá que el éxito de la tripulación, el éxito de la misión, es lo primero.

Cheng Li hablaba con pasión, pero Connor seguía teniendo sus reservas. Estaba pensando, con sentimiento de culpa, en los besos que se habían dado Jasmine y él. Primero, había robado la novia a Jacoby, y ahora también le estaba usurpando su posición en el barco. ¡Vaya amigo estaba hecho!

Cheng Li lo miró con curiosidad. Por encima de ella, el retrato de su padre, Chang Ko Li, parecía estar mirándolo con los mismos ojos penetrantes.

—¿Hay algún problema, Connor? ¿Algo que debería saber?

Connor vaciló.

—No —respondió—. Es solo que me siento incomodísimo por quitarle la posición a Jacoby.

Cheng Li pasó un dedo por encima del sobre. ¿Había llegado el momento de jugar su mejor baza? Era muy arriesgado. La carta podía surtir dos efectos. Podía ser profundamente motivadora para Connor. O, de lo contrario, podía hundirlo por completo. Aunque conocía bien a Connor Tempest, era demasiado arriesgado. Decidió probar con otra táctica.

—Tú ya has matado, Connor.

—Lo sé —dijo él—. Ese no es el problema.

—¿Estás seguro? —preguntó Cheng Li—. Porque si tienes algún problema con nuestra misión, necesito saberlo ahora mismo. —Lo estaba presionando mucho, pero tenía que estar segura.

—No tengo ningún pro… problema con matar —dijo Connor, tartamudeando—. Si es con motivo.

—Muy bien. ¿Y comprendes el motivo en este caso?

Connor hizo un gesto afirmativo con la cabeza.

—Explícate —dijo Cheng Li.

Connor frunció el entrecejo.

—El objetivo, lady Lockwood, es una despiadada asesina. Mató al comodoro Kuo, y a Varsha y a Zak, a sangre fría. Está a punto de aliarse con Sidorio. Hay que impedírselo.

—Perfectamente expresado —dijo Cheng Li—. Connor, sé que, al principio de esta misión, te preocupaba el vínculo entre Grace y algunos de los vampiratas. ¿Es eso lo que te hace vacilar?

—No —dijo él—. No te estoy ocultando nada.

—Me parece que a lo mejor necesito volver a asegurarte que nuestra misión actual no tiene como objetivo a los vampiratas a los que está unida Grace. Por tanto, tu hermana no corre ningún peligro inmediato.

—Lo sé —dijo él.

Cheng Li volvió a mirar el cuaderno.

—¿Qué es ese cuaderno? —preguntó Connor—. Siento ser impertinente, pero lo estás mirando constantemente, como si fuera importantísimo.

Cheng Li negó con la cabeza, alzándolo.

—¿Esta antigualla? Solo es un viejo diario que Jasmine encontró en el archivo. Pensó que me interesaría verlo, pero no es nada importante.

Súbitamente, se quedó paralizada, advirtiendo que, al levantar el cuaderno, había destapado el sobre. Bajando la vista, vio que la palabra «Grace» era claramente visible. ¿La había visto Connor? Volvió a dejar el cuaderno en el escritorio, tapando de nuevo el sobre. Connor no parecía haberse dado cuenta, pero no podía estar completamente segura.

—Connor —dijo—, tengo mucho papeleo que revisar antes de la cena. Te he dicho mis intenciones. Vete y reflexiona. Si no te gusta lo que estoy sugiriendo, es imprescindible que me lo digas esta noche.

Connor se quedó sentado. Estaba pensando en Grace. En su vínculo con Lorcan y los otros vampiratas. En su delirante idea de que ellos dos eran vampiratas y su padre también lo había sido. Tenía que conseguir hacerla entrar en razón, arrancarla de sus viles garras. Había intentado convencerla con buenas palabras, pero no había logrado nada. Nada de nada. Pero aquella misión, aunque no la ponía en peligro en ningún sentido, quizá pudiera mostrarle los peligros a los que se enfrentaba. Aquello por sí solo era razón suficiente para tomar parte en ella.

—Connor —dijo Cheng Li—. Esto no es una sala de meditación zen. Si tienes que pensártelo, hazlo en cubierta, por favor.

Connor la miró.

—No tengo que seguir pensándomelo —dijo—. Haré lo que me pides. Ocuparé la primera posición. Seré quien elimine a lady Lockwood.

Cheng Li sonrió.

—Me alegro mucho de oírlo. Anda, vete. Ve a bruñir tu espada y ponte tus mejores galas. Tenemos que prepararnos para asistir a una boda.

—Sí, capitana —dijo él, levantándose y haciéndole un saludo militar.

—Por cierto —dijo Cheng Li—. Imagino que Bo Yin y esa grotesca mascota suya se están adaptando bien.

—Sí. —Connor sonrió—. Simbad parece especialmente contento con su nuevo hogar. A lo mejor te apetece venir a jugar con él esta noche.

—Puedes irte —dijo Cheng Li, poniéndose las gafas y cogiendo un fajo de documentos.

—Me encantan estas charlas —observó Connor.

—No seas tan descarado —dijo ella—. Aunque ocupes la primera posición, yo sigo siendo la capitana, hasta nuevo aviso.

—No te preocupes —dijo él—. No hay ningún peligro de que lo olvide. —Se despidió con un gesto de la cabeza, abrió la puerta y salió al pasillo.

Cuando la puerta se cerró, Cheng Li dejó el fajo de documentos y volvió a levantar el cuaderno y el sobre. Poniéndose de pie, fue hasta el retrato de su padre y le tocó la pequeña pero peculiar cicatriz que tenía sobre la ceja derecha. Al hacer una suave presión sobre el lienzo, la pintura comenzó a desplazarse hacia un lado, dejando al descubierto una caja de caudales. Cheng Li manipuló hábilmente la cerradura de combinación hasta que la caja se abrió. Metió en ella el diario de su padre y la carta de Sally, cerró la puerta y restauró la combinación: la latitud, longitud y altura geodésica de la Academia de Piratas. Sonriendo por su ingenio, volvió a tocar el cuadro, esta vez en el centro del arete que su padre llevaba en la oreja izquierda, y este retornó obedientemente a su posición inicial.

Mientras lo hacía, ella se descubrió mirando el rostro de su padre otra vez. Era como si le estuviera sonriendo. «Muy bien, Cheng Li» parecía decirle.

En vida, Chang Ko Li nunca se había prodigado en palabras de aliento con su hija de extraordinario talento. No obstante, Cheng Li estaba segura de que ahora se habría henchido de orgullo por cómo se estaba perfilando su carrera. Dando la espalda al retrato, volvió a sentarse y abrió los planes de ataque para la Operación Corazón Negro.

46

Boda sangrienta

En algunos aspectos, al menos, iba a ser una boda convencional. La novia había elegido el entorno, una pequeña capilla en ruinas, próxima al borde del acantilado que se erigía sobre la ensenada de los Mártires.

—¿Una capilla? —Al principio, la idea había puesto los pelos de punta a Sidorio.

—Lo sé —había dicho lady Lola en su tono más tranquilizador—. Lo sé. Pero está desacralizada, cariño, y, créeme, la haremos nuestra.

Y no había mentido. La capilla ya no tenía tejado ni casi paredes, pero la luz de la luna revelaba el contorno de su anterior forma y la teñía de plata. No obstante, se veía relativamente poca de la piedra original, porque todas las columnas y arquitrabes estaban decorados con guirnaldas de hiedra y rosas negras, entremezcladas con una diversidad de fetiches tribales, pieles de animales y pequeños cráneos. La naturaleza aportaba el resto: el cielo nocturno, salpicado de relucientes estrellas, y una luna llena perfecta constituían un deslumbrante dosel.

Siguiendo la tradición, el novio llegó primero. Llevaba un atuendo espectacular: llamarlo traje de vestir sería no hacerle justicia. Una creación hecha a medida por el sastre de lady Lockwood; tenía la forma aproximada de un traje, pero el cuerpo de la chaqueta estaba hecho de cota de malla, el cuello y los faldones de pieles y, una vez más, tenía voluminosas hombreras de cuero provistas de púas metálicas. «Creo que hemos encontrado su estilo» había dicho el sastre, ofreciendo a Sidorio el toque final: una corona hecha de hueso y metal, que se le ceñía a la cabeza como una corona de laurel. «¡Perfecto!» había declarado el sastre, y Sidorio solo podía darle la razón. Ahora, no solo parecía un novio, sino también un rey, el rey de los vampiratas, como efectivamente era.

Los ojos oscuros le centellearon y los colmillos de oro le brillaron cuando llegó a la capilla en ruinas. Un cuarteto de cuerda estaba tocando una música agradablemente disonante, una rapsodia inspirada, al parecer, en un grito humano, cuando Sidorio apareció al principio de la alfombra roja, acompañado por su padrino. Johnny había sido vestido por el mismo sastre, pero con uno de sus trajes de confección. Estaba muy apuesto vestido de cuero y cota de malla. Llevaba el sombrero vaquero que lo distinguía, naturalmente, pero adornado con garras de hueso y plumas.

Sidorio iba a tener dos padrinos, pero el hombre designado originalmente para ser su segundo padrino, Stukeley, se hallaba ahora al otro extremo de la alfombra. Desde allí, iba a oficiar la ceremonia nupcial. Daba perfectamente el pego con su sotana hecha a medida. Era sencilla y negra, con una hilera de pequeños botones, hechos de hueso, en la parte delantera. Alrededor del cuello, llevaba una larga cadena de oro, de la cual colgaban dos cabezas reducidas.

Era una ceremonia estrictamente íntima y exclusiva. Solo un reducido grupo de selectos invitados exquisitamente vestidos se sentaba a cada lado del pasillo. Las sillas estaban tapizadas con ante y tenían las patas hechas con cornamentas. Al fondo de la capilla, había una mesa con una diversidad de copas venecianas antiguas y una hilera de botellas, cedidas, naturalmente, por la bodega del Corazón Negro. La selecta congregación sería obsequiada con algunas de las mejores cosechas de lady Lockwood para brindar por la pareja feliz.

Después, habría una fiesta para la plebe, que comenzaría a bordo del *Capitán Sanguinario,* atracado en la bahía. Luego, la fiesta continuaría fuera del barco, dondequiera que decidiera la pareja feliz. A aquellas alturas, la «barra libre» se habría acabado, pero la pareja feliz estaba segura de que sus invitados estarían encantados de arreglárselas solos.

El novio y su padrino recorrieron resueltamente el pasillo, suscitando sonrisas y gritos de admiración entre los asistentes.

Sidorio hizo un gesto con la cabeza a Stukeley cuando él y Johnny llegaron al altar.

—¿Todo listo, «reverendo»? —preguntó.

—Sí, capitán. —contestó Stukeley, intercambiando una mirada de complicidad con Johnny—. Me he pasado todo el día despierto aprendiéndome el servicio.

—Confío en que lo hagas perfecto —dijo Sidorio—. Todo debe estar perfecto para mi Lola.

—No se preocupe —dijo Stukeley—. Esta será una noche inolvidable. —Los ojos oscuros le centellearon—. Nos aseguraremos de que así sea.

—Muy bien —dijo Sidorio, mirando a Johnny—. Vaquero, ¿tienes la alianza?

Johnny asintió, al tiempo que se tocaba el bolsillo de su largo abrigo.

—Justo aquí, capitán.

La música fue sustituida por la tradicional marcha nupcial, indicando la llegada de la novia. Todos los ojos se volvieron cuando ella hizo su entrada, flanqueada por sus dos madrinas. Las tres mujeres estaban deslumbrantes con sus vestidos de alta costura. Angelika y Marianne lucían ceñidos vestidos sin mangas, sencillos pero elegantes. Ambas llevaban largos guantes y el pelo recogido en un tocado alto y adornado con flores silvestres y peinetas de pedrería. El vestido de lady Lockwood era más complicado, con un corpiño muy entallado —el estilo que ella prefería, con las varillas por fuera— y unas mangas muy ceñidas, hechas de piel de serpiente. La parte inferior del vestido era una falda de cuento de hadas hecha de vaporosas capas de tafetán rojo sangre, cuya cola vigilaron estrechamente sus dos acompañantes cuando ella comenzó a caminar hacia el altar. Un velo de encaje negro le cubría la cara y el tronco. En la cabeza llevaba una corona, hecha para combinar con la del novio, pero ligeramente más pequeña y delicada, adornada con relucientes rubíes y ópalos negros.

Mientras lady Lockwood, flanqueada por sus dos madrinas, caminaba pausada y elegantemente hacia el altar, un murmullo de admiración recorrió la congregación. Su atuendo había rebasado cualquier expectativa. De particular interés era su insólito ramo de novia.

Porque lady Lockwood llevaba en sus manos una mano de oro macizo, con rubíes de dieciocho quilates por uñas, envuelta en rosas negras y hiedra. Hasta hacía poco, había pertenecido a Trofie Wrathe.

—Algo prestado, ¿comprendéis?… —anunció, sonriendo a sus amigos.

Por fin, la novia y su séquito llegaron al altar.

Cuando Sidorio fue a cogerle la mano, lady Lockwood pasó el ramo a Angelika.

—¡Asegúrate de cuidar bien de él, querida! —dijo, antes de volverse hacia Sidorio—. ¡Caramba, qué guapo estás! Tendrías que llevar siempre esa corona, amor mío. Combina perfectamente con tus colmillos.

Sidorio se ruborizó al oír el cumplido.

—Tú estás más hermosa que nunca —señaló.

Los novios se arrodillaron en los cojines colocados delante de Stukeley. Marianne arregló la cola de lady Lockwood con sumo cuidado y se apartó para unirse a Angelika.

Las dos madrinas de lady Lockwood estaban enfrente de Johnny, que se quitó su adornado sombrero vaquero y les guiñó el ojo, amigablemente. Ambas le respondieron de la misma forma. Cuando cerraron sus ojos tatuados, dos corazones negros perfectos aparecieron en sus caras. Era una lástima, en cierto modo, lo que iba a suceder después, pensó Johnny. La fusión de las dos tripulaciones habría tenido claras ventajas.

Sidorio miró a su otro alférez.

—Venga, «reverendo». ¡Que empiece el espectáculo!

Stukeley hizo una seña al distante cuarteto de cuerda y la música cesó de inmediato. Luego, se aclaró la garganta y avanzó un paso para dirigirse a la congregación.

—¡Queridos hermanos! Con gran regocijo, nos hemos reunido esta noche aquí para unir a este hombre, Quintus Antonius Sidorio, y a esta mujer, lady Lola Isabel Piedad Lockwood, en eterno matrimonio.

Los novios se miraron.

—Este matrimonio del que somos testigos esta noche —continuó Stukeley— no es un matrimonio corriente. Porque, cuando digo las palabras «unión eterna», me refiero exactamente a eso. Estas dos personas son inmortales y, por tanto, no morirán nunca. Ni tampoco lo hará su amor. —Inspeccionó la congregación, metiéndose en el papel—. Y ahora, por el poder que me otorga… el novio, pasaré a los votos matrimoniales. —Hizo un gesto a Sidorio—. Su turno, capitán.

Sidorio volvió el rostro hacia la novia, su voz resonando por toda la capilla en ruinas y más allá.

—Soy inmortal y también lo es mi amor. Soy irrefrenable y también lo es mi pasión. Soy tan infinito como los mares y tan grande como la noche. —Dulcificó un poco la voz—. Prometo, mi querida Lola, serte fiel en la prosperidad y en la adversidad, en la salud y en la enfermedad, y así amarte y respetarte todos los días de mi eterna vida.

Los ojos de lady Lockwood brillaron con más intensidad que las estrellas cuando comenzó su voto recíproco.

—Soy inmortal y también lo es mi amor. Soy irrefrenable y también lo es mi pasión. Soy tan infinita como los mares y tan grande como la noche. Prometo, mi querido Sidorio, serte fiel en la prosperidad y en la adversidad, en la salud y en la enfermedad, y así amarte y respetarte todos los días de mi eterna vida.

Stukeley, sintiéndose totalmente en su elemento, miró a los acompañantes que aguardaban a cada lado.

—Y ahora los anillos —anunció.

Johnny y Marianne se acercaron, dejando cada uno una alianza en la palma abierta de Stukeley. Las alianzas eran sorprendentemente sencillas, hechas de hueso humano con mensajes privados, pensados por los novios, en la cara interna.

Stukeley alargó la mano, ofreciéndoselas a los novios.

—Cada uno tiene un anillo para el otro. ¿Querríais intercambiarlos ahora? —Hizo un gesto con la cabeza y los novios cogieron una alianza de su palma y la pusieron en el dedo anular de su compañero. Mientras lo hacían, Stukeley dijo—: Estos anillos serán un eterno recordatorio de este momento, de esta noche y de la promesa que os habéis hecho de amaros y seros fieles, ahora y siempre, cuando estéis unidos en eterno matrimonio.

Sidorio asintió, apretando la esbelta mano de lady Lockwood.

Intercambiadas las alianzas, Stukeley se preparó para el momento culminante de la ceremonia.

—Quintus Antonius Sidorio y lady Lola Isabel Piedad Lockwood, ¡yo os declaro marido y mujer!

Los novios se levantaron y se abrazaron, Sidorio bajando a lady Lockwood hasta que casi rozó el suelo de la capilla. La congregación gritó complacida y aplaudió de forma espontánea.

Sidorio sonrió a su mujer.

—Hola, mi señora Sidorio —dijo.

Ella le dedicó una sonrisa radiante.

—Señora Lockwood Sidorio —le recordó—. Es lo que acordamos, ¿recuerdas, cariño?

Johnny se inclinó hacia Stukeley, susurrándole:

—¡Has estado magnífico! Tal vez hayas dejado pasar tu vocación.

Stukeley le sonrió.

—¡Las palomas! —recordó a su camarada.

—¡Oh, sí! —Johnny cogió con entusiasmo la jaula dorada que contenía doce palomas zoritas blancas. Se la pasó a Stukeley, que la colocó delante de Sidorio y lady Lola y la abrió. Lady Lola metió la mano, sacando una de las criaturas y acariciando su delicado cuerpecillo. La segunda paloma salió sola de la jaula, donde la esperaba la mano de Sidorio. Juntos, los cónyuges soltaron las níveas palomas. Las aves volaron hermosamente en círculo, alumbradas por la suave luz lunar.

Stukeley dio otro codazo a Johnny.

—¡Los halcones! —dijo.

Johnny ofreció a los novios una segunda jaula. Esta contenía dos halcones. Sidorio abrió la jaula y cogió uno, pasándoselo a lady Lockwood.

—¡Qué tipo tan apuesto! —gorjeó ella, para regocijo de la congregación, mientras el orgulloso halcón permanecía posado en su muñeca. Sidorio sacó el segundo halcón. Luego, los cónyuges se miraron y soltaron los halcones, antes de fundirse en un apasionado beso.

Por encima de ellos, los halcones se encumbraron y comenzaron a atacar a las doce palomas. Terminaron enseguida. Del cielo comenzaron a llover níveas plumas, salpicadas de sangre. Uno de los inertes cuerpos ensangrentados de las palomas cayó en las manos de Sidorio. Él se rió y se lo ofreció a su mujer, que lo cogió rebosante de júbilo. Era el símbolo perfecto de su siniestra unión eterna. La congregación se puso en pie y empezó a aplaudir con entusiasmo.

El aplauso fue acompañado de una salva de cañón y los asistentes gritaron sorprendidos cuando los roció una lluvia de pétalos púrpuras. El confeti cayó como flores llovidas del cielo. Era el último golpe de efecto de una ceremonia perfectamente ejecutada que quedaría grabada en la memoria de todos durante muchísimo tiempo.

Cuando el confeti cubrió a los novios, Sidorio sonrió alegremente a su mujer.

—Bonito detalle —dijo—, mujer.

Ella lo miró con expresión interrogante.

—¿A qué te refieres, marido?

Sidorio cogió varios pétalos y le roció la cara con ellos.

—¡A esto! —exclamó, sonriendo.

—No es cosa mía —dijo lady Lola—. ¡Creía que era tu sorpresa, amor mío! ¡Algo que habíais tramado tú y tus guapos alféreces!

Él negó con la cabeza. Lady Lola se encogió de hombros.

—Bueno, debe de ser una sorpresita de nuestro diseñador de bodas. Qué detalle por parte de Stefano, y qué final tan ideal para una ceremonia sublime.

—Tienes lágrimas en los ojos, cariño —observó Sidorio—. ¿Cómo puedes estar triste en un momento como este?

—No estoy nada triste, cielo —dijo Lola—. Me escuecen los ojos, por alguna razón.

Sidorio frunció el entrecejo.

—Qué raro. A mí también me escuecen. —Advirtió, cada vez más alarmado, que a su mujer se le estaban hinchando los párpados.

—De hecho —dijo ella—, me siento rarísima. Tengo los labios entumecidos y, por muy bien que beses, no creo que sea esa la razón.

—No —dijo Sidorio, experimentando el mismo entumecimiento en los labios y notando que se le extendía rápidamente al resto del cuerpo.

Perplejo, miró a los asistentes. Parecían estar sufriendo los mismos síntomas. Era como si se hubieran quedado congelados, como estatuas, sus rostros retorciéndose de dolor. Súbitamente asustado, Sidorio sintió que el cuerpo se le paralizaba, como si lo constriñera una armadura. Aunque su traje era ceñido, supo que la razón no era esa. Miró el pasillo, profundamente desconcertado.

En ese momento, un grupo de personas irrumpió en la capilla sin ser invitado. Eran cincuenta, armadas con espadas. Espadas de plata especiales, barnizadas con un compuesto de madera de espino y acónito, la misma sustancia que había caído del cielo en forma de confeti.

—¡Hagámoslo rápido! —ordenó Cheng Li.

Connor entró resueltamente en el pasillo central, evaluando rápidamente la situación. La tripulación de élite del *Tigre* comenzó a rodear la capilla por ambos lados. Bart y Cate encabezaban las tropas en un costado, Jacoby y Jasmine las lideraban en el otro. Connor vio que llegaba Moonshine. Luego, preguntó a Jasmine:

—¿Cuánto tiempo tenemos?

—¡Tendrían que lanzar otra salva de confeti más o menos ahora! —gritó Jasmine. Una segunda salva de cañón ahogó sus palabras mientras otra lluvia de pétalos caía del cielo. La congregación se quedó literalmente petrificada. Aunque los vampiratas no podían moverse, veían y oían todo lo que sucedía. Sabían que algo había ido horriblemente mal en la boda del año.

En el altar, Johnny y Sturkeley estaban experimentando el mismo dolor físico que sus colegas. Pese a ello, tenían los ojos brillantes cuando vieron a Cheng Li y a Connor acercándose al altar. Todo estaba saliendo como habían planeado.

—¡Venga, Connor! —lo alentó Cheng Li—. Ya sabes lo que tienes que hacer.

Oyendo sus palabras, Connor echó a correr por el pasillo, tomando el mismo camino que con tanto regocijo habían recorrido los novios hacía apenas una hora. Se detuvo justo delante de ellos. Allí estaba el marido, Sidorio, con un aspecto más formal que en su último encuentro. Más formal y más dócil, aunque lo estaba mirando con una mezcla de ira y asombro.

Connor centró su atención en la mujer de Sidorio. Era la primera vez que veía a lady Lola. Lo sabía todo sobre sus vilezas, pero, aun así, lo desconcertó verla de aquel modo —con los ojos hinchados y los labios abultados—. Sabía lo que tenía que hacer. Ocupaba la primera posición.

—¡Hazlo! —gritó Cheng Li.

Connor no despegó los ojos de lady Lockwood ni por un segundo cuando desenvainó la espada de plata especialmente forjada por el maestro Yin. Estaba a punto de hacer un regalo de boda de lo más inhabitual e ingrato.

47

El regalo de boda

—¡Venga, Connor! —volvió a alentarlo Cheng Li.

Connor alzó la espada y apuntó con ella al corazón de lady Lockwood. No al corazón negro de su rostro, sino al de verdad, que, por lo que había oído, era mucho más negro. Mientras se preparaba para darle la estocada, pensó en Zak, en Varsha y en el comodoro Kuo.

Sidorio consiguió formar con sus labios entumecidos la palabra «No», pero no pudo hacer nada para impedir que Connor hundiera su espada en el cuerpo paralizado de lady Lola. Fue una entrada limpia que la atravesó. Lady Lola lo miró con una expresión extraña. Luego, volvió la mirada hacia su esposo. Los ojos de los recién casados se encontraron por última vez antes de que los párpados de lady Lockwood se cerraran.

Connor no pudo sostener la mirada de odio de Sidorio. Había venido con un objetivo y lo había cumplido. Fue a recuperar la espada, pero, extrañamente, cuando intentó extraerla del cuerpo postrado de lady Lockwood, se resistió, como si estuviera clavada en piedra.

—¿Qué pasa? —preguntó Cheng Li, apareciendo a su lado.

—Es la espada —respondió él—. Parece que… se ha quedado atascada.

—Vuelve a intentarlo —dijo Cheng Li.

Connor volvió a asir la empuñadura de la espada, tirando de ella con todas sus fuerzas. Fue inútil.

—Déjame probar a mí —dijo Cheng Li, adelantándose. Cogió la espada con ambas manos y tiró, pero esta no cedió ni un ápice.

—¡Es hora de irse! —gritó Cate desde el principio del pasillo—. ¡Deprisa! Se les está pasando el efecto del acónito.

Connor miró a su alrededor. Era cierto.

Parecía que los asistentes se estuvieran despertando tras un coma comunitario. Había cabezas volviéndose, brazos y piernas comenzando de nuevo a moverse. Los vampiratas aún parecían aturdidos por lo que les había sucedido, pero su aturdimiento no tardaría mucho en trocarse en ira y esta en transformarse en acción.

—¡Fuera todos! —gritó Cate, ya en la entrada de la capilla en ruinas.

—Deja la espada —dijo Cheng Li, empujando a Connor—. ¡Salgamos de aquí!

Cuando comenzaron a correr para alcanzar a Cate y los demás, Cheng Li sonrió a Connor.

—Nuestra misión ha sido un éxito, Connor. ¡Un gran trabajo!

—¡Esperad! —Oyeron un rugido atronador cuando Sidorio dio un salto y, recuperando el movimiento de piernas y brazos, corrió tras los piratas.

—¡Corre! —gritó Cheng Li. Connor estaba a su lado, al borde del acantilado, esperando para descolgarse hasta el barco que los esperaba abajo. Pero, al mirar atrás, vieron que Jacoby y Jasmine seguían en la capilla. Y Sidorio les cerraba el paso.

—¡Tenemos que volver! —dijo Connor a Cheng Li. Ella vaciló, sopesando sus opciones.

—Tienes razón —admitió, corriendo junto a él—. ¡Cate, Bart, cubridnos!

El escuadrón de piratas regresó a la capilla, donde, en el altar, Sidorio tenía a Jasmine en sus garras.

—¡Suéltela! —gritó Jacoby—. ¡Cójame a mí!

Mientras Sidorio se lo pensaba, Jasmine negó con la cabeza y gritó a sus camaradas:

—¡Corred! ¡Salvaos!

—¡Ni hablar! —gritó Jacoby. Luego, volvió a dirigirse a Sidorio—. ¡Ya me ha oído! ¡Suéltela!

—¿Quién eres tú? —preguntó Sidorio.

—¡Jacoby Blunt, segundo de a bordo del *Tigre*! —gritó Jacoby. Sidorio lo fulminó con la mirada.

—Ni siquiera deberías estar aquí. Tú y tus camaradas no estabais en la lista de invitados.

Jacoby se encogió de hombros.

—Lo sé. Y ojalá pudiera decir que me alegro de haberme colado en su boda, pero, de hecho, no ha sido así. —Estaba haciendo tiempo, esperando que alguno de sus compañeros hallara un modo de librar a Jasmine de las garras de Sidorio, pero el tiempo se estaba agotando rápidamente.

Detrás de él, Johnny y Stukeley estaban reviviendo lentamente. Cheng Li se acercó a ellos para confrontarlos.

—Tenemos un problema —bufó—. Hicimos un trato, ¿os acordáis? Nosotros hemos cumplido. Hemos hecho nuestro regalo de boda a la novia. Vosotros me prometisteis que no nos pasaría nada ni a mí ni a mi tripulación.

Finalmente, ¿la habían engañado los vampiratas? Pero, no, para su sorpresa, Stukeley asintió.

—Hablaba en serio.

—Bueno —dijo Cheng Li—. ¡Pues haz algo!

Su grito llamó la atención a Marianne y Angelika, que se habían agachado sobre el cadáver de su antigua capitana. Las dos estaban llorando, mirando el hermoso rostro de lady Lola ahora inerte. Angelika aún sostenía su ramo. Miró tristemente la mano de oro.

—Esto me lo voy a quedar yo, ¡gracias! —gritó Moonshine Wrathe, arrebatándosela a la desconcertada Angelika. El chico había tenido la ventaja de la sorpresa, pero Angelika se puso rápidamente en pie para hacerle frente, enseñándole los colmillos. Mientras Moonshine palidecía, reconociendo a su atacante de su visita al *Tifón,* Marianne tiró de ella para que volviera a agacharse.

—¡Angelika! —gritó—. ¡Mira! ¡Mira sus párpados!

Moonshine que quedó quieto, ahora con la mano dorada de su madre en su poder. Era su único objetivo en aquella misión y lo había conseguido. Su madre no cabría en sí de gozo y su padre y su tío no dejarían nunca de echarle flores. ¡No se podía creer lo fácil que había sido! Miró a su alrededor, comprobando que ninguno de los otros piratas había presenciado aquel encuentro. Luego corrió a ponerse a salvo, pensando ya en una nueva versión mucho más épica y peligrosa de su encontronazo con Angelika.

Conversando aún con Cheng Li, Stukeley advirtió que Marianne lo estaba mirando. Instintivamente, dio un violento empujón a Cheng Li.

—¡Fuera de aquí! —gritó, añadiendo, entre dientes—. Reúne a tu pelotón. Yo haré el resto.

Cheng Li asintió, y fue, reuniendo de inmediato a todos sus marineros, con la excepción de Jasmine, que todavía seguía en las garras de Sidorio.

Cheng Li esperó a que Johnny y Stukeley actuaran, pero, antes de que pudieran hacerlo, Connor se adelantó. Cheng Li lo maldijo por sus tendencias heroicas.

—Es a mí a quien quiere —le oyó decir a Sidorio—. He matado a su mujer. Si tiene una cuenta pendiente, no es con ella, sino conmigo.

¿En qué estaba pensando? ¿Por qué tenía que complicarlo todo?

—¡Tú! —bramó Sidorio, volviéndose hacia Connor. Hubo un destello de reconocimiento en sus ojos cuando soltó a Jasmine y se encaró con él—. ¡Tú la has matado! —La ira de su voz estaba contrapesada por una honda pena. Aquello sorprendió a Cheng Li. Parecía que el vampirata lo había sentido de verdad.

Cheng Li miró nerviosamente a Connor, Sidorio, Johnny y Stukeley. Tenía que suceder alguna cosa… ¡y deprisa! Pero no se le ocurría nada que pudiera distraer a Sidorio ahora que tenía a Connor en su punto de mira.

—¡Capitán! —gritó Stukeley—. ¡Capitán!

Había hablado a gritos, pero Sidorio no se volvió. Fue a agarrar a Connor.

—¡Capitán! —repitió Stukeley.

—¡Tú! —gritó Sidorio, agarrando bruscamente a Connor por el hombro.

—Capitán. —Johnny corrió junto a Sidorio—. Capitán. Su mujer, lady Lockwood... la señora Sidorio, quiero decir. ¡No la han destruido! ¡Se está despertando!

Al principio, Cheng Li creyó que se trataba de un brillante ardid. Habría aplaudido, de no haber estado tan concentrada en coger a Connor y a Jasmine para alejarlos de Sidorio aprovechando aquella breve distracción. Pero entonces advirtió que las palabras de Johnny no eran un ardid. Efectivamente, la vampirata asesinada había «despertado».

Tanto los alféreces de Sidorio como las dos madrinas de boda estaban arrodillados alrededor de lady Lola. Ella tenía los ojos abiertos y se estaba arrancando la espada del pecho.

—¡Has vuelto! —gritó Sidorio, corriendo extasiado hacia su mujer resucitada.

—¡¿Cómo puede estar pasando esto?! —gritó Cheng Li, mirando a sus marineros con expresión interrogativa.

—Clavarle la espada no ha debido de bastar —dijo Jacoby, con cara de pánico—. Ni con la combinación de plata, madera de espino y acónito. Es como cuando le clavamos la estaca al segundo sujeto de estudio, ¡el que se reconstituyó!

—¡Pensaba que habíais aprendido de ese error! —gritó Cheng Li, mirando severamente a su segundo de a bordo—. Pero ha vuelto a pasar, ¿no?

—Creíamos que lo habíamos resuelto con la combinación de las tres sustancias tóxicas —dijo Jacoby, hablando deprisa—. ¡Fíjate en lo eficaz que ha sido el acónito para aturdir a los asistentes!

—No hemos venido aquí para aturdir a los asistentes —espetó Cheng Li—. ¡Nuestra misión era matar a la novia!

—¡Tenemos que atravesarle el corazón! —dijo Jacoby—. ¡Y luego le cortaremos la cabeza! De esa forma, no podrá resucitar.

—¡Jacoby! —gritó Cheng Li, exasperada—. ¿Por qué no has pensado en todo eso antes?

—No te preocupes, capitana —dijo Jacoby, pareciendo haberse serenado—. ¡Connor y yo nos ocuparemos de esto! —Miró a Connor—. ¿Verdad, colega?

—Por supuesto —contestó Connor—. Solamente hay un problema: no tengo espada, aparte de la que ella está intentando sacarse del pecho.

Jacoby se volvió hacia Jasmine.

—¡Min, deprisa! ¡Dale tu espada a Connor!

Jasmine arrojó su espada a Connor, que la cogió al vuelo por la empuñadura.

—¡¿La cabeza o el corazón?! —gritó Jacoby.

—¡Elige tú! —respondió Connor. Solo quería terminar con aquello cuanto antes. Pensaba que ya había cumplido su misión. Ahora, tenía que matar o, mejor dicho, «destruir», a su objetivo por segunda vez.

—¡Yo me encargo del corazón! —gritó Jacoby—. Y tú de la cabeza.

Parecía bien sencillo, pero solo mientras corría con su compañero hacia lady Lockwood cayó Connor en la cuenta de la barbarie que estaba a punto de cometer. ¡Decapitar a alguien! No, se dijo, no a alguien. Sino algo. Lady Lockwood podía parecer humana, pero no lo era. Era un monstruo. Todos lo eran. Había matado a dos inocentes amigos suyos. Había matado al comodoro Kuo. Todo a sangre fría. Y no vacilaría ni una milésima de segundo en matarlo a él.

Sidorio estaba inclinado sobre su mujer, abrazándola, emocionado de que hubiera resucitado milagrosamente.

—¡Capitán! —gritaron al unísono Johnny y Stukeley.

Sidorio se volvió hacia ellos. Jacoby aprovechó la ocasión. Arremetió contra lady Lockwood y le dio una estocada en el corazón. Ella suspiró hondamente y volvió a cerrar los ojos.

—¡Connor! —gritó Jacoby—. ¡Tu turno!

Connor tenía la espada lista. Sabía lo que tenía que hacer, pero lo acribillaban las dudas.

—¡Connor! —volvió a gritar Jacoby—. ¡Ahora!

Apretando los dientes, Connor saltó hacia delante y cercenó limpiamente la cabeza a lady Lockwood. Esta salió rodando. Jacoby la cogió y echó a correr con ella, como si estuviera en mitad de un partido de rugby particularmente violento.

—¡Tiene que estar fuera de su alcance! —gritó—. Para que no se la pueda volver a colocar…

Sidorio dejó de mirar a sus alféreces y, al ver lo que había sucedido, gritó:

—¡Nooo!

En ese momento, Jacoby lanzó la cabeza de lady Lockwood a la hierba, que bajaba en pendiente hasta el borde del acantilado. La cabeza comenzó a rodar, cobrando velocidad.

Sidorio se quedó mirándola, debatiéndose entre rescatar la cabeza de su mujer o vengar los actos de los piratas. Enseguida se decidió.

—Y ahora —gritó Cheng Li—, ¡salgamos de aquí!

Corrieron hacia el borde del acantilado, donde sus compañeros ya estaban descolgándose hasta la playa.

—¡Mas deprisa! —gritó Cheng Li, viendo que Sidorio corría tras la cabeza de lady Lola.

Ya solo quedaban Cheng Li y Connor, esperando a que sus cuerdas estuvieran libres.

Vieron que Sidorio alcanzaba el borde del acantilado solo una milésima de segundo después de que la hermosa cabeza de lady Lockwood, con velo y corona incluidos, se precipitara al mar. Gritando, Sidorio saltó tras ella.

—Venga —dijo Cheng Li a Connor. Comenzaron a descolgarse por la pared rocosa lo más deprisa posible. Cuando llegaron a la playa de guijarros, corrieron hacia la lancha, donde los esperaban los demás para regresar al *Tigre* y batirse en retirada.

Jacoby y Jasmine los saludaron frenéticamente con la mano desde la lancha.

Cheng Li les devolvió el saludo y les indicó con el pulgar que todo había salido bien.

—¡Detrás de vosotros! —gritó Jacoby.

Connor volvió la cabeza. Sidorio había recuperado la cabeza de lady Lola y, con ella en brazos, venía hacia ellos por la arena.

—¡Deprisa! —gritó Cheng Li, pero Sidorio ya les había cerrado el paso. Dejando tiernamente la cabeza de lady Lola en la arena, miró a Connor, echando fuego por los ojos.

—¡Has matado a mi mujer! —gritó—. ¡Dos veces! Y ahora voy a vengarme. Voy a matarte.

Lo agarró y lo atrajo hacia sí, los colmillos de oro sobresaliéndole de la boca como puñales. La fuerza de Connor, por prodigiosa que fuera, no podía medirse con la de Sidorio. El vampirata le arrancó la camisa, descubriéndole el torso.

—¡Espere! —gritó Cheng Li.

Connor la miró con impotencia. Las garras de Sidorio lo habían paralizado.

—¡Vete! —le dijo—. ¡Salvaos tú y el resto de la tripulación!

Cheng Li negó con la cabeza y gritó al oído de Sidorio.

—¡He dicho que espere!

—La he oído —gruñó Sidorio, volviendo la cabeza hacia ella—. Solo la estaba ignorando. Ahora, déjeme matarlo en paz.

Cheng Li se quedó donde estaba, cruzada de brazos con aire desafiante.

—No lo creo —dijo—. No creo que quiera hacer eso. Ahora mismo anda un poco escaso de familia. Por lo que quizá no quiera matar a su «hijo».

Connor oyó las palabras. Hasta las comprendió. Pero no les encontró sentido. Luego, supo qué pretendía Cheng Li. Había recurrido a algunas estrategias inauditas en otros momentos, pero aquello era agarrarse a un clavo ardiendo. ¿El hijo de Sidorio? Y qué más. Ni tan siquiera Grace en sus momentos menos lúcidos había sugerido aquello como posibilidad...

Pero, mientras pensaba en todo aquello, notó que Sidorio lo cogía con menos fuerza. Parecía increíble, pero lo estaba soltando. El vampirata se volvió para encararse con Cheng Li. Connor tenía el corazón tan desbocado que amenazaba con salírsele del pecho.

—Eso está mejor —dijo Cheng Li a Sidorio—. ¿Lo ve? Hasta usted es capaz de ser moderadamente civilizado cuando lo exige el momento. —Alargó la mano e indicó a Connor que se acercara. Pese a estar aturdido, él fue hasta ella dando traspiés, como un pez preso de un anzuelo.

—¡Mírelo! —exclamó Cheng Li—. ¡Mírelo bien! Este es su hijo. Se llama Connor. Su madre fue Sally, su donante. ¿La recuerda? Por supuesto que sí. También la amó a ella una vez, ¿verdad? Pero no supo cómo decírselo y, mientras pensaba en un modo de hacerlo, ella se enamoró de otra persona, un mortal. Un farero llamado Dexter Tempest. Sally iba a abandonar el barco para comenzar una nueva vida con él, una verdadera vida lejos de usted.

Sidorio se quedó hipnotizado por las palabras de Cheng Li. Estas también ejercieron una macabra fascinación en Connor.

—Así que encontró la forma de que Sally no pudiera librarse nunca de usted. Hizo que la hechizaran para que se quedara embarazada. ¿Le suena?

Sidorio asintió despacio, como si vagos fragmentos de recuerdos estuvieran aflorando lentamente a su memoria desde los recodos de su subconsciente. Esperó a que Cheng Li continuara.

—Y ella se fue a Santuario para alumbrar al niño, ¿verdad? Y cuando usted llegó, le dijeron que el bebé había muerto. Y a usted se le partió el corazón. Pero, más tarde, descubrió que le habían mentido, que le habían engañado. Y se vengó brutal y definitivamente de Sally.

—¿Cómo sabe todo eso? —preguntó Sidorio.

Una pregunta muy pertinente, admitió Connor. Pero a él lo estaban acosando otras muchas, como también parecía estar ocurriéndole a Sidorio. «¿Puede ser realmente cierto? —pensó—. ¿Soy el vástago de este monstruo? ¿En qué me convierte eso? ¿Y ahora qué?» Un impensable pensamiento tras otro le acribilló la cabeza como una ráfaga de balas.

—Eso apenas importa ahora —respondió Cheng Li—. Lo importante es que sabe que su hijo está vivito y coleando. —Tiró de Connor antes de continuar—: Y que se viene conmigo.

Sidorio negó con la cabeza, mirando atentamente a Connor.

—Es mi hijo. —Casi parecía que acabara de darse cuenta en ese momento—. Se queda conmigo —dijo con aire desafiante.

Habían regresado al punto de partida. Sidorio volvió a coger a Connor, pero esta vez no para matarlo, sino para abrazarlo.

—¡No! —dijo Cheng Li con mucha calma—. Ya se lo he dicho. Connor se viene conmigo.

Sidorio negó con la cabeza.

—Esto no lo decide usted, pirata —dijo.

—Por supuesto que sí —replicó Cheng Li—. ¿Ha olvidado la otra mentira que le contaron, vampirata? ¿Que no solo había un niño, sino que de hecho eran dos? Gemelos. Niño y niña.

—Gemelos —dijo Sidorio. Fue casi una pregunta. Miró atentamente la cara de Connor y, de pronto, tuvo una breve visión de una chica en una ladera montañosa, una chica que se parecía mucho a aquel muchacho que tenía delante… —Una niña. —Sintió un dolor punzante en la cabeza, como si recuerdos largo tiempo olvidados estuvieran pugnando por aflorar de nuevo a su conciencia. Lo recordó todo.

—Sí —prosiguió Cheng Li—. Una niña. Y estoy segura de que también querría reunirse con ella, ¿no? Sí, claro que querría. —Hizo una breve pausa para tomar aire—. Así que le diré lo que vamos a hacer. Connor se viene conmigo. Vamos a encontrar a su hermana. Y, cuando llegue el momento, lo organizaremos para que los conozca a los dos. —Le sonrió—. Eso le gustaría, ¿verdad? —preguntó—. ¿Tener la oportunidad de conocer a sus dos hijos como es debido?

Sidorio asintió lentamente.

—Muy bien —dijo Cheng Li—. Connor y yo nos vamos. Pero volveremos a ponernos en contacto con usted dentro de poco.

—¿Cómo sabrá dónde encontrarme? —preguntó Sidorio.

—He conseguido colarme en su boda, ¿no? —dijo Cheng Li—. Seguro que puedo localizarle.

A Sidorio le quedaba otra pregunta por hacerle.

—¿Cómo puedo confiar en usted?

Cheng Li sonrió, sintiéndose supremamente poderosa.

—No puede —respondió—. Pero no tiene opción. Si no permite que Connor venga conmigo ahora, me aseguraré de que no conozca nunca a su hija.

Era jaque mate. Sidorio terminó de soltar a Connor y se apartó para dejarles el camino libre.

—Tenga —dijo Cheng Li, agachándose—. ¡No pierda la cabeza! —Alzó la cabeza de lady Lola y se la ofreció. Aturdido, Sidorio la cogió, mirando las hermosas facciones de su mujer.

Lady Lola Isabel Piedad Lockwood había muerto en la flor de su vida eterna. Miró el tatuaje del corazón negro, deseando que ella abriera los ojos. Solo una vez más. Ojalá pudiera ver sus hermosos ojos solo una vez más. Pensó en su primer encuentro, en otra playa no muy distinta a aquella. Pensó en la vez que había irrumpido en el *Vagabundo* y la había encontrado preparándose para su baño de sangre. Pensó en las veces que habían ido de caza juntos. Y en todas las pequeñas cosas, como cuando lo había ayudado a elegir su nuevo vestuario y le había enseñado a hacer girar la sangre en una copa, o ese momento perfecto en que ella había accedido a ser su mujer. Y ahora ya no estaba. De pronto, se sintió insoportablemente solo. Emitió un grave rugido fúnebre.

Connor dejó que Cheng Li lo condujera al agua. Le daba vueltas la cabeza cuando comenzaron a nadar hacia la lancha. Se notaba el cuerpo como un peso muerto, pero su instinto de supervivencia había entrado en acción. Era lo único que lo mantenía a flote.

—¿Cuánto de eso era cierto? —preguntó a Cheng Li.

—Todo —respondió ella—. Bueno, salvo que no tengo ninguna prisa por reunirlo con Grace.

—¿De veras crees que ese monstruo es mi padre? —preguntó Connor.

—Sí —respondió Cheng Li—. Eso me temo, Connor, pero, ¡anímate! A lo mejor resultas ser un ejemplo perfecto del triunfo del entorno sobre los genes.

—Pero es un vampirata —dijo Connor—. ¿En qué me convierte eso?

—Eres esa cosa mitad vampiro —dijo Cheng Li mientras daba una brazada—. Un «dampiro», eso es. ¡Un dampiro! —Dio otra brazada—. Grace también, obviamente.

—¿Cómo sabes todo eso?

—Estaba todo en una carta —respondió Cheng Li.

—¿Una carta?

—De tu madre. Te la daré después. En privado.

¿Cheng Li tenía una carta? ¿De su madre? ¿Cómo demonios…? Había tantas preguntas, pero estaban aproximándose a la lancha, donde los esperaban los demás, y tenía que pensar y hablar deprisa.

—¿Lo sabe alguien más? —preguntó.

—No —respondió Cheng Li—. Y así va a continuar siendo. Mejor no hacer excepciones.

—¿Y ahora qué? —preguntó Connor, entristecido—. ¿Quieres que abandone la tripulación?

—¿Estás mal de la cabeza, Tempest? —dijo Cheng Li—. Según la carta, tienes unos poderes extraordinarios. Ya eras un prodigio antes. Ahora solo te has convertido en mi arma secreta. Tú no te vas a ninguna parte. Me has jurado fidelidad de por vida y ahora resulta que eres inmortal. ¡Haz los cálculos!

Eran demasiadas cosas para poder asimilarlas.

—No sé qué decir —dijo Connor—. Ni siquiera sé qué pensar.

—No hace falta que digas ni pienses nada —dijo Cheng Li—. Súbete a la lancha y vuelve al barco conmigo. Nos llevará tiempo, pero resolveremos esto. Por el momento, eres un héroe. ¡Disfrútalo!

48

Los dampiros

Estimada Grace:

Me dijiste que estabas recopilando historias de cómo cruzan los vampiratas al otro lado. Bueno, querida hija, esta es, supongo, la historia de cómo lo hiciste tú. Y también tu hermano...

Connor se quedó mirando la letra de su madre. Era muy tentador destruir la carta sin leerla. Pero sabía que no podía hacerlo. Destruirla no cambiaría nada; solo lo dejaría sin conocer los hechos. Mejor saberlo todo y pasar a otra cosa, aunque en aquel momento no supiera muy bien a qué. Una vez más, se concentró en la letra de su madre.

Esta carta también es para mi querido hijo Connor. Y es por eso que incluyo en ella toda la historia, aunque tú y yo ya hayamos hablado prácticamente de todo. No he tenido ocasión de contar la historia a Connor en persona. Me habría gustado hacerlo, pero él tenía otro viaje que hacer. Por favor, Grace, entrega esta carta a tu hermano cuando llegue el momento, y ayúdale a encajar las consecuencias...

«¿Ayudarme? Yo no necesito ninguna ayuda», pensó Connor. Sintió una súbita ira hacia Sally y Grace. ¿Quiénes eran ellas para hablar de él en aquellos términos? Pero intentó aplacar su ira y concentrarse en las palabras que tenía ante él. Pronto, el preámbulo de su madre dio paso a la historia propiamente dicha y su lectura le resultó más fácil.

Mi historia comenzó cuando me alisté en el *Nocturno* como donante. Pensaba que aquello señalaba el fin de mi vida, pero me equivocaba. En muchos sentidos, solo fue el principio…

Connor leyó las páginas donde su madre narraba cómo se había unido al barco y hecho donante de Sidorio. La idea le revolvió el estómago hasta casi hacerle vomitar. Aun así, siguió leyendo, sorprendiéndose de cuánto le conmovía el relato de cómo su madre y su padre, su verdadero padre, Dexter, se habían conocido y enamorado. Luego, la historia de Sally se tornó más siniestra.

Ahora necesito contaros algunas cosas que no fui capaz de deciros en persona, queridos hijos. Os costará leerlas, como a mí me cuesta escribirlas, pero, por favor, intentad comprenderlas. Y, penséis lo que penséis, no dudéis ni por un instante de lo mucho que os quiero, ni de lo mucho que os quiso vuestro padre…

Connor siguió leyendo, descubriendo la verdad de cómo él, Connor Tempest, había sido engendrado. Aquello siempre había sido un misterio. Su padre, el hombre que él consideraba su padre —ahora y siempre—, no les había hablado de su madre. Había dicho que le causaba demasiado dolor pensar en ella sin tenerla junto a él. Connor siempre había creído que el suyo debía de haber sido un matrimonio breve que había culminado en tragedia. Pese a su curiosidad innata, había querido demasiado a su padre para presionarlo con el fin de obtener respuestas. Ahora, las respuestas estaban allí. Y la verdad era que lo suyo había sido, en efecto, una unión breve, jamás un matrimonio. Había culminado en tragedia, pero también había comenzado como tal.

Él y Grace no habían sido fruto del amor, sino de un conjuro vudú. ¿En qué los convertía eso? ¿En algo sacado de un cuento de hadas? ¿O de un relato de terror?

De modo que sois dampiros, lo cual significa que tenéis tanto cualidades mortales como vampíricas. Con el tiempo, vuestra verdadera naturaleza comenzará a manifestarse. Espero que, cuando lo haga, seáis fuertes y os brindéis el apoyo que ambos necesitáis y merecéis. Los dampiros son seres muy especiales, con el don de la inmortalidad y otros dones que poseen los vampiratas, pero sin las debilidades de los vampiros. Sospecho que tú, Connor, al principio verás esto como una maldición. Si así es, solo puedo disculparme, de todo corazón. Deseo fervientemente que, con el tiempo, puedas llegar a verlo como una bendición.

¿Una bendición? ¿Cómo podía utilizar siquiera esa palabra? Él había sido engendrado mediante un violento conjuro y su padre biológico era un psicópata. «Bueno —pensó, entristecido—, al menos ahora sé a quién darle las gracias por ser tan temperamental.»

Volvió a doblar la carta y la metió en el sobre. Se sentía embotado.

Estaba sentado en la hierba, solo, mirando el puerto de la academia desde lo alto de la ladera. En el muelle, había festejos. Sonaba música, y fuegos artificiales estallaban en el cielo nocturno. El comodoro Black estaba elogiando la audacia de la capitana Li y su dinámica tripulación por su ataque a lady Lockwood, vaticinando para él, Connor Tempest, un futuro glorioso. «Si él supiera», pensó Connor. A lo mejor lo sabía. Pero no, reflexionó. Cheng Li le había dicho que guardaría el secreto. Que él era su arma secreta. ¿Honraría esa promesa? Mientras la observaba, abajo en el muelle, pensó que aquello era una preocupación nimia en comparación con todo lo que estaba sucediendo.

La capitana Li estaba rodeada de Jacoby, Bo Yin y el resto de su joven tripulación. A poca distancia, Ahab Black conversaba con Barbarro Wrathe, René Grammont y Pavel Platonov. Los otros profesores de la academia, los capitanes que habían sobrevivido a la regata, estaban repartidos por el muelle. Connor posó la mirada en las alegres facciones de Lisabeth Quivers y Shivaji Singh. Más adelante, vio a Moonshine y a Trofie Wrathe juntos, como de costumbre. Ella volvía a llevar puesta su mano de oro y era otra vez la misma de siempre, la reina de los piratas. Bart y Cate también se encontraban en el muelle, cogidos del brazo. Estaban compartiendo un chiste con Molucco Wrathe, que tenía a Scrimshaw, su serpiente, enroscada alrededor del cuello. ¿Y era aquella Ma Kettle, al lado de Molucco, tomándose, por una vez, la noche libre de sus obligaciones en la taberna?

La risa fuerte e inconfundible de Molucco resonó en la ladera. Por algún motivo, pareció estar mofándose de él.

Connor se sentía alejado de todos ellos. Había creído que pertenecía a su mundo, que podría hallar algo parecido a un hogar entre aquel variopinto conjunto de piratas y aventureros. Pero se había equivocado. Todo había sido una ilusión, destrozada ahora sin ninguna posibilidad de recomponerse. No había un lugar para él. Era un mutante, un monstruo, un marginado.

—Hola, separatista. Te he estado buscando.

No había oído a Jasmine acercarse, pero ahora se volvió mientras ella se sentaba junto a él en la crecida hierba.

La miró, deseando poder devolverle la sonrisa. Pero no podía. Se sentía como si hubieran erigido un mundo invisible entre los dos. Más que ninguna otra cosa, quería tocarla, pero ¿para qué? Ahora no podía haber para ellos ningún futuro de ninguna clase.

—¿Sabes qué, Connor? —dijo Jasmine, arrugando la nariz—. No soy muy aficionada a los desfiles triunfales y a otras cosas por el estilo. Y los fuegos artificiales me dan jaqueca. —Apoyó la cabeza en las rodillas y le sonrió—. Lo que hemos pasado ha sido durísimo —continuó—. Y ahora que ha terminado, bueno, solo quiero volver a la normalidad, sea cual sea. Relajarme con mis amigos, ¿sabes?

Él asintió, automáticamente. La palabra «normalidad» no era compatible con él. Ya no le parecía una categoría en la que pudiera incluirse.

—Pareces cansado —dijo Jasmine— y harto de combatir. No me sorprende. Llevaste todo el peso del ataque.

—Sí —dijo él, mirándola y pensando en que estaba más hermosa y parecía más inaccesible que nunca. Ella pertenecía a un mundo distinto al suyo. Jamás podrían estar juntos.

Entonces, Jasmine Peacock hizo una cosa sencillísima y extraordinaria. Se arrellanó en la crecida hierba, se dio unas palmaditas en el regazo y bajó la cabeza a Connor para que la apoyara en él. Y él lo hizo, agradeciendo su calor humano. Jasmine alzó la mano y comenzó a acariciarle el pelo.

—No sé qué te pasa, Connor —dijo en voz baja—. Y no necesito saberlo. Pero debes comprender que, sea lo que sea, y tú decides si me lo quieres contar o no, no estás solo.

Cuando se inclinó hacia delante y lo besó, a Connor le rodó una lágrima por la mejilla que se fundió con el rocío de la hierba.

En la cubierta del *Nocturno,* Grace estaba en los brazos de Lorcan, contemplando las estrellas.

De pronto, él sonrió.

—¡Se me olvidaba! Tengo una sorpresa para ti. —La apartó con suavidad, se levantó y fue hasta el palo mayor. Grace lo observó con curiosidad. Cuando regresó, llevaba un paquete, envuelto en papel marrón y atado con un cordel. Agachándose, se lo dio—. No es la mejor forma de envolver un regalo, lo admito, pero espero que te guste lo que hay dentro.

—¿Qué es? —preguntó ella con los ojos brillantes mientras cogía el paquete rectangular. Era sorprendentemente liviano, dado su tamaño.

—Bueno, ábrelo, ¡por el amor de Dios! —exclamó Lorcan.

Grace no necesitó que se lo repitiera. Desató el cordel y comenzó a quitar el papel. Cuando terminó de desenvolverlo, gritó de la sorpresa.

—¡Oh, Lorcan, es precioso!

En sus manos, tenía una pintura de una escena en aquella misma cubierta. Era de dos jóvenes, un hombre y una mujer. Era evidente, por su postura y expresión, que estaban muy enamorados.

—Son mis padres, ¿verdad? —dijo Grace—. Es el cuadro que Teresa pintó de ellos.

Lorcan asintió.

—Oskar me habló de él —dijo—. Sigue siendo buen amigo de Teresa. Me llevó al camarote de Teresa. Grace, lo tiene lleno de cuadros. ¡Tiene que pintar en lienzos viejos para hacer sitio!

Grace exhaló.

—¡Gracias a Dios que no ha pintado encima de este! —dijo.

Lorcan la rodeó por la cintura.

—Me dijo que jamás pintaría sobre este lienzo. Y que quería que lo tuvieras tú.

—Oh, Lorcan —dijo Grace—. ¡Me encanta! ¿Me ayudarás a colgarlo en mi camarote? Será como si siempre viajaran conmigo.

—Sí. —Lorcan asintió y la besó.

Ella dejó cuidadosamente el cuadro en la cubierta y cogió a Lorcan de la mano cuando él se sentó junto a ella. Incluso entonces, se descubrió mirando el cuadro.

—¿En qué estás pensando? —preguntó Lorcan, pasándole suavemente el dedo por el pómulo.

—Mosh Zu me dijo que todo se está desarrollando como debe. Entonces no lo creí. —Miró a Lorcan—. Pero ahora sí lo creo.

—Me alegra mucho oír eso, dulce Grace. Me daba tanto miedo cómo ibas a reaccionar a todo esto… Creía que todo se estropearía, pero jamás habría debido subestimarte. No volveré a cometer ese error.

—Sí que lo harás —dijo ella.

Lorcan volvió la cabeza y la miró interrogativamente. Ella sonrió.

—Lorcan, los dos somos inmortales. Eso significa que vamos a pasar mucho tiempo juntos. Creo que sería un error imaginar que todo va a ser coser y cantar, ¿tú no?

Lorcan se rió.

—¿Coser y cantar? ¿Con nuestro historial? ¡Muy buena observación!

Se inclinó sobre ella y volvió a besarla. Grace se estaba habituando a sus besos, pero, pese a saber que los tendría durante toda una eternidad, no le daba ningún miedo que algún día pudiera llegar a cansarse de ellos. No obstante, un momento después, la sonrisa se le borró.

—¿Qué pasa? —preguntó Lorcan.

—Estoy pensando en Connor —respondió ella—. Me preocupa cómo va a reaccionar a todo esto. Para mí es más fácil porque quiero formar parte de este mundo. Ya estoy vinculada a él en muchísimos aspectos.

—Eso es cierto —dijo Lorcan—. Pero tú y Connor sois personas distintas. Reaccionará de otra forma y trazará su futuro en consecuencia. Hallará su camino. Tienes que confiar en que lo hará.

—Pero yo os tengo a ti, a Mosh Zu, a Darcy y a todos los demás para ayudarme —dijo Grace—. Y esperemos —añadió— que el capitán vuelva algún día no muy lejano.

Lorcan asintió.

—Sí, tú nos tienes a todos nosotros. Pero Connor también tiene a sus amigos ¿no? Y nosotros estaremos ahí, esperando para ayudarle, cómo y cuándo nos necesite.

Sus palabras fueron enormemente tranquilizadoras.

—Gracias, Lorcan —dijo Grace.

—No hay de qué —dijo él—. Pero solo estoy diciendo la verdad tal como yo la veo. Y ahora, solo por esta noche, ¿podríamos dejar de preocuparnos por tu hermano y relajarnos para disfrutar de las estrellas?

Grace estuvo de acuerdo. Volvió a tumbarse en la cubierta, se abrazó a Lorcan y contempló la bóveda celeste que se extendía por encima del palo mayor y las enormes velas parecidas a alas del *Nocturno*, lanzando destellos de luz mientras el galeón seguía su curso.

Por encima de ella, el cielo nocturno estaba despejado y cuajado de estrellas. Sus ojos vagaron de una constelación a otra: algunas eran conocidas; otras, todavía un misterio para ella. Recordó a su padre explicándoles a ella y a Connor cómo se guiaban los marineros por las estrellas para regresar a casa. Ahora, al contemplar el cielo, imaginó que cada una de aquellas luces representaba a una de las personas especiales de su vida. Algunas ya desaparecidas; otras aún presentes. Sally. Dexter. Connor. Darcy. Oskar. Mosh Zu. El capitán. Lorcan. Cada una, a su modo, la había conducido a aquel lugar especial. El lugar que ahora sabía que era su hogar.

ÍNDICE